光文社文庫

長編推理小説

死亡推定時刻

朔《さく》 立《たつ》木《き》

光 文 社

『死亡推定時刻』目　次

第一部

第二部

第一部

1　事件発生

富士山が目の前に大きい。

その裾野がまだ相当強い勾配で河口湖に落ち込む斜面の広大な敷地に、その屋敷は建っていた。

人呼んで「金御殿」。高く張り巡らされた塀の中に聳《そび》える日本家屋の屋根には金のしゃちほこがあたりを睥睨《へいげい》している。一二ある部屋はすべて、天井貼りから室内のあらゆる装飾が金メッキされているという。

屋敷の主は渡辺恒蔵。株式会社渡辺土建の社長だ。

二〇〇一年五月一五日、午後七時を過ぎていた。

その渡辺の屋敷の中、高級マンションのモデルルームのような広すぎるキチンで、妻の美貴子は立ったり座ったりを繰り返していた。

一人娘の美加の帰りが遅れていた。中学二年の美加が、部活を終って帰ってくるのは八時五〇分ときまっていた。

美加は都留《つる》市にあるミッション系の中学、高校から短大まで一貫教育の女子校に通っている。

一年生のときは、美貴子が車で送り迎えをしていたが、二年になって美加が友達に恥ずかしいからやめてほしいと言って、バスと電車を乗り継いで通学するようになった。

六時に都留市の学校を出て富士急電鉄で富士吉田まで来て、そこから本栖《もとす》湖行きのバスに乗る。自宅のそばのバス停で降りてから歩く時間を入れて六時五〇分。バスが遅れても、七時を過ぎることはめったにない。

七時が渡辺家の夕食時間で、外泊も多い恒蔵だが、家にいるときは必ず美加と一緒に夕食をとる。夕食の準備はすっかりできているのに、美加が帰ってこないのではじめられない。

今にも恒蔵の怒声が襲うのではないかと、美貴子は落ち着かないのだった。


渡辺恒蔵は会社でも、自宅でも、文字通りのワンマンだ。

気に入らないことをすれば、社員でも、妻でも、容赦なく怒鳴りつけ、殴りつけることも珍しくない。

渡辺土建は、父の渡辺利作の代までは、狭い畑の脇に立つトタン葺きの平屋に自宅と材木小屋が同居する半農の村大工で、集落の農家の小さな家の修理ばかりをやっている細々とした商売だった。

利作には三人の息子があった。

長男の利一《りいち》は評判の頭の良い子だった。父親の商売では兄弟三人で働くほどの仕事もないと見切りをつけて、新聞配達をしながら高校を卒業し、警察官になった。今年五六歳。ほどなく定年となる現在まで永年、山梨県警本部の鑑識課に勤務している。

次男の卓二は中学時代からぐれて何度か警察の厄介になっていたが、東京に出て行き、五四歳になるはずだが、今はどこにいるのか連絡もない。

残った三男の恒蔵は、年取って年々体がきつくなった父親の大工仕事を、生活のために手伝わざるを得なかった。そうして家業をしながらそれでも高校だけ出て、あとを継いだ。

しかし目先の利く男で、こんな商売ではだめだと父親を罵倒して、セールスをして歩いていたが、やがて政界フィクサーとして全国的に名を知られた地元の政商の下請けにもぐり込んだ。いやな仕事を率先して引き受け、元請けの政商が次々と公共事業を受注するのにひったりと食いついて、倍々ゲームで仕事の規模を大きくし、株式会社渡辺土建を設立登記し、高校卒業から一〇年後には県下でも有数の土建会社に成長していた。

恒蔵は、その収益を資金に、二〇代で事実上の金融業を土建業と併行してやるようになっていた。銀行が融資しない貧困者相手の高利貸しで、どこで覚えたのか、担保を土地だけに限定し、一か月から三か月という短期の代物弁済契約を結び、期限を過ぎれば容赦なく土地を取り上げた。

今では、この屋敷の敷地はもとより、隣接する勝山《かつやま》村、鳴沢《なるさわ》村の土地の二割は恒蔵の持ち物だと言われるほどの土地持ちとなっている。

こうして手に入れた山林の一つが、富士山麓の原生林に隣接していた。村有地だった原生林を県議会与党に広く根回しして村長と村議会の同意を取って払い下げを受けて、担保流れで取っていた土地と合わせて、36ホールのゴルフ場、マウントフジ・ゴルフ倶楽部を造成した。

ゴルフは恒蔵が、政界工作のために覚えたものだったが、のめりこんで、自前のコースを持ちたくなったのだ。

もとより利益も見込んでのことで、バブル最盛期で募集した会員権は高いもので一口二〇〇〇万円近く、一〇〇億を超える預託金収入を得た。その預託金は、またすべて土建業につぎ込んだ。県内の土建業者の中でも群抜きの資金力で、国の公共事業をつぎつぎと請負う現在だった。

渡辺恒蔵のあこぎなやり口に、反感は強かったが、中央政界に強い影響力を持つあの政商の庇護のもと、国会議員から県会、村会までのすべてのレベルの政治家に、惜しみなく献金して、自治体幹部や警察にも深く食い込んでいる渡辺には、誰も手が出せない。

ゴルフ場の許認可も、すでに富士の裾野に虫食い状態で多数のゴルフ場があって、環境保全のために、これ以上ゴルフ場は許可しないという県の決定を大量の裏金を使って変更させて、最後の認可を得たものだった。

広く県外にも知れ渡る成功者である恒蔵が、この時間に自宅にいるのは珍しい。美貴子はそんな夫を不機嫌にさせる娘の帰宅の遅れに、気が気でなかった。

美貴子は三二歳になったばかり、五二歳の恒蔵とは二〇歳も年が違う。渡辺の開発したマウントフジ・ゴルフ倶楽部にキャディのアルバイトに来た高校生の美貴子の美貌に執着した恒蔵が、先妻を強引に離婚したうえで、美貴子を妻にした。一人娘の美加は、美貴子がまだ一八歳の、先妻との離婚が片付いていない時期に、産ませた子である。

だがその後、美貴子は子を産むことなく、今は、恒蔵には美貴子よりもさらに若い愛人が、数人いる。数人であることに美貴子はむしろ安堵している。一人なら、自分も先妻と同じ運命をたどる危険がある。数人ならその危険は少ないと、自分を慰めているのである。

それに恒蔵は、美しい一人娘の美加を溺愛している。

先妻との間に息子が一人いるが、離婚した先妻に養育させ、三〇歳になった現在も、自分のゴルフ場で平社員として使っているだけで、何の援助もしてやらない。時たまクラブハウスで顔を合わせても、社長と社員の関係以上の表情を見せることはない。

それに引き換えて、美加への可愛がりようは異常なほどだ。

無制限に金をかけて育てた。小学生のときから着飾らせて連れて歩き、暇さえあればゴルフ場に連れて行き、政財界の有力者と同席させ、また、コースに連れ出して、ゴルフを手ほどきした。私立の中学に入ると美加の学校に設備・備品一切を寄付して美加のためにゴルフ部をつくらせてしまった。美加の部活というのはゴルフの練習だ。

美加が母親と強い絆で結びついている限り、美貴子が妻の座を失うことはない。

美加は良い子だ。父母のそんな関係、複雑な家庭事情をうすうす知っていて、母のために、父のお気に入りになっているふしがある。優しい子だ。

電話が鳴った。美加だわ。

美貴子がダイニングの受話器を取ると、一足早く外線ランプが赤くなっていて、美貴子は居間にいる夫がそこで受話器を取ったことを知った。外線ランプはすぐ消えた。

「美加ですか?」

居間に入って行って、夫に聞いた。

「間違い電話だ。何にも言わずに切りやがった。美加はまだ帰らないのか」

「ええ。どうしたんでしょう」

「どうしたんでしょうだと」

恒蔵の声が変わった。娘の帰りが遅れているのに何もしないでいる妻に、怒りが湧き上がるのを隠さない。

美貴子はあわてて、

「お友達のうちに電話してみます」

走ってその場を逃れた。

美貴子は中学の生徒名簿を出してダイニングに戻り、まず、吉田直子の家にかけた。中学で美加と同じゴルフ部員で、学校から富士吉田まで電車で一緒に帰る友達だ。

直子はもう家に帰っていて、美加とは富士吉田の駅で別れた、バスに乗ったと思っていた。

でも、特に注意しては見ていなかったので、乗ったかどうかはわからないと言う。

バスが遅れているのか。富士急バスに電話をして聞いたが、特に遅れはないという。

時計を見るともう八時に近い。

富士吉田の友達の家に寄ったのか。中学の名簿でそれらしい住所を探しているとき、また電話が鳴った。鳴ったとたんに、今度は美貴子がすぐ取った。

「美加ちゃん？　どうしたの……」

「奥さんか」

男の声だった。

「美加ちゃんのお母さんね？」

「あ、はい」

「美加ちゃんは今日は帰れない」

「え？」

美貴子はそのとき、なぜか美加が友達のうちで急病になったと思った。

あとで何度も考えたことだが、どうしてそんな気がしたかというと、その電話の声にどこか聞き覚えがあるような気がしたからではないかと思うのだ。年配者の声ではあるのだが、明るさのある、響きのいい声。

美加が友達のうちに寄って、そこで病気になった。それで今日は帰れない、その友達の父親が知らせてくれた、と一瞬そんな気がしたのだ。

「すみません。どちらさまでしょうか？」

とにかく自分がそこへ行こうと思って聞いた。

すると、美貴子には相手が少し笑ったように感じられた。受話器の中で笑い声がしたというのではないが、ただなぜかそんな感じがした。一呼吸置いて相手は言った。

「言うとおりにすれば、明日は帰れる」

「言うとおり？」

「一億円用意してもらう。新券ではだめだ」

「シンケン？」

美貴子にはとっさにその意味がわからなかった。

「新しい札じゃだめだ」

美貴子は何かわからないがただならぬ事態が始まったことを感じた。

「主人を……主人を呼びます」

「呼ぶな。呼んだら切る。あんたと話せばいい。明日の一一時ならいいだろう。あんたのところなら用意できるはずだ。ゴルフバッグに一億円。現金で入れて、あんた一人で、タクシーに乗って、ハイランド・リゾートのレストランに来るんだ。レストランに入ったら、バッグをテーブルの上に置いて待っているんだ。旦那のケイタイを持って来ること。一一時だ。間違うな。もう一度繰り返すから間違うな。一億円。古い札。一一時。ゴルフバッグに入れて、テーブルの上に置く。ハイランド・リゾートのレストランの中だ。間違うな。金をちゃんと受け取れば美加は無事に帰れる。あ、それから旦那に言った方がいい。チャンスはこれが最後だ。一回だけだ」

一気に言うと、プツッと電話は切れた。

「あなた！」

恐ろしい悲鳴に恒蔵がとんできた。

「美加が……美加が」

恒蔵は妻が手に持ったままの受話器を奪うようにとって耳に当てたがツー、ツーという話中の音が聞こえるだけだった。

2　聞き込み

美貴子はこの時、電話の内容を話し終る間に、四回恒蔵から張り倒された。

なぜ早くおれを呼ばない。

なぜ録音ボタンを押さない。そのために高い電話をつけてるんだ。

なぜ話を引き延ばさない。

なぜ「美加の声を聞かせてください」と言わなかった。

みんなそのとおりだ。そうするべきだったのだ。

でも、何が起こったか、大体にせよ、飲み込めたのは電話が切れてからだった。

もしそう言ったら、さらにもう一度殴りつけられたろう。

美貴子はただ黙ってがたがたと震えていた。

渡辺恒蔵は一瞬思案したのち、すぐに県警本部長の盛田克行の自宅に電話し、留守といわれるとすぐにケイタイの番号を押した。盛田とは表向きはゴルフ場の常連客とオーナーでゴルフ仲間という関係だが、盛田がごく少数の相手にしか教えていないプライベイトのケイタイ番号を渡辺は知っている。

九時一三分、目立たない車に乗った警察官が五人「金御殿」に着き、邸内に散った。もちろん皆私服だ。その後、少しずつ時間をずらせて、何気ない自家用車風の車が五台、金御殿を遠巻きにする位置に停まり、車内灯を消して、闇の中に沈んだ。

三五分後に盛田の乗った、これもありふれた乗用車が御殿に滑り込んだ。

盛田と、もう一人大きなバッグを持った男が降りて、邸内に消えた。

「調べさせたが、八時五〇分の電話はケイタイからで、売られたばかりのプリペイドだそうだ」

案内されて応接間に入るなり、盛田は恒蔵に言った。あんたからの電話をもらうとすぐ指示して調べさせ、車中で報告を受けたんだと付け加えた。

「捜査本部を設置した。今、初回の本部全体会議をやっている。本部長は県警本部の刑事課長の押田だ。役に立つ男だ」

盛田は渡辺恒蔵からの電話を聞いた直後に、県警本部と、事件発生署である富士吉田署との合同捜査本部を設置させた。多額の身代金を要求する悪質な「身代金目的誘拐罪」だから本部設置は当然ではあるが、通常は本部は事件発生署に置くところを、この事件では、県警本部に置かせた。渡辺との関係で、県警本部長の自分が実質的に指揮を執るつもりで、そのため手元に本部を置いたのだ。

盛田はそれから伴っていた男を渡辺に紹介した。捜査本部の予備班、つまり捜査主任者に直属する実質的な中心部隊の町田警部だ、と言い、町田は有名な渡辺土建の社長に直立して頭を下げた。

盛田は、主《あるじ》の向かい側のソファーにどかっと足を開いて座るなり、恒蔵を正面から見据えて、

「心当たりは」

犯人のことを単刀直入に聞いた。

「いや。わからない」

「後で間違ってもいい。何人かあげてみられないか。一刻を争うことだ」

「うーん」

盛田は若くして県警本部長になった有能な警察官僚だった。もちろんキャリア組だが、現場の取調べも経験している。恒蔵の対応に、はっきりしないものが混じるのを見て取った。この男は、少なくとも誰かに疑いを持っている。まあ、それが一人に絞りきれないということなのかもしれないが。この男がうなるほどの金を持っていることは誰でも知っているし、この男に恨みを持っている者もいくらでもいるだろう。

「もし何か思いついたらすぐ言ってくれ」

　相手はあいまいにうなずいた。

「それで、電話を聞いたのは奥さんだけだね」

「ああ、馬鹿だから、おれを呼ばないで、電話を切られてしまった」

「調書を取らせてもらう。奥さんを呼んでもらおうか」

　先刻、盛田らを部屋に案内して引っ込んだ美貴子を、恒蔵がインターホンで呼びつけた。

　町田を紹介された。町田は「失礼します」と言って、持ってきた大きなバッグをあけて、ノートパソコンと簡単なプリンターを出した。美貴子は町田の質問に答えて、電話の掛かってきた時刻からはじめて、その内容を逐一復唱させられ、町田はノートパソコンを叩いて、それをメモに取った。

　美貴子が復唱した電話の内容で、盛田と町田が最も注目した点が三つあった。

　まず最初に、美貴子が電話を受ける前に掛かってきた「間違い電話」があったこと、これは恒蔵が出たために、犯人が何も言わずに切った可能性がある。ということは、犯人は恒蔵に声を知られた者であるかもしれないことを示している。

　次は犯人が言った、「チャンスはこれが最後だ。一回だけだ」というくだりだった。とくに「これが最後だ」という言い方で、その言葉が正確なら、犯人はこれまで恒蔵に対して、同じ要求を何度かしてきたが、要求が容れられないので、一人娘の誘拐という非常手段を取るのだと言ってきた、とも受け取れる。

この二つの点は、二つとも、犯人と渡辺恒蔵との間に何らかの関係があること、そしてそれがこの犯罪に結びついていることを示唆している。

さきほど、まず恒蔵に犯人の心当たりを聞いた際の、恒蔵の何か奥歯に物の挟まったような態度とあわせて考えれば、恒蔵はこれまでに誰かに金の要求をされていて、その相手を今回の犯人として相当程度まで疑っていると考えることもできる。

盛田が注目したもうひとつの点は、犯人が「警察に言ったら娘の命はない」という、こういう場合の常套句を言わなかったことだ。念を押して聞いたが、渡辺美貴子は言わなかったと断言した。

キャディのアルバイトだったこの女を、渡辺恒蔵が、先妻を追い出した「金御殿」に、高校も卒業しないまま入れてしまい、先妻との離婚にてこずったこと、美貴子が翌年、美加を産んでのちに、ようやく籍を入れたことは知っている。

盛田はこれまで、ほとんど口を利いたことはなかったが、今、この女は馬鹿ではないことがわかった。電話の内容を何度問いただしても、間違わずに同じことを繰り返したので、その内容が正確であることを、盛田は信用したのである。

その渡辺美貴子が、何度思い出させても、犯人は「警察に言うな」という類《たぐい》のことは言わなかったと言う。言い忘れたということなのだろうか。そうでないとしたら、その意味するところは、何なのだろうか。捜査をする側にとっては、引っかかるところだった。

電話の復唱が終ると、盛田が改めて質問した。

「奥さん。電話の声は聞き覚えがある？」

美貴子は一瞬迷った。どこかで聞いたことがあるような気がすると、聞いた時から思っていた。だがどこでなのか、思い出せなかった。

もしそう言ったら、どこの誰だと問いただされるだろう。でもわからない。

さっき、美加のお友達のお父さんかと思ったけれど、あれから考えてみると、違う。お友達のお母さんとは話をしているが、お父さんと話をしたことはなかった。

どこかで聞いた声。でも皆目見当がつかない。

だからうっかりしたことは言えない。

どこかで聞いた声だと言いながら、思い出せなかったら、恒蔵からどんな仕打ちを受けるかわからない。

「……わかりません……」

「どんな声？　男で、年は、五〇か、六〇と言いましたね」

「はい、でもお年寄りという感じではないから……もっと若い方かもしれませんけど」

「じゃ四〇代かもしれない？」

「わからないんですけど、そんなに低い声じゃないので」

「高めの声ってこと？」

「はい。あの少し明るい感じの」

「誰か、聞いたことがある声じゃない？」

「はい……いいえ……ないと思います」

県警本部長の視線が一瞬厳しくなったのを美貴子は感じた。

盛田は、恒蔵の妻の答え方に、何か逡巡が混じっているのを見て取った。夫婦そろって歯切れが悪い。大体こういう犯罪は、全く未知の犯人が犯す場合よりも、その家の事情をよく知っている者が犯人であることが多い。相手次第では、もっと問い詰めるのだが、しかし渡辺恒蔵と昵懇《じっこん》であることがかえってそうしにくい。

盛田は多少遠慮した聞き方にした。

「じゃ、誰かの声に似ているとかは？」

「………」

「わかりませんか？」

「あの……」

誰かの名前を言わなければいけないと美貴子は感じた。

「……？」

「あの……午後の歌謡曲の……浅田マサルさんに……」

「午後の歌謡曲の……浅田マサル？」

「はい……あの、パーソナリティの方です。……感じが……」

「似ているのね」

「午後の歌謡曲」は、美貴子が家事をしながらいつも聞いている民放のラジオ番組だ。

金御殿は広い。通いのお手伝いは毎日来るようになっているが、恒蔵は掃除が行き届いていないと美貴子を叱責した。美貴子は一日のほとんどを家の内部を磨き上げることにとられている。

次々と場所を移動しながらの掃除だから、テレビ画面を見てはいられない。携帯型のラジオが美貴子の唯一の慰めで、とくに「午後の歌謡曲」が待ち遠しい。浅田マサルは主婦に人気のあるパーソナリティだ。

盛田は二人の目の前で捜査本部会議の場に携帯電話を入れた。

「午後の歌謡曲の……浅田マサルの声」はさっそくラジオ局から録音が取り寄せられ、捜査本部員は、その声をくりかえし聞かされた。

美貴子は内心気がとがめていた。

あの「声」は「浅田マサルの声」とは少し違う。そう、浅田さんよりは渋い声だ。そして何というか、響きのいい声だ。盛田に答えながらすでに、美貴子は違いに気が付いていたのだが、何か答えなければとっさに答えてしまったのだ。間違ったことを言って、悪かったのではないだろうか。

「じゃ調書にとりますから」

町田警部が、この家の主人の許可を受けて、応接間の隅の方へ移動して、パソコンのキイボードをせわしく打ちはじめた。

それを横目で見ながら、盛田は少し声を落として言った。

「あ、それから、利一さんは今の段階でこの捜査本部に入れないことにした。……もし入れたほうがよければいつでも入れられるが」

そう言って相手の反応を見た。

盛田の部下に当たる渡辺利一は、この男の兄であり、この兄弟が、父親の相続を巡って仲《なか》違《たが》いしていることを、県警本部長は知っている。

「ああ」

それでいいという相手の反応だったので、盛田は社交辞令を言った。

「鑑識では優秀な人材だが、親戚だということで、彼もやりにくいだろうし」

次に盛田は、渡辺に使いつけの銀行の支店長の自宅に電話させ、到着するまでの間に恒蔵に説明した。

「一億円」を用意するのだ。一〇〇〇万円の「大束」一〇個。しかし支店長に指導して、束の前後だけに紙幣をつけてあとはそれらしい紙で銀行の帯封をつけた束を作らせる。

すると、聞いていた渡辺美貴子が決死の形相で、男たちに向きあった。

「じゃあ、あの人を騙すんですか？　そんなことをして、あの人が、ほんとのお金じゃないとわかったら、怒って、美加をどうかしてしまうんじゃないですか。美加がひどい……大変なことをされるんじゃないですか。

お金のために、お金のために、美加が、美加が、どうかなってしまったら、私は死にます。あなた、お願いです。一生に一度のお願いです。本当のお金にしてください。あの人は『お金をちゃんと受け取れば美加は無事に帰れる』って言ったんです。あの人、ウソは言わないと思います。言うとおりにすれば、美加にひどいことはしないと思います。一億円。あなたにとって、何でもないお金じゃありませんか。美加に、美加にやってください。

美加さえ助かれば、私は何にも要りません。一生何も買わなくていい、何も遣わなくていい、遣いませんから、その分を、今、美加に。美加に――」

恒蔵は、女は口出しするなと妻を怒鳴りつけた。盛田は、

「奥さん、真券でも、結局は同じなんですよ。われわれは犯人を挙げるんですから」

なだめようとしたが、美貴子は泣きながら懇願を繰りかえして頑として引かなかった。

「同じなら、本物のお金でも同じではないですか。あなた聞いてください。あなたは美加を可愛がっていますよね。可愛いと思ってくれてますよね。美加のために。美加のために。お金を出してやってください。美加のほうが、お金より大事ですよね。お願いです。お願いし

ます。お金があっても……美加がいなければ、美加がどうかされてしまったら……あなたはそんなことしませんよね。美加を大変なことにするような。そんなこと、しませんよね」

美貴子は号泣した。

（美加を死なせるようなことは）という言葉は口に出せない言葉だったが、必死の懇願は言外にそれを言っていた。

恒蔵も誘拐犯を怒らせては美加の身が危ないということは考えないわけではなかった。

「女子どもは苦手だ」

盛田に向かって照れくさそうに言った。

「ありがとうございます。あなたありがとうございます」

二人の男は、床にひれ伏して、礼の言葉を繰り返しながら激しく泣きじゃくる女の姿態を見下ろしていた。

激情が「金御殿の奥さん」の仮面を押し流し、三二歳になったばかりのまだ若い女の生身をあらわにしていた。

玄関のチャイムが鳴った。支店長が来た。恒蔵はメモ用紙に数字を書いて渡した。

「事情があってね。これだけ、今夜中に用意してくれんか。旧券だ」

「人命に関わることだ。他言は無用にしてくれ」

口を添える県警本部長の顔を支店長は知っている。

「三〇〇〇万でございますね。がんばってご用意させていただきます。万一のときでも、明朝一〇時までには揃えさせていただきますので」

県警本部長は、内心唸《うな》った。

この金御殿の主人の部屋には巨大な耐火金庫があって、そこには常時、大量の紙幣が蓄えられていることは知っていた。

裏から入る金も、裏から出る金も、銀行を通すわけにはいかない。

しかし大したものだ。その耐火金庫には、七〇〇〇万円の現金が入っているのだ。

渡辺恒蔵の裏の収支は、それだけのプラスになっているということではないか。

支店長が帰るのを見届けて、町田警部が部屋の隅からパソコンごと移動してきた。

「それでは奥さん。調書の読み聞けをしますので聞いてください」

「読み聞け」とは何なのかわからなかったけれど、美貴子は警部がパソコンの画面を動かしながら読む「供述調書」の内容を聞いて「間違いありませんね」と言われて、なんだか自分の言ったことと少し違うとは思ったが、あいまいにうなずいた。

「では、打ち出してきますから、署名と認め印をお願いします」

美貴子は認め印を持って来させられ、プリンターから耳障りな音を立てて出てきた「供述調書」の最後の紙の指示された位置に署名し、認めを押した。

町田は、その「渡辺美貴子供述調書」をまず、メールで捜査本部に送信してから、「ありがとうございました。終りました」と告げると、盛田も腰を上げた。

「捜査本部の全員会議はまだやってるんだよ。明日の配備に抜かりがあってはいけないからね。

ここの手配、地取り捜査、ハイランドにはテーブル全部に録音機を仕掛けるので、支配人と打ち合わせさせてる。従業員にまで報《しら》せると漏れるから、知っているのは支配人とレストランの店長だけだ。

あんたはここで待機だ。奥さん、明日は大役をやってもらうんだから、今日は良く寝てね」

本部長より先に邸内に入って、録音装置の設定などをしていた警官たちも、警備の人員を残して帰って行った。

盛田が戻った県警本部の、会議室に置かれた捜査本部には、深夜だというのに煌々《こうこう》と電気がともされ、本部全体会議は継続されていた。誘拐事件の発生現場付近一帯には第一報の直後から、事件発生署である富士吉田署からだけでなく、県警本部からも多数動員され、多方面に散って、聞き込み捜査を続けていた。

この時刻、いくつかの聞き込みは終って、その報告があがってきていた。

美加と最後に一緒だった吉田直子の家には、私服警察官が真っ先に行っている。

直子はおびえながら、美加とは富士吉田駅で改札を出ると右と左に別れたと繰り返した。

直子の家は富士吉田駅から徒歩の距離になる浅間《せんげん》神社の下にあたる。駅からは右手に出るかたちで、美加が乗る本栖湖行きのバスが始発するのは、駅から左側にあたるから、改札で背中合わせに別れたあとは美加の方を見ていないと言う。

警察は、美加が乗るはずだったバスの運転手も、会社から自宅を聴きだして探し当て、聞き込みに行った。

美加はきれいな子だし、そうでなくとも、狭い土地の中で、毎日定時に乗り降りする乗客を運転手は皆知っている。

今日の夕方は、あの「金御殿」の子は乗らなかったと思うと言う。今日は始発の吉田駅から何人も人が乗ってきたから、はっきりとは言えないがどうも乗らなかったと思う。

「そうだね、いつも降りるとこで降りなかったことは確かだね。あそこで降りたのは婆さんが一人だけだったからね」

「『金御殿』の娘がその前の停留所で降りたってことはないかね」

「うーんなぁ。ないと思うがね」

捜査陣は、この時点では、美加の足取りが途絶えたのは富士吉田駅であるとほぼ断定することにした。

写真を持って聞き込みをすると、駅員も皆美加のことは覚えていた。

「きれいな子だもんねぇ」

今夕、午後六時半ごろ改札付近にいた駅員は美加がいつものように定期券で通過したのを見たと言った。そのあとは見ていない。ただ、改札付近から美加を無理に連れて行こうとする者がいたりすれば当然記憶に残るはずだが、なにか騒ぎがあったということはない、と言う。

捜査員らは、これらの聞き込みを、本部長に随行した町田警部と同様に、その場で「供述調書」にして、供述者に署名捺印をもらうと、捜査本部に送信してきた。

捜査本部会議は、これらの聞き込み結果から、美加は、自分の意思で駅から一人でどこかへ行ったか、顔見知りに誘われて付いて行ったか、のどちらかだと判断した。

そこまではわかったのだが、駅に隣接する大型スーパーの店員、駅付近の喫茶店や食堂その他の店舗、スーパーの駐車場に車を停めていた者等々を対象に、捜査本部捜査班と、予備班までの大量の警官が投入され、聞き込みは夜通し続けられたが、しかし美加につながる情報はそれ以上は何も得られなかった。

ただ、誰もトラブルらしいものを見ていないことも確実になった。美加は少なくとも、暴力的に連れ去られたのではないことが、いよいよ確かになっただけだった。

3 配備

二〇〇一年五月一五日の長かった夜が明けた。

一六日午前一〇時三〇分、一台のタクシーが金御殿の前の道路に停まって、降りてきた中年の運転手がインターホンのボタンを押した。

「お早うございます。富士急タクシーです」

タクシーの車体には、このあたりで一番大きいタクシー会社の社名が書かれている。

警察が借り上げてきたのだ。御殿の邸内から美貴子が憔悴《しょうすい》した姿を現した。重そうなゴルフバッグを運転手が手伝って、車のトランクにではなく、座席に置いた。美貴子がその隣に座ると、タクシーは走り出した。

誰も見送らなかったが、タクシーが走る前後を、辻、辻からそれとなく現れたいくつかの自家用車が、少しずつ間をあけて追尾した。

「県警の警部の安富と申します」

シートに硬くなって、しかし半ば自失している美貴子に、運転手が名乗った。

続いて、これだけは教えておかなければならないことを指示した。

「奥さん。ご主人のケイタイお持ちですね。何時《いっ》も必ず、そばに置いていてください。車に乗っているときはシートの上に、レストランではテーブルの上に、置いてください。昨日付けさせていただいた無線機は付いていますね。あやまって外れないように気をつけてください。犯人から電話が掛かったら、すぐに録音ボタンを押してください」

「はい」

美貴子は自分の携帯電話を持っていない。いつも家の中にいるだけの美貴子にはケイタイを使うような用事はない。だから操作もわからなかった。

犯人からの指示で、恒蔵のケイタイを持ってきている。

明日は、何時も必ず、これをそばに置く。車に乗っているときはシートの上に置き、レストランではテーブルの上に置く。犯人から電話が掛かったら、すぐにこの録音ボタンを押した上で、「美加の声を聞かせてください」と頼む。ねばって、なんとしても話を長引かせ、あとは警察官の指示に従う。警察官がメモして教えることを犯人に話す。

盛田と恒蔵に、何度も教えられた。

「今度失敗したら、ただではすまない」

恒蔵は恐ろしい顔で命令した。こわくて、リハーサルを何度も失敗した。

できるだろうか。自信がない。心の中まで震え上がっている自分を、美貴子は感じていた。

「自分はレストランには入りません。何かあるといけないので、入り口に車を停めてお待ちしていますから、車を降りるときに大きな声で『ここで待っていてください』と私に言ってください。犯人が聞いているかもしれませんから」

美貴子はうなずいた。

これも同じことをすでに昨夜から何度も言われていた。県警本部長から。夫から。

「それから、レストランの中に入ったら、真ん中に空《あ》いているテーブルがありますからそこに座ってください。周りのものはみんな警察官です。婦警もいます。何かあったら、『高橋です』と言う者の指示に従ってください。自分と同じ県警の警部です」

美貴子はまたうなずいた。

「そのバッグは、重たいでしょうけれど、自分で持って、テーブルの上に置いてください。いいですね」

「運転手」は次第に命令の口調になった。

「あの――」

「何でしょうか」

美貴子はこれだけは自分の意思で警察官に言っておきたいと昨夜から思いつめてきたことを、必死の思いで口に出した。

「お金をちゃんとあげて、ちゃんとあげて、美加を、美加を返してもらってください」

言いながら美貴子は声を詰まらせた。

昨夜、この一億円を用意したそのいきさつを思い出さずにはいられなかったのだ。警察の偉い人が来て、偽の札束を用意すると言っているのを聞いて、泣きながらひれ伏し、本当のお金を出してほしいと夫に頼んだこと。

あのあと、警察の人たちが帰ると、夫はいきなり美貴子を押し倒した。

こんなときに、なんてことをする人なのだろうか。

美加は今どうしているのだろうかと、生きている気もしない、こんな私にこんなことをするなんて。

本当に、本当になんていう人なのだろうか。

さっき、あんな恐ろしい電話を受けて、心臓が口から飛び出しそうに動転している美貴子を、四回も張り倒して、今度は、いきなりこういうことをする。

美貴子には、恒蔵の行為は、同じ美加の親同士として、突然ふりかかった大きな苦しみを共有する夫婦として、身を寄せ合い、慰めあう行為だとは思えなかった。

美貴子がはじめてそうされたときと同じに、そしてそれ以後の何時のときとも同じに、一人の人間である美貴子という存在を、ただおのれの身勝手な衝動が終るまでの玩具として、遠慮会釈なく、したい放題に占拠しつづける男の行為。そうとしか思えなかった。

美貴子は嫌悪の塊になっている自分を気づかれないようにすることだけで、精一杯だった。

今、この男の機嫌を損じたら、この男は、金を出してやらないと言いだすに決まっている。何でもお金の勘定にして考える人。それしかしない人。

機嫌を損じたら……美加を助けることができない。

美加。美加。

美加を助けるためだから。

しかし、断続する意識の中で、美貴子は自分に話しかける自分の声を聞いていた。

(もし、……もし……美加が。美加がだめだったら、ここを出よう。美加がいないんだったら、もうここにいることはしなくていい。この男の下でこうして生きていくことは、もうしなくていい)

(美加が「だめだったら」だって? それ、どういうこと? どういうこと?)

恐ろしい。恐ろしすぎる予感だった。

美貴子が思わずあげた叫び声。あのひとはあれを違う意味に受け取ったのだろうか。

そういう人。何という人。


三〇〇〇万円、三つの大束は今朝九時半に支店長が届けてきた。

恒蔵が金庫から出してきた七つの大束と合わせて、美貴子の脇に載せたゴルフバッグに収まっている。

これを使って、あの子を助け出すために、昨夜したこと。

思い出して、美貴子は嗚咽《おえつ》を抑えられなかった。

だから、この警察官に何がどうあってもそうしてもらわなくては。

「お金をちゃんとあげて、ちゃんとあげて、美加を、美加を返してもらってください」

嗚咽する美貴子の様子を見て安富はまずいと思った。

誘拐犯への警察の対応としては異例だが、被害者側のたっての希望で、用意した札束が真券になったということは、運転手役を命じられたときに、捜査本部長から手短に教えられた。渡辺美貴子が持って出てくるゴルフバッグに入っているのは現金一億円だ。絶対に犯人に奪われてはならない、と指示されたのだ。

タクシーは、富士スバルライン立体交差の下をくぐった。ホテル・ハイランド・リゾートはもう左手に見えている。この女を取り乱したままにさせたら捜査の支障になる。

「わかりました。奥さんの気持ちはわかりました。お嬢さんを取り戻すためにも、自分らの指示に従ってください」

車は速度を落として左折した。

「犯人が見ているかもしれませんから、落ち着いてください」

広い前庭は円形の駐車場の外側を進入用の車道が取り巻く形につくられている。安富警部はタクシーを迂回させて、ホテル・ハイランド・リゾートの正面玄関に付けた。

女客はどうにか嗚咽を収めて、重たいゴルフバッグをシートから引き出して下ろした。

「お客さん、二六八〇円です」

見通しの良い場所だ。犯人はどこから見ているかわからない。

美貴子は財布を持って来なかった。タクシーは借り上げで、運転してくるのは警察官だと昨夜言われていた。

「あの、私……」

「ありがとうございます。おつりです」

警部が差し出した手から、おつりを受け取るしぐさをするのだとわかってそうした。

「あ、待っててください。あの」

「ここでお待ちするんですね。はいわかりました」

警部は大きな声で答えた。

「ちょうどここが空いていますから、ここに停めてお待ちしています」

玄関のすぐ前のスペースは昨夜からのホテル側との打ち合わせで、そのために他の客に使わせないようにさせてある。

美貴子は重いゴルフバッグを肩にかけてようやく歩いた。

昨夜はそのあと一睡もできなかった。

ゆうべから何も食べられなかった。

でもこれを運ばなければ。あの……あの声の人に渡さなければ。美加の命を助けなければ。

ホテル・ハイランド・リゾートのレストランは、ホテルから突き出したあずまやのように建てられている。ガラス張りで、前庭のどこからもよく中が見える。

入って行くと、真ん中あたりに、言われたように一つだけ誰もいないテーブルがあった。そこに座った。

ウエイトレスが注文をとりに来た。困った。お金を持っていない。

でも、注文しないといけないのだろうと思った。

ああ、ハンドバッグにいつも入れているカードがある。

「ジュースをください」

「オレンジとメロンと……」

「あ、オレンジで」

何でもいい、そんなことはどうでもいいのだ。ウエイトレスが去ると、ゴルフバッグをテーブルの上に持ち上げた。

こんなものをテーブルに載せるなんて、普通なら怒られるところだけれど、周りはみんなお巡りさんで、支配人だけには事情を話してあると、盛田さんは言っていた。

続いてケイタイも置いた。

これがみんなお巡りさん。女の人は婦警さん。

時計を見ると一〇時四五分だった。

美加はどこにいるのだろう。この近くにいるのだろうか。

あの声の人は、どんな人なのだろうか。

どうしても、悪い人のようには思えない。

どこから来るのだろうか。

こんなにたくさんお巡りさんがいると、来られないのではないだろうか。そうしたら美加は。美加は……どうなるのだろう。

時間はとてものろのろとしか経《た》たないように思えた。

ジュースが来て口をつけたが、味がわからなかった。

早く一一時になればいいのに。まだ一〇分前。

高橋警部は、隣のテーブルに来てゴルフバッグをテーブルの上に置いた女を、見ない振りをしながら観察した。

あの渡辺恒蔵の評判の後妻、先妻を追い出して妻の座に座った女は、想像していたより楚々としている。やつれて疲れきっているように見えたが、感じが良い女のようで意外だった。

あのゴルフバッグには一億円のゲンナマが入っている。自分など、一生かかっても見ることもできない金。言われたとおりにすぐに一億円という現金を用意できる男もいる。しかも渡辺恒蔵という男は、無一文から、大勢の人を泣かせて、のし上がってきたのだという。その娘を誘拐してとんでもない額の身代金をせしめようって奴が出て来たってことだ。

そいつの気持ちもわかるよな。こんなことは、警官の身として口に出せるものじゃないが。

それにしても、犯人は現れるのか。

ここは外からまるっきり見通されている。ずっと考えて、上手い場所を選んだつもりなんだろうな。

こっちの動静が丸見えだ。

犯人は「ゴルフバッグをテーブルの上に置け」とまで指定している。

置いたかどうか、外から良く見える。

だからって、まさか犯人がのこのこと取りにやってくることはないだろうな。

女一人で来いと言ったからって、警察に言わないで女だけが来るとは思わないだろう。

それともそう思ってるのか。今、警察官がいるかどうか、あの駐車場のどこかまで来てこっちをうかがっているんだろうか。

身代金の受け渡し場所は、何回も変えるのが誘拐犯のやり口だ。

これからホシは、どういう手に出るんだろうか。

高橋警部は緊張のあまり口が渇いているのを感じた。注文したコーヒーはもう飲んでしまっていた。コップの水を飲み、考え込み、黙り込んでいた自分に気が付いた。普通の客を装うために、同じテーブルにいる配備された警察官同士は、適当に会話するように命じられていた。

「おれさ、昨日、アブラ採りに行ったんだ」

犯人はレストラン内にいるのかもしれない。大きな声で言った。

「ああ、アブラなあ。今が時期だもんな」

部下の石井巡査部長が応じた。

アブラはこのあたりで採れる山菜だ。

「どっちの方行った？」

「あの速水林道——」

と言いかけて、高橋はもごもごと言葉を濁した。アブラが良く採れる山なんだが、速水林道は隣のテーブルに座っている女の夫の渡辺恒蔵が経営するマウントフジ・ゴルフ倶楽部の真ん中を通っている昔の林道だ。まずい。

「いやな、吉田口二合目あたりから入ってよ」

「ああ、吉田口ね」

お互いに架空のことだとわかっている会話は長続きしない。

レストランのこの時計は止まっているのか。腕時計を見たが同じだった。

それでも時間は過ぎているのだった。

一一時をのろのろと過ぎて、二〇分になった。

高橋警部は捜査本部に待機している本部長にケイタイでメールを打った。

声に出す報告は、犯人に聞かれるおそれがある。警察無線は、秋葉原で売っている簡単な装置で傍受される。

しかしケイタイは便利だ。メーリングリストにしてあって、捜査本部はもとより、この現場に来ている者の全員が一瞬で情報を共有する。

高橋はテーブルの下に隠したケイタイでメールを捜査本部に打った。

［ホシはまだです］

返信

［待て］

4 指示

時間はのろのろと経っていった。

美貴子の焦慮は頂点に達していた。

あの人は来ないんだわ。こんなにたくさんお巡りさんがいたら捕まってしまうもの。もしかして、この窓ガラスの外のどこかから、こっちを見ているんではないかしら。

ねえ、ゴルフバッグはここにあります。見えるでしょう。本当のお金を入れてあります。取ってください。早く取って。そして美加を返して。

このお金を渡せなかったら、美加はどうされるんだろう。怖い。美加にひどいことをしないで。お願いだから。

ひっきりなしに見ているレストランの壁時計が、一一時二七分になった。

そのとき小さく流れていたBGMがパタッとやんで、音量が上げられ、スピーカーが呼び出しをはじめた。

「お客様のお呼び出しを申し上げます。ワタナベサマ、河口湖町のワタナベミキコサマ、いらっしゃいましたら、ご伝言がありますので、ホテルフロントまでお越しください」

高橋警部ははっとした。

隣のテーブルの女が、蒼白になって立ち上がった。

手助けがほしいだろう。だがここで接触してはいけない。犯人がどこかで見ている。

女はそれでも、少し歩いてテーブルの間を歩いているウエイトレスのそばに行き、ホテルのフロントの場所を聞いた。小走りになる女に少し間を空けて、高橋は別の用事がある様子をして足を速めた。

フロントでも少し離れて、カウンターに並んだ。

「あの、今呼ばれた、河口湖町の渡辺美貴子ですが」

「あ、ご伝言の、ですね。はい、あの、ミカ様からお電話で、ご病人が出たので、中央道の藤野のパーキングエリアまでおいでいただきたいそうです」

「ミカですね。ミカと言いましたか」

「はい」

「藤野ですね」

女は走り始めた。

高橋警部は後を追いながらケイタイでメールをいれた。

「犯人から指示あり。藤野パーキングエリアに向かいます」

テーブルに戻り、その液晶画面を石井に見せて、電話を受けた者に話を聞けと小声で命じた。伝言を頼んだ者についての詳細である。犯人はどこから電話を掛けたのか。どこにいるのか。

女は焦りを全身で表すなりふり構わない姿で、ゴルフバッグを引きずって、「タクシー」に戻っていく。

警察官たちはなおこの周辺で犯人あるいはその一味の捜索を試みる一部を残して、なるべくばらばらに席を立って、四台の車にそれぞれ戻り、河口湖インターから中央自動車道に乗りいれるタクシーを追った。

美貴子はタクシーに戻るなり、安富警部に伝言があったことを話したが、安富がすでにその中身を知っていることに驚いた。

タクシーが走り出すと美貴子は、美加からの電話だと告げられた喜びと「ご病人が出た」と言われたことの不安との間で揺れていた。

誰が病気なのだろうか。美加ではないのだろうか。

昨日の電話の時から、美貴子はなぜか美加が病気になっている、という恐れにとりつかれていた。今は現に「病人が出たから藤野へ」と告げられている。

「美加は……」病気なんでしょうか、と聞きたかったが口に出せなくて、

「藤野にいるんでしょうか」

という聞き方になった。

「今はまだわかりません」

安富は的確な運転をしながら、感情を排して手短に答えた。

犯人はやはり身代金の受け渡し場所を変更してきた。

藤野パーキングエリアは、県境を越えて神奈川県になる。他県での捜査は何かと面倒だ。まず、本部長は少なくとも、神奈川県警に事情を説明して、神奈川県内で捜査を行なうことの同意を得なければならない。場合によったら、両県合同の捜査本部を設置することになるのかもしれない。

ギクシャクしなければ良いのだが。

それにしても、パーキングエリアで身代金の受け渡しとは、どうやるつもりなんだろう。藤野はごく小さいパーキングエリアだ。

犯人が藤野を選んだことと、あそこが小さいことと、何か関係があるのだろうか。

小さい方が、逃げるにしても、さっと本道に戻れるとか。

それとも、また受け渡し場所を変えるのだろうか。

今度は東京だったりして。

するとまた厄介だな。一都二県の合同捜査本部とか。

この犯人は意外と利口な奴かもしれない。

大都会の方が、逃げるのに便利だ。

安富は運転しながら、その考えに我を忘れていたが、ふと、気がついて、女に声をかけた。

「奥さん。ケイタイ、そばに置いてますね？　犯人から掛かったら、すぐに録音ボタンを押すことを絶対に忘れないようにしてください」

シート上のケイタイを目で確かめた。

安富は走行車線を運転しながら腕時計を見た。一一時五〇分だった。

女が車に来たのが一一時三九分だった。

藤野まではあと三〇分くらいだろうか。

時速九〇キロを超える運転をしている。中央道の制限速度は八〇キロ。警察官が速度オーバーだ。しかし他の車がそれで走っているのだから、流れを妨げるのは良くない。走行車線は最低の車間距離で車がつながっている。追い越し車線の車は当然もっとスピードを出している。

都留インターを過ぎた。

その時後ろのシートでケイタイの着信音がした。

女が一瞬でケイタイを取って耳に当てた。

「はい。もしもし……」

女はケイタイを耳から離した。

液晶画面を見ている。

「これ……」

悲鳴のような声で、安富にケイタイを差し出した。メールだった。

[花咲《はなさき》トンネルを抜けたら、笹子《ささご》川の上で停めて、川原にバッグを落としてください。美加]

「美加！」

渡辺美貴子は叫ぶように呼んだ。

安富警部は、そのケイタイを奪い取って、メールを見るなり、捜査本部に転送した。

末尾に付けた。

[指示願います]

車は走っている。スピードを落としたが、リニアモーターカーの線路の下を過ぎた。

すぐに花咲トンネルの入り口が見えてくる。

安富は再度メールを打った。悲鳴のように。

[指示願います]

犯人の言うとおりにバッグを川原に投げるのか。

その川は、高速道路からはるか下にある。バッグを投げても、警察官が逮捕に向かえない。

配備状況はそうなっていない。このチームの警察官は、ある程度の人数が、この車の前後の車に乗っている。あとは、ハイランド付近の捜査に当たっている者だ。ここは人家が途切れている場所だ。付近の交番や、大月署、都留署などには、待機の要員を配備しているが、そのいずれかから出動しても、川原に着く前に、ホシはゆっくり逃げられる。逮捕できない以上、要求を無視して通過するのか。

それとも一億円を投下して、犯人に取らせるのか。

［花咲トンネル目前］

安富はパニックに近かった。トンネルに入れば、ケイタイの感度が悪くなる。

［指示願います］

車はトンネルに入った。スピードをさらに落とした。七〇キロ。

長いトンネルが、安富にはあまりにも短かった。

トンネルを抜けるとケイタイにメールが出た。

［無視せよ］

中央高速はそこで地上からぐんと高くなる。

はるか下の笹子川の川原を見ながら、車はそのまま走行を続けた。

「停まらないんですか！」

美貴子は叫んだ。

「どうして！　停めてください。停めて、お巡りさん、停めてください」

「停まれないんです。……車が続いていて……事故になります」

安富はとっさにそう言った。

それはある意味では本当だった。だが、ある意味では嘘だった。川の上で停める気であれば、トンネル前から、追突を避ける程度に減速して停車してしまえばいい。後続車から非難のクラクションがあがるかもしれないが、事故を装って停車すればできる。

しかも直後にいるのは同僚の車だ。

「停めて、停めて、停めてください」

美貴子は狂乱して身を乗り出し、我知らず警部の肩を叩き続けた。

「お願いです。停めて」

号泣する女を乗せて、「タクシー」は走り続けた。

女は金切り声を上げた。

「美加が殺されちゃいます。停まって。引き返して」

「だって奥さん、高速だから。ここでユーターンできないすよ」

「じゃ、高速を降りてください。降りて川に行ってください。お願い、お願いです。

子どもの命が懸かってるんです。あなた、子どもはいないんですか。子どもが殺されることを考えてください。早く。まだ間に合うかもしれない。早く降りて、川へ行って」

しかし、車は大月インターチェンジを通過していた。中央高速のこの部分で次のインターチェンジは、上野原。それ以外に一般道路に下りる出口はない。

安富はメールを打った。

[上野原で降りますか]

返信
[降りよ]

高速を降りた車の中で、

「笹子川へ行ってください、川へ」

美貴子はなおも頼んだ。叫び続けた。

安富と捜査本部の間でメールの往復が繰り返され「タクシー」は乗客の希望に従った。

笹子川に着くと、車が一台いた。大月署に待機させていた刑事で、車を飛ばして来て今着いたばかりだが、川原には誰もいなかった、と言った。そう言っているところへ、いろいろな方向からほとんど同時に警察官の乗った車が数台到着した。

しかし、警察のほかには川原には人も車もなかった。

5 誤算

五月一六日、午後八時。渡辺美加身代金目的誘拐事件捜査本部の幹部会は、重い空気に包まれていた。

あのあと、犯人からの連絡はぷっつりと途絶えたままだ。

誘拐犯人は身代金が取れなければ、何度も電話してくる。それが逮捕のチャンスにつながる。その常識が、この事件では破られるのか。

副本部長の杉井が捜査の現段階までの経過報告をした。

配備は完全なはずだった。

ハイランド・リゾートへの呼び出しがあったからといって、そこへ犯人が現れて現金を受け取るとは想定していなかった。前夜、従業員を帰してから、内密に下見をした際に、それは確信されていた。あのガラス張りのレストランを指定したのは、被害者の母親が、ゴルフバッグを用意して出向いているか確認するだけのためだ。犯人は一般人の顔をして確認のためにレストランの内部が見える場所にくるはずだ。そこで、ハイランド・リゾートの敷地内に入ってくる人も車もすべてチェックした。不審な点があれば不審尋問をし、念のために近づいてきたすべての車のナンバーを控えさせた。

被害者の母親が、ゴルフバッグをテーブルに置いたあとで、それを確認後、犯人は当然受け渡しの場所を電話してくるものと想定していた。犯人はわざわざ「旦那のケイタイを持ってくる」ように指示している。

まず、ホテルのフロントへの伝言要求に、意表を突かれた。

その報告を受けた時点で、捜査本部長の押田は、この犯人はデキル奴だと認めざるを得なかった。ホテルのフロントの従業員は事情を知らされていない。電話で伝言を頼まれても、警戒もしないし、録音もしない。犯人は声紋をとられることはなかったし、発信場所を逆探知されることもなかった。その後の調べで、それは昨日と同じプリペイドのケイタイから発信されていることがわかったが、わかった時には、犯人はとっくにその場所を離れていて、逮捕につなげることはできない。上手い方法だった。

伝言を聞いて、あわてた渡辺美貴子を乗せた「タクシー」と、追尾する警察官たちが、出て行った後で、石井巡査部長が聞き込みをしたところ、電話を受けたフロント係は、それが中年の男の声で、まず「そちらのホテルのロビーに河口湖町のワタナベミキコが待っているはずだが、病人が出てしまったので、中央道の藤野のパーキング・エリアにすぐ来るように言ってくれ、来られるかどうか確認したいので返事をほしい」と言い、従業員がフロントで

「ワタナベサマ」と呼んでみたが、応答がないので、「いらっしゃらないようです」というと「ではレストランの方を見てきてくれないか」と頼んだと言う。

「お名前は？」ときくと「ミカです」と言った。「ワタナベサマが来られたので、受話器を取ってみると、電話は切れていました」とフロント係は言った。

レストランにいることはわかっている。しかし、じかにレストランに電話すれば、配備されている警察官に録音されたり、発信場所を探知されたりする危険がある。

「ロビーにいるはずだが」という口実で配備の虚を突いて、事情を知らないホテル従業員を使って、レストランにいる美貴子に伝言させる目的を達したのだ。

その後に、捜査員がテープレコーダーを持ってきて、電話を受けた従業員に浅田マサルの声を聞かせたところ、似ていないこともないけれど違う人だと思うと答えた。

捜査本部の配備についての誤算は、犯人が指定するであろう受け渡し場所を、ハイランド・リゾートの付近と想定したことだった。誘拐事件の配備は、犯人が高飛びの可能性があれば、最低半径五〇キロの範囲は必要だ、とも言われている。とはいっても、この事件の捜査本部で使うことのできる警察官の数は限られている。非番の者にも動員を掛けて、ハイランド・リゾートの周辺市町村の各警察署に待機させていたが、県内だけの配備態勢だった。

捜査本部の、犯人はどうも渡辺恒蔵に関係のある、このあたりの者だという読みから、ハイランド・リゾートから近距離に、受け渡し場所を指定してくると想定したのだ。

ホテルのフロントへの伝言による犯人の指示は、その本部の思惑を見事に外したものだった。

藤野パーキングエリアと聞いて、警察がまず、考えるのは、県警の管轄外、神奈川県警の管轄下であることだ。神奈川県警に事情を説明して、神奈川県内で捜査を行なうことの同意を得なければならない。それでは足りず、両県合同の捜査本部を設置することの申し入れをするべきか。捜査本部の意識がまずそちらへ行くこと、そのために直後の身代金投下の指示に対する警戒が多少とも手薄になったことは否めない。犯人はまるで、そうした警察の体制を熟知しているかのようだ。そうだとしたら余程警察のことに詳しい犯人ということになる。

一一時半ごろまでに「伝言」は美貴子に伝わる。捜査本部にその報告が行く時間、報告を受けた直後、捜査本部の意識が「県外」に向く。いわばその意識の空白がまだ埋まらない時間内に照準を合わせて、しかも、身代金投下要求現場まで数分もない、花咲トンネル入り口直前の距離にある「タクシー」に、トンネルを出れば目前の位置にある笹子川の川原に落とせという指示。捜査本部に配備計画の変更はもとより、熟慮のいとまも与えない、鮮やかな作戦だ。

この指示をメールで送信してきたことも、後で考えれば犯人の抜かりなさだ。

被害者の母親が持っているケイタイが、傍受され、録音されることを、当然のことと予測して、声紋をとられることなく、しかも一瞬の送信ですむため、逆探知による逮捕の危険も少ないメールの利点をフルに使っている。

捜査本部は、まんまとその作戦に引っかかったということになる。悔しいことだが。

花咲トンネルを目前にしての、運転手役の安富からの通報を受けて、捜査本部は混乱した。

中央道が、一般道路や川と交差する点は多いが、あの位置ほど、高速道路の高架と下の地表との高低差が大きいところはあまりない。「タクシー」を追尾する車に警察官は多数いたが、あの位置で車を停めても、笹子川の川原へ下りてはいけない。大月署からパトカーを飛ばしても、その位置付近へ警察官が行けるのはどんなに早くとも二〇分以上後だ。あそこでゴルフバッグを落としたら、みすみす奪われるだけで、犯人逮捕は不可能だ。

捜査本部長の押田は、あわてて県警本部長の盛田に指示を仰ぎ、盛田は「落とさないで通過」を決めた。

犯人との身代金受け渡しは、警察にとって、犯人逮捕の手段以外の何ものでもない、と言われたら警察は建て前上否定するだろうが——。

逮捕の可能性がないあの時、一億円投下の指令を出す警察幹部はないはずだ。

警察としての常識と言える。

「落とさないで通過」の指令を出しても、その直後に来る大月インターチェンジで降りる指令を出すつもりなら、とっさに対応すれば、その時間はあった。だが、捜査本部にはそういう発想は全くなかった。

誘拐犯人は身代金の受け渡し場所を何度も指定してくる。犯人は金を取ろうとして指定を繰り返し、そのうち犯人逮捕の条件を整える。身代金目的誘拐犯の逮捕率は九七・三%だ。身代金の受け渡しを極力延ばし、受け渡し場所を何度も指定させることは、電話の度に犯人についての情報を増やすこととともに、一回の指定ごとに、警察が逮捕のチャンスを握ることになる。たとえ逮捕できないまでも、その都度犯人の特定に結びつく資料を得られる機会になる。電話をしてきた位置だけでも、犯人の行動範囲や活動形態の資料になる。たった一度の受け渡し場所の指定で、身代金を投下するなど、警察からすればありえない対応だ。

被害者の母親の狂乱は素人の反応だ。適当になだめて、次の機会を待つことを教える。

だが、この事件で、その警察の常識が否定された。

犯人は警察の対応を見透かし、金に執着して警察の罠に落ちる愚を知っているかのように、二度と危険を冒さなかった。


「落とさないで通過」の指令の直後に、「タクシー」を警護、追尾していた車に乗っていた捜査員に、「川原の写真を撮れ」の指令が続いた。追尾していた数台のうち最後尾の車の警察官が、かろうじて、ケイタイについたデジカメで、その命令を実行した。

釣りをしている一人の男が写っていた。遠くからだし、画素が低いデジカメだから、顔の特定は難しいが、やや痩せ型で背が高いということくらいはわかる。紺色の上下の釣り用のジャンパーのようなものを着ている。

釣りを装ってゴルフバッグを待っていた犯人の可能性はある。

大月署で待機していた捜査官が、指令を受けて、すぐ現場に向けて出発し、二七分後に川原に着いたが、釣り人はいなかった。

すぐに紙焼きした「釣り人」の写真を持たせて、あの川原付近へ多数の聞き込み警官を出したが、大体、近くには人家がない。午前一一時五〇分を少し過ぎたころと時刻を特定してみても、一人で釣りをしていた人物を見た者など見つからなかった。

この「受け渡し」作戦で、得られた捜査資料はその写真だけだった。

これが主要道路なら、通行車両すべてのナンバーと運転手の顔までを記録するNシステムが設置されている。しかし笹子川のあの川原には、Nシステムなどない村道や農道だけを使って行くことができる。

捜査は難航している。

捜査本部は、すぐに犯人から次の受け渡し場所の指定があると踏んで、配備の態勢をそのままに待機しているが、何の接触もなしに、時間だけが経っていった。

だが、盛田県警本部長と捜査本部の犯した最も大きな誤算は、渡辺恒蔵の怒り、つまりその意思の読み違いだった。

犯人逮捕を任務とする警察として、身代金を奪われるだけで、犯人逮捕は不可能なあの状態で、むざむざと一億円を犯人に与えることなど、そもそも発想にない。だが、県警本部長が、「落とさないで通過」方針を決めたその根本のところに、渡辺恒蔵の金銭への執着が異常に強いという判断があった。

その点では、渡辺恒蔵も同じ考えをするだろうと、決めてかかっていたのだ。

しかし、その渡辺は盛田からの説明の電話に激怒した。

「どうして、こういうことをするんだ。

おれは一億、犯人にくれてやるつもりで出したんだ。誰に断って持ち帰った。

おれの金だぞ。おれの娘だぞ。

あんたらは、人の娘の命より逮捕が大事なんだな。警察の成績が大事なんだな。

美加をどうしてくれるんだ」

盛田は自分の知り尽くしていたはずの渡辺恒蔵の人物像が、今、受話器がこわれるほど自分を怒鳴り続けている男とは全く違っていたことに、一瞬声も出なかった。

渡辺が美加を溺愛していたことは知っていた。しかし、真剣にしてほしいと懇願して泣く若い妻を見下ろしていたあの冷酷な男の中に、この、今取り乱し、わめき続けている父親が潜んでいるとは、思いもしなかったのだ。

しかしこうなって思い返してみると「女子どもにはかなわない」と、美貴子のせいにしていたが、よく考えてみれば、盛田が教えた偽の札束作戦に、あの時点で、渡辺が同意を示したことは一度もなかったのだ。

若い妻に人前で口を出されることには怒るが、金を奪われても娘を助けたいという点では同じだったということか。

二の句が継げない盛田に、渡辺が言った。

「女房が手首を切った」

「それで……」

「死にはしなかった。今救急車が連れてった」

「――」

「泣いて頼むのになぜ停まらなかった。盛田さん、あんただ。なぜ停まらせなかった。お前らの金じゃない。おれの金だ。娘に万一のことがあったらどうやって責任取るんだ」

「――」

「どうやって責任取るんだ」

「だって……まだ……犯人からの要求は、これ限りじゃない」

「そんなこと言えるのか。あんたは請合うのか？　責任持つのか？」

「――」

「ぐずぐずしてないで、美加を探せ。すぐに探せ。お前ら、命張って美加を生きたまま連れて来い。助けられなかったら、おれはこの、勝手なことやった捜査の失敗を問題にする」

「――――」

相手はなお毒づいてきた。

「盛田さん。あんたには世話になった。だがただで世話になったわけじゃない。おれの娘の命、だめにしてくれたら、おれは他のものはもう何にもいらねんだ。あんたとの縁もこれ限りだ。貸しをすっかり返してもらうからな。そのつもりでやってくれ。美加の命、あんたの命だと覚悟してやってもらう」

美加を助けなかったら、盛田の汚職を明らかにすると脅しているのだ。

盛田は唸った。

渡辺恒蔵は、はじめ親分である政商の供として、盛田のところへやってきた。ぜひゴルフコンペにと招待され、行くと下へも置かないもてなしと帰りには山のような賞品が車に運ばれた。妻が喜びそうなブランド品もある。

盛田としても、コンペのメンバーである、政財界の要人と親しくつき合っておくのは、必要なことだ。

何回かのコンペの次に、特別会員権を渡された。同伴者とともにプレイフィーなしで、いつでもコースに入れる。県警本部長にも招待客を接待する必要はある。便利なのでつい貰っておくことになる。

「名誉なことでございます。ご来場のお礼です」

支配人から、コンペの賞品同様の土産物の大きな袋が本人と同伴者にも、車に押し込まれた。

渡辺もコースに来ていて、一緒に回ることが多くなった。

そんなある日、その土産袋の中に札束が入っていた。

帰宅してから発見して、「困る」と電話した。

その日はゴルフの後で渡辺としたたか飲んだあとだった。

「水臭い。水臭い。あんた、おれとそんな水臭い仲か？」

酔ってくだを巻く相手に仕方なく、という形でそのままになった。

札束の金額はどんどん増えていった。

人間とは恐ろしいものだ。土産の中に札束が入っていることは当然で、額がいくらかだけが気になるようになった。

渡辺恒蔵には、刑事事件に立件しようと思えばできる案件は無数にある。

違法な金利を取る出資法違反、恐喝、強要、競売法違反……。

被害者からの刑事告訴もいくつか出された。

しかし、現場担当者は、立件しなかった。命令したわけではないが、本部長と渡辺土建の社長の緊密な仲は、みなが知っている。

その関係を、渡辺自らが暴露すると言って盛田を脅迫しているのだ。

盛田は、無一文からあらゆることをして這い上がってきた男の恐ろしさを知った。

あいつはやる気になればやるだろう。自分も贈賄罪になるが、奴のことだ、商売はつぶさないで乗り切れるつもりだろう。キャリアの王道を無傷で昇ってきた盛田の傷の方が大きい。しかも、家族の意向を無視して、身代金を渡さず、そのために被害者を殺されたとなれば、盛田個人の問題ではなく、警察全体への非難が大きい。

盛田のように、高級官僚の家に生まれ、東大を出て、国家公務員試験で高い成績を取り、当時最高の競争率であった警察に入り、そのキャリアの中でも、上澄みの部分だけを泳いできた男とは、次元が違う、むき出しの男の力。

しかし盛田も、組織の世界で競争に勝ち残ってきた男だった。こういう場面は一枚腰で対応するのが一番だと知っている。ここはなだめるしかない。

「わかったよ。渡辺さん。犯人もこれだけの事を始めて、ここで終ったら勘定が合わないよ。きっとまた連絡してくる。今度は見ててくれ」

「くだくだ言ってる暇ないだろう。すぐ探せ。美加を探せ。寝ないでやれ。いいな」

受話器はガチャンと置かれた。

口では、犯人はまた接触してくると言いながら、盛田は、あの美貴子から聞いて、気になっていた犯人の言葉を思い出していた。

「チャンスはこれが最後だ。一回だけだ」

犯人からの連絡はプッツリ切れている。

もうこの後接触してこなかったら……。

それにしても、今、渡辺は「おれは一億、犯人にくれてやるつもりで出したんだ」と言ったな。

どうも犯人は、これまで何回か、同じ要求をしてきた相手で、渡辺には多分犯人の推測がついているのだ。

渡辺はなぜ、それを警察に明かさないのだろう。

6　林の中

小林昭二は、左官業の父親がもう何年も前に買ったミニトラック、リアルタイムを乱暴に運転して坂道を登った。

このところ働いていない。家にいると父親がいやな顔で見る。おやじだって働いていないくせに。昔ながらの左官業なんて、今の建築ではあんまり使われない。ぶらぶらしてる日が多い父親の顔を見ないようにして家にいるのが一番いやだ。かといって母親の農業を手伝うのもいやだ。遊びに行くのが一番好きなのだが、小遣いがない。

天気がいいからアブラでも採るか。たらの芽に似ているが、とげのない木の芽だ。たらの芽より珍しがられる。国道139号線の道路沿いに、屋台店を出して観光客相手に、地元で採れる野菜やとうもろこしを売っている所へ持って行けば、買い取ってくれる。小遣いになる。

上り坂の先は速水林道だ。

というより、正確にはこの坂も昔の速水林道の一部なのだが、その両側にマウントフジ・

ゴルフ倶楽部のゴルフコースができてしまったので、今はなんとなくゴルフ場の専用道路みたいになっている。

マウントフジ・ゴルフ倶楽部の中は、本当は通りたくない。

一度ここに勤めたことがあるが、けんかして辞めた。

あれはあっちが悪い。

おれは時給計算の日給月給で芝刈りに雇われてたんだけど、あの日芝刈りをしていると、支配人が急に中止しろと言う。

「美加さんがコースに入るから」

美加は社長の娘だ。いつも社長に連れられて、コースを回っている。

中学生なのに美人で、男の使用人たちはあの子が来るとそわそわする。

その日はゴルフ場が休みの木曜日で、だから一日芝刈り機を運転していた。

もう少しで終るときに、支配人からちょっと休めと言われた。

おれはこれを終らしたら、今日は吉田まで出て遊ぶつもりだった。

「じゃあこれで上がります」って言うと、支配人は全部刈り終ってないから明日お客様が来られるのにまずいと言う。

つまり、美加が回り終るまで待っていて残りをきれいに仕上げろって言うんだ。

「じゃあ、その待ってる間の給料は払ってくれるんですね」

「払うわけないだろう。働いてないんだ」

「じゃ帰らしてもらいます」

「よし、帰れ、その代わりクビだ」

誰に聞いたってあっちが悪い。

あの会社はあこぎだ。社長があこぎだから、支配人もだ。

おれは辞めさせられたのに、あっちが辞めろって言ったのに、会社はその月の給料を払わなかった。「業務命令に従わず、会社に損失を掛けた」からだって。馬鹿にしてる。

マウントフジ・ゴルフ倶楽部って、今でも名前を聞いただけで腹が立つ。コースの中は、本当に通りたくない。けど、あの上の林の中はアブラがいっぱいある。

小林昭二は乱暴にスピードを出して、坂道を登った。

コースを通り越して林に入ると道の脇にリアルタイムを停めた。

林道は車一台がようやく通れる道幅しかない。これでは車がすれ違えないし、林に入っている間に他の車が来ると通れない。そこでところどころに、駐車スペースくらいの広さに道幅を広げてある。誰が作ったというわけではない。ここに山菜やキノコを採りに来る村人たちが、自然にやりやすいようにしてきたのだ。

小林昭二が、軽トラックを停めたのは、そういう場所のひとつで、昭二はビニール袋と小型の鎌を持って、キイをかけるでもなく林の中に分け入った。

すぐにアブラの木を見つけたが、鞭のようなその先に芽はなかった。かきとられたあとがあるばかりだった。

昭二は舌打ちをした。先を越された。家を出てきたのが九時ごろだと思う。山に入るには遅い時刻だ。もう誰かがここへ入って、アブラを採ってしまったあとだ。

昭二は林の奥へどんどん入って行ったが、同じように芽を切られた木に出会うばかりだった。

不機嫌に、しかしもっと奥へと進んで行った。一度だけ、まだ採られていない小さな木を見つけて、芽をつんだが、収穫はそれなりだった。

方角を変えてしばらく進むと、枯葉と下草の中に何か人工的な色が見えた。

行ってみると青いカバンだった。学生カバンのような、と思い、拾い上げて蓋を開けた。教科書やノート、ケイタイ、そして女の子らしいしゃれた財布があった。中を見ると千円札が四枚とコインがあった。金だけを取ってポケットに入れて、財布は捨てた。

そして歩き始めると、枯葉と下草の生える地面に、紺色のものが見えた。近づくと人が寝ていた。紺色は制服らしいスカートで、頭の方には同じ制服の上着をかぶっていた。

昼寝をしている、と思った。こんなところに女の子一人で来て昼寝かよ。変わってるな。

スカートの裾から伸びている脚が白かった。ルーズソックスではなく、短めのソックスなので、脚がまぶしかった。週刊誌やスポーツ紙に書いてある「なま脚」という言葉が頭の中に湧いてきた。

思わず近寄って屈《かが》み込み、脚に触れた。冷たい足してる、と思った。ただ、あとで思い出してみても、そんなに、ぞっとするような冷たさではなかった。こんな地面で寝てるから、足が冷たいんだ、というそんな冷たさだった。

女の子が目を覚まさないので、頭の方にかぶっている上着をそっとはがした。

顔を見ると、なんだ知っている子じゃないか。ゴルフ場の社長の子の美加だ。

目を閉じている。そして変な感じがした。それが何なのかはわからないが、変だ、普通じゃない、ということはわかった。眠っているんじゃない。

それ以上触ってみる勇気はなかった。昭二は生まれつき臆病だ。上着を放り出して、逃げ出した。

とにかく道の方へ。

走りにくい山の中を、よろけながら走った。

林道に出ると一気にトラックに戻り、あわててエンジンを掛けて、バックし、方向を変えて林道を走り下り、ゴルフ場の中も猛スピードで走って下りたので、途中ですれ違った、ゴルフ場に弁当を配達する業者の車にあやうくぶつけるところで、運転手に怒鳴られた。

昭二の母親のキミは、朝から家のそばの畑で作っている自家用の野菜の手入れをしていたが、昼に畑から戻り、こんな日中まで布団をかぶって寝ているぐうたらな息子に腹を立てた。

「昭二、おめェ、二六にもなって、なんの了見してんだ。母ちゃんは五〇過ぎて、曲がった腰で畑作って、そんでも自分の食う分は働いてるぞ。その親が作ってるもの食って、遊びと寝るだけで、おめェどういう人間か」

息子は返事はもとより、動きもしなかった。母親は怒りを通り越して情けなくなり、黙って食事の支度にかかった。

昭二は、難産で生まれたせいか、母親の自分に似たのか、小柄で弱い子だった。それで甘やかしたのが悪かった。二人の男の子は中学しか出してやれなかった。それでも長男は東京に出て行って、何度か仕事を替わったりしていたが、今はタクシーの運転手で落ち着いて、家庭を持ち、子どももいる。それなのに次男はどうして、あんななんだろう。やっと勤め口を探してきても、長続きしない。母は気が滅入《めい》るばかりだ。

流しに立っていて気がつくと、後ろに息子が立っていた。青い顔をしている。

「なんだ」

「母ちゃん、おれ、おっかないもの見ちゃった」

いっぱしのこと言って遊んでるが、まだ、ほんとに子どもなんだ。母親にこんなことを言いつけにくる。

「何見たってんだ」

「アブラ採りに行ったらよ。山ん中に……」

「だから、山ん中で、どうした」

「女の子がよ」

「女の子が、だからどうした」

「倒れてた」

「倒れてた？　そいでどうしたんだ。助けたか」

息子は強くかぶりを振った。

「だめでねえか。じゃ誰かに言ったか。人、呼ばなければ」

「でも、おっかなくって」

母親はその「女の子」が死んでいたのだろうと推測ができた。このあたり、富士の裾野の樹海の中で、ときどきある自殺なのだろう。

「警察とかに言え」

「だめだ、だめだ、警察は！」

母親はそうか、と思った。警察は息子にとって鬼門だ。これまでに二回、警察の厄介になっている。

次の瞬間、息子は不意に居間に駆け込んで、テレビを消した。そして玄関にとんで行き、靴をひっかけて、鉄砲玉のように飛び出していった。

「昭二どこ行く」

振り返りもしない。

昼飯はどうするんだろう。朝も食べてないのに。母親はしょうがない息子を案じながら炊事を続けた。

流しの水音で母親には聞こえていなかったが、そのとき、テレビが臨時ニュースをやっていたのだ。

「臨時ニュースを申し上げます。身代金目的で誘拐された女子中学生が遺体で見つかりました。見つかったのは山梨県河口湖町の渡辺美加さん一四歳です。美加さんは今月一五日の夕方中学校から帰宅せず、夜になって美加さんの自宅に一億円を要求する電話があり、両親が警察と相談の上、一億円を用意しましたが、犯人との身代金受け渡しに失敗したあとは犯人から連絡がなく、二日後の今日朝一〇時に山菜採りの人が鳴沢村の速水林道脇の林の中で、美加さんの遺体を発見しました。NHKは美加さんの安全のため、これまでこの事件の報道を控えてきました」

このニュースは、この時以後、テレビや新聞で連日、大きく取り上げられた。

殺されたのが、このあたりでは誰知らない者のない渡辺土建の社長、「金御殿」の主人の一人娘であること。誘拐された直後に、金御殿に脅迫電話がかかり、中年の男の声で、一億円の要求があったこと。その声が浅田マサルという人気者の声に似ていること。誘拐された女の子の母親が犯人から指名されて、ホテル・ハイランド・リゾートのレストランに金を持って行ったところ、中央高速にのって藤野のパーキングエリアに来るように言われ、途中で母親のケイタイに犯人から電話が掛かり、中央高速と交差して下を流れる川の川原に現金を入れたゴルフバッグを落とすように言われたが、高速を流れる車を停車させて落とすことができずに、「受け渡しに失敗」したこと。その後犯人からの連絡が全くなくなり、被害者が遺体で発見されたこと……。

昭二の母親は、それが息子が見たという「女の子」のことだろうとは思ったが、その後に死体を見た人が通報したということだと思っただけだった。誘拐されて殺された中学生が、息子が以前働きに行っていたマウントフジ・ゴルフ倶楽部の社長の子だという報道を見て息子に話したことがあるが、息子はプイと横を向いてしまったので、クビにされたと怒っていたことを思い出し、触れられたくないのだろうと解釈して、それ以後話題にしなくなった。

誘拐犯人の声が中年の男の声で「午後の歌謡曲」の浅田マサルに似た声だという報道を見て、近頃聞いていなかった「午後の歌謡曲」を聞いたりした。

そして二日がたった。

7　死体発見

小林昭二の乗ったミニトラック、リアルタイムは、実は坂道の下りで、もう一台の同じ型のリアルタイムとすれ違っていた。このときは衝突しそうになるなどのトラブルがなかったので、気が動転している昭二の印象には残らなかったのだが。

すれ違ったのは、やはりアブラ採りの村民で、渡辺俊夫という老人である。このあたりは渡辺、小林、高橋の三姓がやたらに多い。

老人は、昭二が車を停めていた位置よりも、さらに林道を奥まで登った位置に車を停めて、林に入り、多少の収穫を得て、なお林の中を歩き回っていて、少女の死体を発見した。

富士山麓の樹海は自殺の名所だ。年配の者は、山菜やキノコ採りをしていて、自殺体を見てしまうことを何度も経験している。

速水林道のあたりは、以前は観光客に知られることがなかったので、自殺体はあまりないところだったのだが、ゴルフ場ができてからは、そうとも言えなくなってきていた。

いやなものに出会ってしまったが、放っておくわけにもいかない。老人は林を出ると、ゴルフ場のクラブハウスでわけを言って電話を借り、警察に通報した。

110番通報記録によれば、五月一七日、午前一〇時一四分だった。

「制服を着た女の子」と聞いて、警察は通報者にその場を動かないように厳命して、すぐさま飛んできた。これまでの自殺体の通報の時とは明らかに対応が違うことに渡辺老人は驚いた。渡辺美加誘拐事件は、この時点では報道協定で伏せられていて、ニュースにはなっていないから一般の者はまだ知らない。

ゴルフ場の中を縫う、もとの速水林道を、次々と警察の車が駆け上がってきた。

最初に到着したのは、最近距離にいた河口湖町の派出所の警察官で、指令を受けたとおり、ゴルフ場の上の林道入り口に非常線を張って、一般人の立ち入りを禁止した。この場所には、山菜採り以外の者が入ってくることはなく、何日も人が来ないような場所なのだが。警察官は捜査要領通りの処置をまじめにしたわけだ。

しかし、次に到着した捜査本部鑑識班の警察官らは、履践《りせん》すべき現場保存処置のいくつかを遵守しなかった。

まず、足跡とタイヤ跡の保存である。

犯人の特定に欠かせないこの保存処置を、県警選りすぐりの鑑識班員が怠ったのは、現場がどこからでも入れる林の中で、犯人はどこから来たのか特定できないという気持ちがあったからだろう。しかし、少なくとも、ゴルフ場の敷地が終って、林に入る位置の道路は、犯人は必ず通らなければならない。その地点での足跡とタイヤ跡の保存は最低限するべきなのである。

鑑識班のもう一つの現場保存処置要領の懈怠《けたい》は、渡辺老人に先導させ、死体のある場所へ、多数の捜査員がどっと入って付近を踏み荒らしてしまったことである。これが家屋の中ならば、まず「通行帯」と呼ばれる敷物を敷いて、捜査員はその上を歩かなければならないのだが、落ち葉と下草の生えた地面だからという意識から、死体付近の土が露出した部分に残されていたかもしれない犯人の靴跡の採取はされなかった。こうして犯人のタイヤ跡と靴跡は永久に失われた。

しかし、この捜査の鑑識班がした現場保存措置が、通常の捜査よりとくに悪いとは言えない。心ある警察OBは「完全に保存された現場は皆無といっても過言ではない。そのために、捜査が難航し、時には迷宮入りし、または無実の者に容疑の掛かる場合もある」と嘆いている。

鑑識班長の沖田警部は、死体を見ると、とっさにひざを着いて、少女の頬に掌を触れた。処置要領では「死体や物にはなるべく手を触れない。ただし真死か仮死かを確かめる必要があれば、手を触れることはやむをえない」となっている。

しかし沖田警部が、死体を見るなり頬に掌を触れたのは、鑑識課員としての理性的な行動というより、もしかまだ温かいのでは、というとっさの印象がさせた人間としての自然な行動だった。ということは、それだけ死体はまだ新鮮だったということだ。

「だめだ」

と沖田は言った。頬は温かくなかった。しかし、氷のように冷たい、というのではなかった。この掌の感覚は、沖田がのちに書く「死体見分調書」の「死亡推定時刻」の記述に関係してくる。

鑑識班員らは、一斉に犠牲者に手を合わせて頭《こうべ》を垂れてから、直ちに実況見分に取り掛かった。一一時一〇分だった。発見者の渡辺老人にも確認し、現場見取り図を作り、写真を撮った。

連れて来られたマウントフジ・ゴルフ倶楽部の支配人によって、少女は社長の娘の渡辺美加であることが確認された。

そのころには、捜査本部の捜査班員たちも到着していた。

林に踏み入り、投げ捨てられた学生カバンと中身を抜き取られた財布を発見した。

実況見分調書、現場見取り図、現場写真。これらはいずれも、犯行の態様を示す証拠として、決定的に貴重なものだ。

しかし、渡辺美加に対する身代金目的誘拐・殺人事件は、この証拠作りの段階で、重要な誤りを犯すことになってしまった。

美加の死体発見時の現況は、鑑識班が作成した見分調書、見取り図、写真の状態、つより、渡辺老人が発見した状態より以前に、実は変更されていた。

あの小林昭二によって。

読者はご存知だろう。カバンは蓋を閉じて、中に四〇〇〇円あまりの現金を入れたままの財布が入った状態で捨てられていたのだし、制服の上着は少女の顔を覆っていた。

そして特に、この上着が少女の顔を覆っていた、という事実は、犯人が被害者に近しい関係を持っていることを示す、犯人を特定するためにきわめて重要な事実なのだ。

その重要な変更のことを、警察官の誰も知らないまま、実況見分・鑑識作業は進められた。

捜査本部は渡辺俊夫が発見した状況をもって、犯人が犯行を終えた状況としたのである。


美加の遺体発見の報は、もちろん父親の渡辺恒蔵にもすぐに知らされた。

渡辺が現場に到着したのは一二時ちょうどだった。

妻の美貴子の姿はなかった。県警本部長の指示で、病院の美貴子には知らせていない。

現状を変更してはならない、ということで、鑑識作業が済むまで、父親は娘に近寄ることは許されない。言われた位置で立ち尽くす渡辺の頬を涙が伝うのを、支配人は驚いて見つめていた。この社長がこんな表情をしたのを見たことはないし、想像できなかった。

盛田克行県警本部長が到着した。

捜査員は一斉に直立して挙手の礼をした。

「残念だ。申し訳ない」

盛田は、木像のように立ち尽くす渡辺恒蔵に頭を下げた。

渡辺は顔を盛田に向けないまま、鋭く言った。

「殺されたのはいつだ」

「それは……専門的に調べないと」

そのまま、二人の男は立ち尽くした。

長い無言の立会い。

その時間の中で、県警本部長の頭脳の中は火事場のように混乱と喧騒を極めていた。

実況見分が終ったのは午後二時一二分だった。

死体に近づいてよいことを告げるために、鑑識班長の沖田は、犠牲者の父親の前に直立不動の姿勢をとった。

「大変お待たせいたしました。ご対面ください」

渡辺恒蔵は、聞こえなかったかのように、数秒間そのまま不動だった。

すべての捜査員が直立して、凝視していた。

渡辺恒蔵は、しっかり歩いて、動かない娘に近づいた。地面にひざを着き、抱き上げた。頬ずりして、抱きしめた。

唇はわなわなと震えていたが、嗚咽をこらえ通した。

鑑識班長の方が嗚咽しながら言った。

「きれいなお顔です」

渡辺は一瞬相手を見たが、しばらくそのまま動かなかった。

ややあって鑑識班長に尋ねた。

「どこへ。どこへ連れて行くのか」

「は、県警本部へ」

「おれが抱いていく」

渡辺恒蔵は娘を抱いたまま立ち上がり、林の中を歩き始めた。

すすり泣きの列が従った。捜査員全員が泣いていた。

林道に戻り、死体搬送用のワンボクスカーを尻目に見て、男は黙って自分の車に近づき、
運転手がドアを開けると、娘を抱いたまま乗り込んだ。

県警本部長が駆け寄った。

「隣に、……乗せてもらって……いいだろうか?」

渡辺は首を振った。盛田克行をはっきり拒否した。

「先導いたします」

窓越しに、鑑識班長が挙手の礼をして発車し、その車の後を、渡辺の運転手は静かに追っ

た。

県警本部長の公用車がそれに続いた。

8　死体見分

渡辺美加誘拐殺人事件の捜査本部鑑識班長沖田正利警部は、被害者を抱いた渡辺土建社長の車を先導する車の後部座席で腕を組み目を閉じていた。数分して目を開けると、ケイタイを出して、渡辺の車の後を走っている県警本部長にメールを打った。

［死体見分の場所についてお願いがあります。通常通り本部車庫の予定でありましたが、変更をご許可願いたくお願いいたします。小会議室に机を並べ、布団を敷いて、新しいシーツを掛けて行ないたいと思います。ご許可をいただきたくお願いします］

ややあって、本部長から返信があった。

［許可する］

沖田は、すぐに県警本部に待機している部下に同じ内容を指示するメールを打った。

通常死体見分は、車庫の、車を外に出して作ったスペースのコンクリート床にビニールシートを敷いて行なう。死体を不潔な物体とみなす扱い。すでにできているはずのその準備を到着までに変えさせなければならない。

そして、花と線香も。

一行の車が本部に到着すると、先に降車した沖田は渡辺の車に駆け寄ってドアを開け、敬礼して待った。少女の遺体を抱いた渡辺が車から降りると、一礼して先導した。

「こちらへ。お願いします」

エレベーターを降りて案内された部屋に渡辺が見たものは、机を並べた上に新しいシーツを掛けて置かれた布団、そして線香と花が用意されていた。

そこへ娘を下ろすと、沖田がマッチをすって灯明をともし、線香を渡してくれた。

(美加に線香を上げるなんてことになってしまった)

夢の中のようだ。三日前まで、こんなことを誰が想像しただろう。

渡辺が焼香すると、何時の間にこの部屋に入ってきていたのか、盛田本部長がまず焼香し、大勢の警察官が続いた。全員が終ると、盛田が「捜査本部長の押田です」などと主だった者を被害者の父親に紹介した。

それが終ると沖田が進み出て渡辺に敬礼して言った。

「今から、お嬢さんの見分を行なわせていただきます。そのあとは、山梨県立病院において、鑑定担当の教授により、鑑定を行なわせていただきます。これからあとは自分、沖田正利が、責任をもってお嬢さんをお守りいたします。終りましたら、ご自宅に自分がお連れいたします」

これからは、親族はそばにいることができなくなる、と告げられたのであることを渡辺は理解した。沖田の礼にかなった対応の前に、渡辺が僅《わず》かにうなずいたのを見て盛田は胸をなでおろした。沖田のおかげで助かった。懸命な、誠実な男だ。次期の昇進を確保してやろう。

渡辺恒蔵は、もう一度娘の頭をなでることを思いとどまった。警官たちのつくる厳粛な雰囲気が、渡辺を男らしくふるまわねばならないと観念させた。

ドアに向かって一歩踏み出した渡辺が足を止めた。

沖田に向き合い、言った。

「ありがとう。あんたに頼みたい。何時殺されたのか、きちんと調べてくれ。わかったらすぐに、教えてくれ。それだけを頼む」

「承知いたしました」

沖田の敬礼に送られて、悪名高い渡辺土建社長は、室を出て行った。

盛田の方を一度も見なかった。

沖田が渡辺の車を見送って会議室に戻ると、初老の男が沖田に近づいて言った。

「いやぁ、沖田さん立派だったよ。『警察官の鑑《かがみ》』って言い方は、僕はしたことがないんだが、今日のあなたには、そう言いたい」

法医学者の内藤隆興。中山《ちゆうざん》大学教授だ。

「とんでもありません。ただ、鬼と言われたガイシャのお父さんが、ああいう姿を見せられましたので、ここはいつもと違う対応が必要なのかなと、無い頭で考えましただけで」

それから沖田は、一言だけ言葉を継いだ。

「ほんとうは、どのホトケにも、このくらいのことはしなければいけないんですが」

たしか五〇歳になったばかりで、自分よりはだいぶ若い警察官に、内藤教授は、心中深く頭を下げた。第一線のこういう警察官が、日本の警察を支えているのだ。

内藤教授は、実はあの速水林道の現場から立ち会っている。一部始終を見ていたのだ。

死体見分は法的には警察の鑑識課員がする。

しかし、法医学の専門知識を持っているわけではない警察官だけでは、わからないことがあるし、誤りを犯してしまうといけない。死体見分書にはその事実は全く記載されないが、事実上法医学者に立会い、指導をしてもらう。法医学者にとっても、見分立会いの依頼は歓迎すべきことだ。法医学者が、法医学者としてキャリアを積むためには、こうして死体を見る機会、そしてより望ましいのはそうした死体を解剖させてもらえる機会を多数もつことが不可欠だ。

しかし、法医学の対象になるほとんどすべての死体を持っているのは警察だ。警察と良い関係になっていて、見分すべき死体が出た時に呼んでもらえ、さらに司法鑑定を依頼してもらえる間柄を保っていかなければならない。

内藤教授はこの沖田とはよく一緒に仕事をする仲だ。沖田は自分がする見分があれば、内藤の日程をまず尋ねてくれる。

「じゃお願いします」

床に敷いたビニールシートの上に、死体を下ろした。

十数人の警察官が、ビニールシートの周りを取り囲んだ。死体見分にはさまざまな仕事がある。死体そのものの状態を見分することはもとより、被害者のさまざまな部位からの分泌物、付着物の採取保存、たとえば掌に付着した目に見えない物体をセロテープに付着させて採取し、爪の間に挟まっている物も注意深く採る。被害者が抵抗した際に、犯人の衣類を摑み、皮膚を引っ掻いていることがあるので、犯人の特定に結びつくのだ。そしてそれらのすべての作業を写真と音声で記録する係も必要だ。

集まっている警察官の中には、そうした作業をする鑑識班員以外に、「捜査班」と「予備班」に所属する者もいる。死体は犯行の状況、だから犯人の特定に結びつく情報源でもある。見分の結果は、責任者である沖田班長が「死体見分書」に作成して捜査本部に提出するが、通常それは二〜三日後になる。一刻も早く犯人逮捕に向けて動きだすために、「捜査班」と「予備班」に所属する者が、見分から直接情報を得るために立ち会っているのだ。

十数人の警察官と内藤教授は、一斉に帽子を取って遺体に一礼し、見分は始まった。

渡辺美加の死体発見現場の実況見分に立会《りっかい》して帰路の車中以来ずっと、県警本部長盛田克行は苦悩していた。

県警本部長の公用車。そのすぐ前には、娘の死体を抱いた渡辺恒蔵の車が走っている。あの林の中で、娘の死体を見せられた渡辺恒蔵が見せた姿は、これまで盛田が知っている渡辺土建の渡辺ではなかった。

あくことない金の亡者。強引で、強欲、自分の事業を広げること、そのために、競争相手を倒すこと、それ以外には何も考えず、関心を持たない男。

あ、それと女だ。

しかし動物的な勘を持ち、目先が利いて、立ち回りは舌を巻くほど巧みだ。国政レベルまでの政治家を献金漬けにし、金縛りに掛けて、自分の将棋の駒にしている。

気がついてみれば、自分も、県警本部長の身としてあるまじきことだが、あの男の掌の中に摑まれた駒のひとつだ。

こんな事件が起こるとは。

こんな事件が起こらなければ、危険はなかったのだが。

あの男が、こういう犯罪の対象にされることは考えられないことではない。

計り知れない額の金を持っているし、そのためには手段を選ばなかったわけだから、あいつを恨んでいる人間は無数にいる。

しかしあの男に、何であれ金より大切に思うものがあるとは、これまで思いもしなかった。あの状況で、犯人の身代金の受け渡し要求をそのまま呑んで、逮捕は不可能な状態で、一億の現なまを捨てるなど、渡辺恒蔵が考えることではない、と思っていた。

だが、あいつは信じられないことを言った。

「おれは一億、犯人にくれてやるつもりで出したんだ。誰に断って持ち帰った」

「お前ら命を張って美加を生きたまま連れて来い。

助けられなかったら、おれはこの捜査の失敗を問題にする」

「盛田さん。あんたには世話になった。だがただで世話になったわけじゃない。

おれの娘の命、だめにしてくれたら、あんたとの縁もこれ限りだ。貸しをすっかり返してもらうからな。美加の命、あんたの命だと覚悟してやってもらう」

あいつは娘の命を助けなかったら、おれの汚職を明らかにすると脅した。

そして、あの林の中で——、

「残念だ。申し訳ない」

謝っているおれに、あいつは顔も向けないで一言だけ言った。

「殺されたのはいつだ」

あいつは、一億円を犯人に渡さなかったために、娘が殺されたのかを疑っている。

誘拐犯のほとんどは、身代金要求をする時点ではすでに被害者を殺害している。警察を向こうにまわして危険な駆け引きをするためには、手足まといだからだ。しかし、まれには、家族が要求通りに身代金を渡せば、人質を返す者もいる。

渡辺恒蔵は、どうも、この事件の犯人に心あたりがあるらしく、要求通りに一億円を渡せば、その犯人は娘を返してよこすと考えていたようだ。

それなのに、警察が勝手に身代金を渡すのを妨げた。そのために、娘がこういう姿になった、と。

もしそうだったら、その指示をした盛田を許さないと。

あいつの怒りを自分と警察にではなく、犯人に向けさせることができるのは、犯人が、あの高速道路の下の川に一億円を投げ落とせと指示した時点で、すでに犯人は渡辺美加を殺害し終っていたという事実、つまり、美加の死亡時刻だけが決め手だ。

これから行なわれる死体見分と鑑定、その結果にすべてが掛かっている。


渡辺美加誘拐殺人事件の捜査本部会議は、被害者の死体発見によって得られたいくつかの手がかりを受けて、あわただしく展開していた。とくに、発見の直前に速水林道を慌てた様子で駆け下って行ったミニトラック、という重点的な捜査対象も出てきた。

県警本部長盛田克行は、しかし捜査本部会議の行なわれている会議室には顔を出すこともなく、本部長室の自分の椅子に座りつくしていた。

死体見分は午後五時過ぎに終った。鑑識班長沖田正利は自分の机に座って、見分時に作成したメモを前にほんの数分の休憩をとっていた。

沖田にとって、この見分は印象深いものだった。沖田は自分がまだ一種の興奮の中にあることを感じていた。見分のなかで、教授と交わした重要な会話が、走馬灯のように心中に反芻されていた。

この死者の父親から先刻言われたこと。

「あんたに頼みたい。何時殺されたのか、きちんと調べてくれ」

その言葉を肝に銘じて、見分に臨んだ。そばで聞いていた内藤教授も同じ思いで仕事をしてくれたと思う。

内藤教授はまず始めに「直腸体温を採っておきましょう」と言い、それを計った。

「三二度」

内藤教授が言った。

直腸体温は、死体の表面は冷たくとも、体内に残っている体温次第で、死亡時からの経過時間を推定する資料である。だから、最初にあの林の中での実況見分開始時に、すぐに計るのが一番良かったのだが、それは実況見分の範囲ではないし、何よりも被害者の父親がそばに立っていた。ああいう状況で、その娘の直腸を露出して触れることははばかられた。

直腸体温の降下は、死体が置かれていた場所の気温にもよる。五月とはいえ、標高一〇〇〇メートル余のこのあたりの山中は、夜は一〇度以下になる。日中でも二〇度そこそこだ。沖田たちが現場に到着して実況見分を開始した一一時からでも、すでに四時間たっている。それでも直腸体温三二度ということは、死亡時刻は、一一時から、それほど遡らない時刻であると考えてよいのではないか。

沖田が、初めてこの死体を見た瞬間、思わずその頬に掌を当ててみたのは、当然の感覚だったと言える。

死体の衣服を取り払ってまず、死斑を確認した。

心臓が停止し、血液の循環が止まると、死体が置かれた姿勢で下になった方に血液は重力によって集まり、溜まる。そのために、赤紫色の斑点になって皮膚に現れる。死斑は死後二時間くらいではっきり見えるようになり、一三時間くらいで、最も強くなる。

死後数時間以内では姿勢を変えると、下になった方に移動し、指で強く押すと消える。これは、死後一〇時間くらいまでの間だけの現象で、だから、死亡時刻の推定のために貴重な観察である。

内藤教授は、直腸体温計測の後、死体をうつむけにして、背面の死斑を確認して言った。

「濃いね」

指圧をしてみて言った。

「微妙なところだね。弱くなるけれど完全には消えない」

「すると、一二〜三時間とかでしょうか」

「胃の内容物とか、ほかのことも見ないと断定はできないけれどね」

という言い方は、死斑の状態の判断だけからすると、沖田の判断で良いという肯定だった。

内藤教授は次に死体の顎関節、軀幹、上肢、下肢の順に動かしたり曲げたりして、死後硬直の進行状態を見た。

「まだ、手足にはきてない」

「とすると、やはり一二〜三時間の線でしょうか」

「この年齢、この気温……そう、特に内科的な問題とかなければね」

すると、死亡は明け方ということになる。

「衣類が夜露にぬれていませんでした」

沖田が言った。

このあたりは、昼夜の温度差が大きいから、もし、死体が前夜からあの場所にあったとすれば、夜露にしっとりとぬれているはずだ。

「夜明けごろか……少なくとも朝早くだね」

内藤教授が言った。

死体が置かれた時刻なのか、殺害の時刻なのか。沖田は尋ねたい気持ちを抑えた。

剖見（＝解剖してみること）をしていない教授にあまり詰めた質問をしてはいけないのだ。

「現場は、あそこでしょうか」

殺害現場のことだ。現場の地面には落ち葉や下草があったが、発見者や警察官等の足で踏み荒らした以外に、あまりかき乱されていなかった。そして遺体のスカートや下着には扼殺《やくさつ》に伴う失禁の跡があったが、発見場所の遺体の下には、沖田が肉眼で見て、また嗅いでみたところでは失禁の跡はないようだった。その枯葉や土は採取してきてあり、これから鑑定するのだが、沖田の長年の勘では、失禁の跡はないと見た。だから沖田は自分としての意見はあるのだが、教授を立てて、質問する言い方をした。

「そうだね。死亡時刻にもよるが、運んできて置いた、その方が強いかな。ただね」

教授は断定はできないが、という感じでやや遠慮がちに言った。

「抵抗が少ないのは、犯行時に被害者は、眠っていたかもしれない」

「――？」

「抵抗が少ないんだよね」

それは沖田も感じていた。どんな非力な被害者でも、殺されるのだから抵抗する。犯人との格闘によってできるあざや擦り傷が腕や脚、体幹部にも多数あるのが普通だ。しかしこの遺体にはそれがない。

「……何か薬が入っているかもしれない。剖見のときに、林先生に注意して検査してもらってね」

発見現場で実況見分をしている間に、捜査本部が鑑定医の手配をして、神奈川県の大洋大学の林喬一教授に依頼できたと、沖田は伝えられている。内藤教授もそばで聞いていた。

「はい」

「林さんはまだ確か四〇歳になっていない。最近めきめき頭角を現した、という感じの人だね」

「捜査本部で依頼してくれまして、自分ははじめてお目にかかります」

林教授のことはそれで終わり、遺体がきれいであることに話を戻して、内藤教授は言った。

「そうだとしても、この扼頸《やくけい》は、……そういっては不謹慎だが見事だね。急所を押さえて、ごく短時間で、苦しませずに、……終っている」

それは沖田も感じていた。

渡辺美加は首を手で絞められる扼頸によって死んでいることはほぼ間違いないのだが、沖田がこれまで見た同じ死因の死体の首にくらべて頸部の外傷が少ない。また、犠牲者は長時間首を絞められて苦しむと、眼窩《がんか》の部分にうっ血して「ブラックアイ」という状態になり、目が飛び出して出血もするのだが、美加には、これが全くない。

沖田が現場で、父親の渡辺恒蔵に「きれいなお顔です」と言ったのはこのことだ。変わり果てた娘を抱いている恒蔵には、「何を言うか」と思われただろうが。

沖田は我に返って、部下に命じて、渡辺美加の死体を見分の場所からワゴン車に運ばせた。司法解剖のために、山梨県立病院に搬送するためだ。解剖をする林教授は都合があるということで、県立病院に来てくれるのは七時。まだほぼ二時間ある。

鑑定解剖には、死体見分をした警察官が立ち会う。鑑識課員としての勉強という意味とともに、外形から見ただけの死体見分と、解剖して行なう鑑定では、結果が違うこともあり、違った場合には、原則として見分書の方を修正する。警察官は素人だから、法医学の専門家の意見に従うのだ。だから、正式の見分書は、この修正が終ったあとで確定する。

まだ時間があるのだから、死体だけを先に搬送させて、病院での準備をさせ、自分は七時までに行けばいい。その間に、見分書の下書きだけでもしておきたい。

しかし沖田は、それをあと回しにして、搬送車に同乗することにした。被害者の父親に「自分がお嬢さんをお守りする」と約束したのだ。

そろそろ行かなければ。その時机上の電話で内線の呼び出し音が鳴った。

「盛田だが、ちょっと来てくれないか」

県警本部長からじきじきの電話だった。

9　死亡推定時刻

県警本部長の机の前に立ち、沖田警部は直立して敬礼した。

「ま、掛けなさい」

本部長は、本部長室の一角にある応接セットのソファーを指した。

緊張して、硬い姿勢でそこに掛けた部下に向かい合って、盛田も座り、まずねぎらった。

「今日は一日ご苦労だったね。さっきは君の適切な処置で、ガイシャの親の納得が得られた。次期の昇進を考えてる」

沖田は「そんな」と遠慮のしぐさを見せて、それから言った。

「差し出がましいことをいたしましたが、渡辺社長のお姿があまりに痛々しい気がいたしましたので」

「いや、よくやってくれた」

「おかげさまで、見分は先ほど終りました。七時に林教授に県立病院で解剖をお願いすることになっておりますので、まもなく出発いたします」

沖田は本部長の「では行ってきなさい」という言葉があるものと思っていた。しかし本部長は黙ったままだった。

何だろう？

沖田が少し当惑して腰を浮かしかけていると、本部長が訊いた。

「見分書は、まだ書いていないだろうね」

「はい。早く書かなければと思いますが、搬送に同行しようと思いまして。終りましたら、また本部に戻りまして、今夜中に仕上げます」

「いや、無理をしないでいい」

本部長は何を言いたいのか。沖田は計りかねていた。すると訊かれた。

「死亡時刻は——どう見たね？」

「は、もちろん剖見していただかないと言えないことではありますが……」

沖田は注意して言葉を切り、見分を通して得た所見——内藤教授も同じ意見であることがわかっていて、だからほぼ間違いない時刻。午後三時の時点から恐らく一二～三時間前——を言うのを一瞬遅らせた。

捜査本部会議に時々呼ばれているので、身代金「受け渡しの失敗」のことは知っている。そして先刻の渡辺恒蔵の盛田を無視して沖田に言った言葉。

「あんたに頼みたい。何時殺されたのか、きちんと調べてくれ」

被害者が殺されたのは身代金「受け渡しの失敗」の前なのか、後なのか。渡辺がこだわっているのがそこであること。沖田は、死体発見現場から、先ほどの遺体「安置」の場面を通じて、このことを巡って、本部長と渡辺恒蔵の噂されている緊密な関係が冷え切っていることを見てしまったと感じていた。

本部長はそのことで、自分を呼んだのだとわかったので、自分が得た死亡推定時刻について、感じたままの意見を言うことに一抹の不安を感じたのだ。

そして沖田の勘はあたったようだった。本部長は、沖田に、そのあとを言うように促さなかったからだ。

短い沈黙の後で、本部長はまったく別のことを言った。

「できてしまったことは取り返しがつかない」

「は」

「あとは、被害者の親族の心情の安定をはかってあげるのも、警察の重要な任務だ」

「はい」

「死亡推定時刻のことは、林教授にお任せしてある。すべて教授の鑑定結果にお任せしてある」

「は」

「見分書は、教授の鑑定書ができてからでいい」

沖田警部は理解した。

先に見分書を仕上げてしまって、林教授の鑑定書と、矛盾することにならないように、と本部長は注意しているのだと。

「は」

「今日は、剖見がすんだら、遺体を遺族に届けてくれるんだろう？」

「はい」

「そうしたら、そのあとは家に帰って休みなさい。君も今日は疲れたろう」

「はい」

ありがとうございますと言えなかった。

林鑑定書ができるまでは、見分書を書くなと言っているのだ。

沖田はただ、直立して敬礼し、本部長室を退出した。

廊下を歩きながら考えた。林教授を指名したのは本部長なのだろうか。本部長が林教授と話したのは、電話でなのだろうか。

経験の蓄積が物を言う法医学の世界で、林教授は、まだ四〇歳にはなっていないのに「最近めきめき頭角を現した」と内藤教授から聞いた。

林教授は、簡単に状況を理解し、そして本部長の望むことを理解したのだろうか。

承知したのだろうか。

多分そうなのだ。多分。

沖田と部下の荒井とが死体を搬送し、病院の職員と協力して解剖室に運んで解剖台上に載せ、器具を整えて待っていると、七時を少し過ぎて、林教授が到着した。

渡辺美加誘拐殺人事件の捜査本部長である押田と副本部長の杉井が林を案内するように揃って顔を見せた。どこかで落ち合ってきたのだ。

司法解剖に、捜査幹部はぜひ立ち会うべきであると、言われている。捜査の基本的な筋が、解剖によって決まることが多いからだ。しかし、通常の事件では、幹部は解剖の現場には姿を見せず、鑑識班長と班員警察官だけが立ち会うことが多い。

それを捜査本部長と副本部長が揃って立ち会うことは、逆に沖田には驚きだった。

「ご苦労様でございます」

沖田と荒井は上司に敬礼した。それから初対面の林教授に挨拶した。

「ご苦労様でございます。県警本部の鑑識課の沖田でございます。この事件の鑑識班長を務めさせていただいております。これは班員の荒井でございます。こちらは写真を担当させていただきます安川でございます。本日はどうぞよろしくお願いします」

林教授は、首だけを振って答えたが、それは頭を下げると言うより、顎をしゃくるといった感じだった。

司法解剖が執刀開始された。

林教授はほとんど無言で、死体にメスを入れ、組織や臓器を取り出しながら「写真」などと短い命令を発するだけで、仕事を続けていった。

これが内藤教授や、他のほとんどの教授なら、「ここがこうなっているのは、こういう力が加わったからなんだよ」などと、警察官に教えながら解剖を進める。それはまた、メスを持っていて、メモができない執刀者が、メモ代わりに発する言葉でもあり、あとでそれを再生しながら鑑定書を書くために、録音して解剖医に渡すのも、警察官の仕事なのだ。

だから林教授も、メモ代わりの機械的な発言はするのだが、それ以上の、捜査官に話しかけるようなことは全くしなかった。

警察官が司法解剖に立ち会うのは、鑑識課員の勉強のためもあるが、鑑定は死因、死亡時刻、犯行方法等を明らかにするために行なうものだから、立会してその詳細を把握し、すぐに捜査に役立てるのが主目的である。そのために立会捜査官は、不明点、疑問点があれば、解剖医に率直に質問し、またその前に行なっている実況見分や死体見分で予め得ている情報があれば、解剖医に提供するようにと指導されている。

その意味では、沖田が知っている、見分時の直腸体温、死斑の状況などの、解剖開始時にはすでに変化していたり、失われていたりする情報は、解剖医に告げなければならない。

しかし沖田は、この事件ではそれをしてはならないのだと判断した。

県警本部長が、わざわざ一鑑識班長である自分を呼んで「死亡推定時刻のことは、林教授にお任せしてある。すべて教授の鑑定結果にお任せしてある」と言ったのは、この点について、何一つ余計なことは言うなという指図であると判断したのだ。

沖田の中で、逆らうものがあった。

自分がここで、職務に忠実で、気の利かない、愚直な第一線警察官として、見分時の直腸体温や、死斑の状況などを、執刀医に申し上げたらどうなるだろう。

そうしてみたいという思いが、突き上げる瞬間もあった。

しかし自分は結局組織の一員なのだというのが、沖田の自分に対して出した結論だった。

自分には妻子もある。

県警本部長から、昇進を約束してもらったばかりだ。昼間、あの渡辺社長が、自分に「ありがとう」と言ってくれた。被害者のあのような言葉は、捜査官にとって一番嬉しいことだ。

この解剖のなんともいえないわだかまりだけを除けば、仕事にやりがいを感じている。

この職場を失うことはできない。

解剖は一時間半足らずで終了した。

死体そのものとしては、多数の切り傷があるなどの複雑な案件ではない。

林教授が白衣から着替えて、捜査員等が丁重に礼を述べて教授を車まで送った時、教授はふと気がついたように沖田に目を向けて言った。

「あ、ちょっと君。被害者が失踪した日に中学の給食で食べたものを調べて、連絡して」

「は、はい。五月一五日の給食の内容でありますね」

「そう」

それだけで、教授は車に乗り込み、沖田は一礼してそのドアを閉めた。


司法解剖を終った美加の遺体を、鑑識班長沖田警部は、オフホワイトの毛布で包んでワゴン車に乗せ、「金御殿」に向かった。

犯罪被害者の遺体は、ふつう死体見分や鑑定を終った場所まで、遺族に引き取りに来させる。遺族の住居地が遠いと、運搬費も馬鹿にならない。無残な状態の遺体を葬儀のために修復する費用も遺族持ちだ。国や自治体にその費用の補助を求める声が、その後に少しずつ実るが、この時点では、その取扱は無い。沖田警部が、渡辺美加の遺体を父親に届けることも、県警本部長に特別の許可を受けてする、異例の扱いだ。

毛布は妻に電話して買って来させた。もちろん、あとでレシートを捜査本部の庶務班に出して代金をもらうのだが、いかにも死体らしい白布ではなく、病人といった感じに、品のいい毛布で包んだのである。

沖田は、車から降ろしたその遺体を自分で抱いて、大きな玄関に出てきた父親に大切に手渡した。

大勢の社員が喪服で立ち働いていた。渡辺恒蔵の妻の美貴子の姿はなかった。あの「身代金受け渡し失敗」の直後、自殺を図って手首を切り、出血が相当量だったために、今でも入院していることは、捜査本部の会議で報告があり、沖田も聞いている。

広大な応接間に、すでに豪華な祭壇がしつらえられていたが、渡辺恒蔵は、娘をすぐにはその棺に入れず、和室に敷いてあった布団に寝かせた。

社員がすぐに焼香の用意をし、渡辺を先頭に一通りの焼香がすむと、渡辺は沖田を手招きして、小部屋に招じ入れた。

社員が茶を出して下がると、渡辺は沖田に頭を下げた。

「あんたには、本当に世話になった」

「いいえ、職務上当然のことをしましただけです」

「いや、そうじゃない。あんたの人柄というのか、本当に、感謝している」

沖田は渡辺がなぜ自分をこの部屋に呼び入れたかわかっていた。

果たして相手は礼を言い終るのももどかしく、尋ねてきた。

「それで……あれは……何時だった。何時とわかった」

「はい」

被害者が殺されたのは、あの「身代金受け渡し失敗」の前なのか、後なのか。犯人は要求した金を拒否されたために被害者を殺したのか、あらかじめ殺していながら金を要求したのか。それは被害者の「死亡推定時刻」いかんにかかっている。

　特にこの事件の何か特別のいきさつから、渡辺恒蔵がそれを一刻も早く知りたがっているらしいことは、重々承知していた。だから沖田はこういう問いのあることを予期していて、答えを考え抜いてきた。

　口を開こうとする前に、渡辺が沖田の目を見据えて言った。

「おれは、盛田さんを信用していない。あんただけを信用する。本当のことを聞かせてくれ。盛田さんには、あんたから聞いたことは言わない。おれにだけは本当のことを」

「はい。……自分などがさせていただく見分は、あくまでも外側からの所見でありまして、非常に……例えば一〇日とか……口にちがたっているか、二〜三日しかたっていないかくらいは自分にもわかりますが……お嬢さんの場合は、それが一七日なのか一五日の夜なのかといった難しい違いで、そうなりますと……申しにくいことですが、剖見……解剖してみないと正確なことはわかりません。

　解剖は自分ら警察官ではなく、法医学の教授がされます。今回解剖された林教授が、今鑑定書を書かれておりまして、できましたら、できましたら――。

　これは自分の一存でできることではありませんが、写しをお目にかけられるように、盛田本部長が配慮されると思います」

渡辺恒蔵は、残念ながら、このようなことに全く知識がなかった。

周囲にこのようなことを相談できる知識を持った人もいなかった。弁護士を事業上何人も使っているが、彼等は民事のことしかわからなかった。

渡辺は首《こうべ》を垂れた。

沖田が言ったのは建前であるという疑いは捨て切れなかった。この男だけを信頼したのだが。

しかし沖田が言うことを否定できる何ものも、恒蔵はもっていなかった。

ひとまず、その鑑定書というものを待つしかない。

力なくうなずいて、会見が終ったことを相手に示した。

沖田は直立して敬礼し、

「お役に立たず、申し訳ありません。それでは失礼して、本部に戻らせていただきます」

と言った。

主は玄関まで見送らなかった。

県警本部に戻る車の中で、沖田正利は無言だった。

自分は組織の一員であることを選んだ。一人の鑑識員であることよりも。一人の……誰かから信頼を受けた人間であることよりも。

10　指名照会《さしな》

死体発見者の渡辺俊夫は、最寄りの富士吉田署に同行を求められ、その日は夜まで、くどいほど詳しく事情聴取された。

その中から、老人がすれ違ったミニトラックがあったことが、浮かび上がった。

車種は渡辺俊夫のものと全く同じリアルタイムで、色も同じオフホワイトだから、記憶に間違いないという。

「運転していたのは若い男のようでしたが、よく顔を見ていないので、誰かはわかりません。観光客ではないと思います」

渡辺俊夫の供述調書のそのくだりだ。

捜査本部は、付近一帯の町村で、オフホワイトのリアルタイムを所有している者やその家族をリストアップした。驚くほど多い。どこに行くにも狭い農道を使うこの地域では、農家をはじめ、小商店からあらゆる工事業者までのほとんどが、リアルタイムか、他のメーカーが製造している似たようなミニトラックを持っている。

商店の少ない山村で、年配の主婦が日常の買い物をするにも、この手のミニトラックだ。それにこの車は四輪駆動なので山菜採りに山に入るにも必需品だ。そしてメーカーの仕様のままに色はすべてオフホワイトだった。


遺体発見を受けて、本部の捜査はそれぞれの班ごとに目的が絞られ、いくつもの捜査が併行して、夜を徹して進められ、結果は逐一捜査本部会議に報告された。捜査本部は時折本部全体会を織り込みながら、幹部会議の形で事実上常時会議を開いている状態だった。

県警本部長の盛田克行みずからが、会議に顔を出すのがこの事件のふつうとは違うところだった。

少なくとも幹部たちは、盛田と被害者の父親の渡辺恒蔵との緊密な関係をうすうす知っている。捜査はいやがうえにも熱を帯びた。

まず、成果を報告したのは、鑑識班のうちの指紋の担当者だった。

死体の付近で発見した被害者所持品であるカバンからは三個の指紋、カバンの内容物からは、無数の「現場指紋」が検出された。指紋係は直ちにその指紋を、被害者および家族、友人などから採取した「協力者指紋」を添えて、対照のため県警本部鑑識課に送付した。と言っても、この場合、県警本部鑑識課は捜査本部と同じ建物なので、対照結果はすぐに出された。

指紋の照合は、学問的には多くの方法があるが、現在は最もやりやすい「特徴点鑑定」が支配的であり、日本では一二の合致点があり（及び、または）矛盾がないとき、符合したと認められることになっている。これは法律でも通達でもなく、警察内部の「申し合わせ事項」にすぎない。国際的には、フランスでは一七点など、より多い一致点を要求する国もあるが、一二点は平均的だ。

採取されたおびただしい指紋のうち、「対照不能指紋」（片鱗指紋）いわば指紋のかけらを除く対照可能な指紋のうち、ノートなどのカバンの内容物から採取された指紋は、すべて被害者と周辺人物である「協力者」のものと符合する「協力者指紋」であり、それもほとんどが被害者本人のものだった。中身が抜き取られたことが明らかな財布は、布製なので、指紋の検出は不可能だった。

しかし、ビニールレザー製カバンの表側に付着した指紋は、三個ともなんとか照合可能な指紋であり、いずれも被害者や協力者の指紋ではないことが確認された。つまりこれらが犯人の指紋である可能性が高い「遺留指紋」ということになる。

日本国では、人がなんらかの犯罪の容疑で逮捕されると、被疑者はまず指紋をとられ、その指紋は全都道府県警察で様式を統一されている「指紋原紙」と「指紋票」「一指指紋票」に作成され、警察庁にはそのすべてを、「指紋票」と「一指指紋票」は警視庁と各道府県警察本部に送られ、永久に保管されている。ちなみに本人が死亡しても保管者に廃棄が義務付けられてはいない。

新たな犯罪が発生し、犯罪現場から犯人のものと思われる「遺留指紋」が検出されると、その警察は、採取した指紋を警察庁鑑識課と各県警本部鑑識課に送って、保管されている指紋資料の中に、これと符合する「一指指紋票」があるかどうか、を照会する。

この場合、他の指紋と無条件で比較して一二の一致点が得られるだけの大きさや明瞭さをそなえたものを保管されている指紋資料について、対象を特定することなく、符合する指紋があるかどうかを照会するのが「積極照会」である。

これに対して、犯人について目安がある場合、対象を特定してする「これを山田太郎の指紋と比較してください」という照会方法がある。「指名照会《さしな》」という。対照の範囲がしぼられるので照会結果が迅速に出される。

被害者のビニールレザー製カバンの表側に付着した三個の指紋は、カバンの蓋の方に親指らしい一個と背側に残りの四指のうちのどれからしい二個の指紋が付いていて、明らかに左手でカバンを持った時に付着したことを示していた。

指名照会の対象として、捜査本部の方針は当然、アブラ採りの老人の目撃供述の、あわてて坂道を下りて行ったリアルタイムに乗った若い男をまず考える。様子からしてどうもこの付近の者らしい。

警察の捜査はこういうときの常道として、近隣のリアルタイム所有者・家族をリストアップして、その中から、まず、かつて指紋をとられたことのある者＝前科・前歴者＝を選び出し、被害者のカバンから採取した「遺留指紋」に添付して「指名照会」する。

該当者は二七名いた。逮捕歴のなかには交通違反も含まれるのだが、人口密度の高くないこの地域で、意外に多いものだと担当者はあらためて感心した。

そして、指名照会は、みごとに成功した。その二七名の中に、指名照会された三個の遺留指紋と、県警鑑識課保管の「一指指紋票」とヒット（符合）する指紋をもつ者がいたのだ。

捜査本部はここまでの照合作業を二日間で終った。

コンピューター解析システムが導入されており、捜査本部と、指紋資料を保管する県警鑑識課が同じ建物にあるという地の利を生かしたとは言え、指紋をゼラチン紙に転写する作業から始まり、解析を可能にする修正作業——と何段階もある作業工程からすると、非常に速い捜査だった。正式の文書による回答はずっと遅れるが、県警鑑識課から、照合結果のコピーが事実上捜査本部に渡された。

遺留指紋と一致したのは、渡辺家の金御殿のある場所と隣接する勝山村に住む左官業小林定次の次男である小林昭二、二六歳だった。渡辺美加のカバンに残されていたのは、小林昭二の左手の拇指と中指の指紋だった。

併行して行なった聞き込みで、同時刻ごろリアルタイムに乗った若い男が、あわてて坂を駆け下りていたため、ゴルフ場の納入業者の車と衝突しそうになり、その業者が顔を知っている小林昭二であるという証言も得られた。間違いない。

指紋照会に対する回答である「指紋等確認通知書」に付された「処分結果通知書」、前科による「前科調書」、「犯歴カード」これらの資料によると小林昭二の犯罪歴は、

① 平成三年に窃盗（万引き）
② 平成七年に窃盗（倉庫侵入盗）
③ 平成一一年に窃盗（車両窃盗）

最初の万引きは、一六歳。まだ少年だったので家庭裁判所で保護観察処分となり、平成七年の倉庫侵入盗では成人に達したばかりで、地方裁判所での裁判となり懲役一年執行猶予二年の判決を受けている。四年後の平成一一年、二四歳での窃盗は、建築現場にカギをかけないで置かれていたユンボを盗んで、付近の土木業者に売ろうとしたが、車検証がないことを怪しまれて買ってもらえなかった窃盗未遂で、未遂であって実害はなかったものの、前歴があるのに、反省せずに窃盗を繰り返したとして懲役一年六月、執行猶予三年を言い渡されている。

いずれも暴力事犯ではなく、今回の身代金目的未成年者誘拐、殺人という重大な犯罪とは罪質が違う、軽度の犯罪と言えるが、三回も犯罪を繰り返している累犯傾向にあることは間違いない。

何よりも、はっきりと指紋が符合したのだ。捜査本部会議は当然の決定をした。

「明日朝一番で身柄を引く」

11 逮捕

五月一九日、よく晴れた日だった。

早朝六時きっかりに、夜の間中、小林定次方を遠巻きにするように周辺の道路に展開していた五台の乗用車からいっせいに、男たちがドアを開けて降り立った。総勢一五人。人の輪がさっと縮まって、小林定次の小さな二階建ての家を取り囲んだ。一人が進み出る。

渡辺美加誘拐殺人事件捜査本部、予備班副班長の警部平井敏一だ。

捜査本部の予備班は、名前とは裏腹に、本部の中でも、もっとも捜査に経験豊富な優秀な人材を選りすぐった班だ。「機動隊」や新聞社の「遊軍」同様、臨機応変にさまざまな捜査に投入される。警部平井敏一は「落としのヒライ」と呼ばれる取調べのベテランだ。これから逮捕する容疑者の取調べ主任者に決められている。

大きな事件では、取調べの責任者になる刑事が、逮捕の時点から、主役を演じる。被疑者にとって「手錠を掛けられる」瞬間は、もっともショッキングだ。それを裏返せば、「手錠を掛ける」刑事は、その瞬間から被疑者を心理的に支配する支配者になるのだ。

平井の目配せをうけて、警官の一人が小さな玄関の引き戸を叩いた。

「小林さん。小林さん」

何度目かに鍵を開ける音がして、年配の女が顔を出した。

「はい、なんでしょうね」

「あ、昭二君のお母さんかね。昭二君はいる?」

「まだ寝てますけんど。どなたさんですかね」

警察官は皆私服だ。

「警察のもんだけんどな。昭二君にちょっと聞きたいことがあってな。すまんが起こしてもらおうか」

ポケットから警察手帳を出してちらっと見せた。後ろに控えている数人の男も警察の者だと女はわかったようだ。息子の昭二が警察沙汰を起こしたことはこれまでに三回ある。

しかし、こんなに大勢の警察官が来るのは初めてだ。女は明らかに異常な雰囲気を感じ取った。

おびえた様子で中に入って行くのについて、平井を先頭に警察官が有無を言わせず入り込んだ。

女は階段の下から呼んだ。

「昭二、昭二。警察の……」

終わりまで言わせずに警官たちは母親を押しのけて、土足のまま二階へ突進した。どたどた、という音が起こり、二人の警官が昭二の両腕を左右からがっちり捕らえて階段を引き摺り下ろしてきた。

はだしの昭二をそのまま外へ引き摺っていき、車に押し込んだ。

母親ははだしで追って行き、

「待ってくださいよ。連れて行くんなら行かせますから、着替えくらいさせてやってもらえないですか」

必死で刑事たちに頼んだ。

「お母さん。トレーナー着てるんだからこれでいいよ。あとで着替え持ってくれれば差し入れできるから」

警察官の一人が母親をさえぎった。

「なんか食べさせてやってもらえませんか。今すぐ持って来ますけん」

「まだ、起きたばっかじゃないか。警察行って食事が出るから」

車のドアが閉められ、発進した。

呆然と見送った母親が、のろのろと家に戻ってみると、さっきの警官たちのうち、車で出て行かなかった七〜八人が、昭二の寝ていた二階の小部屋ばかりではなく、家中に入り込んで、押入れやたんすまで勝手に開けて引っ掻き回していた。

騒ぎに気づいて昭二の父親が起きてきた。

「これは何だね」

さすがに男で、母親にはできない抗議をした。

「お父さん、小林定次さんだね。県警だけんど、昭二を逮捕したので、家宅捜索させてもらうんでね」

父親は黙り込んでしまった。

息子が三度も警察の厄介になっている。三度とも盗みだ。人様に顔向けできない。だから、またしても、そんなことをやらかしたらしい息子のために、こんな屈辱を受けることに滅入って、黙り込んでしまうほかない。落ち度があるのは息子の方なのだ。

しばらくすると大きなエンジン音がして何かと出てみるとレッカー車だった。

「お父さん。このリアルタイムも借りてくから」

「どうしてだね。おれが仕事に行く時に材料つんでいくんで、ないと困るだよ」

「しょうがないんだよ、お父さん。押収なんだから」

「おれのものだ。昭二のもんじゃないんだよ」

「捜査に必要なんだ。所有権は関係ないんだよ」

有無を言わさず、レッカー車はリアルタイムを積み上げて爆音と共に消えていった。

警官たちは家中をかき回して、写真を撮り、結局昼まで居座っていたが、大量の物を家の

中から持ち出し、その引き換えに、

「お父さん、じゃ、これ預かってく物の受け取りだから。大事にしまって置いてな。還付《かんぷ》の時に要るからね」

紙に書き込んだものを渡して、引き上げていった。「押収品目録交付書」と題がついている書類だった。

あとで二階に上がった妻が、

「昭二の着るものうんと持ってってったが」

怯《おび》えた顔で言った。

「あの野郎なにしでかしたんだ」

小林定次は妻に当たり散らした。

妻は怯えた顔でかぶりを振った。今までとはぜんぜん違う。何か大変なことをやったんだろうか。でも皆目見当がつかなかった。


昭二自身も、これが今までとはぜんぜん違うことを感じていた。昭二を乗せた車は、国道139号線を西に向かった。いつも行く富士吉田署とは逆方向だ。

「どこ……行くんすか」

怯えて聞いた。

「黙って乗ってればいい」

一喝された。

やがて、甲府市内に入ったことがわかった。車は大きな建物の裏に回って停まった。両腕を抱えられて車から降ろされ、エレベーターに乗せられ、小さな部屋に入れられた。

ここは取調室だということはわかった。前に取調べられたのと同じような部屋だったから。

パイプ椅子に座らされた。ずっと、右腕を摑んでいた刑事が向かい合って座り、もう一人がそばの机に座った。右腕を摑んでいた刑事が言った。

「小林昭二だな。自分でしたことだ。どうしてここへ来たかはよくわかってるな」

どれだろうか。富士吉田の長崎屋でスニーカーを万引きした。河口湖のスーパー「バル」でTシャツを万引きした。そうだそれから、速水林道の林で、あの女の子のカバンの中の財布から四千円と少し盗った。

どれのことだかわかるまでは、黙っているのがいいというのが、これまで取調べを受けたことのある者の経験だ。

警察が知らないことをわざわざ言うことはない。警察が知っているのはごく一部だ。

「お前、今度はとんでもないこと、しでかしたな。よく、あんな女の子をアヤめるなんてことができたもんだ。一億円要求するなんてどんな了見してるんだ」

小林昭二は、自分の身に恐ろしいことが起こったことを知った。

テレビでやっていたゴルフ場の社長の娘の誘拐・殺人事件。その嫌疑が自分にかかっているとは。青天の霹靂《へきれき》だった。

なぜだろう。あの財布から金を盗ったことと関係があると感じた。それ以外には関係ないもの。そして一種の勘で、だから、あのことを言ったらおしまいだ。絶対に言ってはいけない、とっさにそう感じた。この何度か警察にやっかいになった経験から来る勘は、当たっていた。

「渡辺美加。知ってるな?」

昭二はかぶりを振った。とにかくそれに関連することから逃げておきたい。

「お前が勤めてたマウントフジ・ゴルフ倶楽部の娘だぞ。知らないはずないだろう」

また、かぶりを振った。

とたんに部屋のガラスがビリビリするほどの声で怒鳴られた。

「偉そうにクビなんか振る気か! 口で返事しろ!」

「知らないす」

「ウソつくな! テメエ、警察なめる気か。倶楽部の支配人からちゃんと調べついてるんだ。美加のことで文句言って倶楽部やめたってな」

そんなことまで、調べられてる。思わず言い訳を言った。

「顔、知らなかったんで」

「そうか、見せてやろう。仏様に今みたいなウソついてみろ、おれがお前の首絞めてやる。お前が美加にしたことを、おれがお前にしてやる」

大きく引き伸ばした渡辺美加の死に顔の写真を自分の顔に触るほど突きつけられ、思わず目をそむけた。

「どうだ。仏様に申し上げてみろ。この仏様、美加に何した」

「知らない」

見たくなくて、夢中で顔をそむけて言った。

とたんに刑事が机の向こうから回りこんで、椅子に座らされている昭二のひざの上に刑事の大きな体が跨《また》がってきた。昭二は背も小さく、痩せている。押しつぶされそうな状態でのけぞらされ、手で首を絞められた。

「こうやって殺したな。吐け、吐かないと殺されるぞ」

本当に殺されると思った。恐怖で我を忘れた。

「言います。言うから」

悲鳴を上げ、泣き叫んだ。

絞めていた手が離れた。

「殺したんだな」

「違う。絶対に殺したりしてないす」

「もう一度絞められたいか」

「殺してない。そんなことできない。してない」

子どもみたいに、泣き喚いた。

ドアがノックされた。

「主任。替わりましょうか」

別の刑事が入ってきて入れ替わった。

取調べは多くの技術で成り立っている。被疑者とのやりとりが隘路《あいろ》に入ったときは、攻め口を変える。大きく変えなければならないときは取調官が交替する。

替わって昭二の目の前に立ったのはさっき、左腕を掴んでいた刑事だ。

「お前な。主任さんを怒らしちゃいけない。あの人は本気で犯罪を憎む人だ。正義感ってやつだ。お前みたい、ああいうなめた態度とってると、はずみで、ほれよ、ほんとお前を絞めちゃうような人だからな」

前の刑事と違って、なだめる口調に涙がどっと湧いてきた。

「でも、殺したりしてないす。ほんとです」

「じゃ、何した？」

「何にも、何にもしてないす」

「ほんとだな。ほんとにそうだな」

「はい」

「この野郎！」

この刑事もガラスが震えるほど怒鳴った。

「指紋がついてるんだ。お前の指紋がよ。自分が何で逮捕されたかわからないのか。美加のカバンから金盗った時、指紋をつけてたんだよカバンにな。このウソツキヤロウ」

「……」

「その指紋から、小林昭二ィ割り出したんだ。警察なめると、おれも怒る。おれもお前の首根っこ絞めたくなる。絞めてやる」

その刑事も襲い掛かってきた。

無我夢中で叫んでいた。

「金盗りました。盗りました。許してください」

「ウソつきやがって」

その刑事は昭二の顔につばを吐きかけた。

「お前なんか人間のくずだ。くずだ」

「ごめんなさい。もうウソつかないから。つかないから。許して……」

「よし。今のところまで調書巻くからな」

「調書巻く」とは、刑事用語で供述調書を作るということだ。

もうひとりの刑事はパソコンを机の上に出して、怒鳴っていた刑事が、小林昭二に成り代わって、口で言うことをキイボードに打ち込み始めた。

最初は、住所、名前と職業は「無職」。親の職業と年齢、生い立ち。小学校に入って、中学で終わり。そのあとは、いろんな仕事についたが、すぐやめて遊んでたりの繰り返しの暮らしで二六歳の今まで来たこと。今までに三度逮捕されたことがあること、その時やった犯罪のある程度詳しい内容。取調べる方の刑事は、時々昭二に確かめては、キイボードを打つ刑事に口移しで言って書かせる。

どうして、何度捕まっても、同じことを調書に巻くんだろう。「身上経歴」と呼ばれるこまでの内容は、いつも同じだ。

恐怖が少し薄らいで、すると空腹を意識した。朝、おふくろが「何か食べさせて」と頼んだ時、この刑事たちは「警察で食事が出る」とか言っていた。前に警察に捕まったとき、留置場では三食、食事が出ることを知った。もう、朝食の時間は過ぎただろうに。もしかすると昼の時間も過ぎているのではないか。怖くて、どのくらい時間が経ったかわからなかったが。

水一杯飲ませてもらえない。怖かったし、のどがからからだ。でも「水を飲ませてください」なんて言ったら、きっとひどく怒られる。さっきのように「お前悪いことしておいて『水飲ませろ』だと?·」とか怒鳴られる。そういうことは、三度逮捕された経験でわかっていた。刑事は機嫌がよければ、ラーメンを取ってくれたりする。お金は自分で払ったけど。でも、調書が思うように巻けないと、水も飲ませてもらえない。

今日の雰囲気は、水もダメって雰囲気だ。とても言えない。

[五月一五日のことを申し上げます]

あれ、一七日じゃないか。

[……これまで嘘を言っていて申し訳ありませんでした。渡辺美加さんを知らないと言ったのは嘘です。渡辺美加さんは、私が以前、アルバイトの芝刈りで勤めてたことがあるマウントフジ・ゴルフ倶楽部の社長である渡辺恒蔵さんの娘さんだから知っています]

昭二が言わなかったことまで、言ったことになって、パソコンに打ち込まれていく。

こうやって「調書巻く」ことは知っている。前に三度窃盗で捕まった時もいつもこうだった。こんなに怒鳴られたり、体に手を掛けられたりしたことはなかったが。

小林昭二は小心者だ。これまでも、取調べでは、ほとんど刑事の言うとおりに事件を認めた。もっとも、警察が知らないとみれば、二つやった万引きも一つにしておいた。

[もう一つ嘘をついていたことがありますので申し上げます。五月一七日に、速水林道に行ったことはないと申し上げていたのは嘘です。

行った時間のことはあとで申し上げます。まず、美加さんの財布からお金を盗ったことで、盗らなかったと強情を張って嘘をついていて悪かったと反省しています。どうして嘘をついたかというと、お金を盗ったことを認めると、美加さんにした大変なことがわかってしまうと思い、怖かったからです」

昭二が心配していたことが、自分では言っていないのに、刑事の口から言葉になって出てくる。自分が考えていたことは、みんな警察にわかってしまっていたんだ。

でも「美加さんにした大変なことがわかってしまうと思い」っていうのは困る。自分が「大変なこと」をしたみたいだ。「大変なこと」っていうのは、あのことじゃないか。あの、美加を殺したって、はじめの刑事が言ったことじゃないか。心配だ。

「盗ったお金は……」

「いくらだ?」刑事はこうやって、口移しをしている最中に突然被疑者に聞いてくる。

「ええと、四〇〇〇円とあと少しです」

「千円札が四枚と、硬貨でしたが、いくらだったか、詳しいことは覚えていません。カバンを捨てる時に、財布が入っているのじゃないかと思って探したらあったので、中を見ると千円札が四枚と、硬貨がいくつかあったのでそれを全部盗りました」

「カバンを捨てる時に」というのが気になった。捨てたんじゃない。捨ててあったのを拾ったんだ。でも、違うとか言えない。言ったらさっきみたいなことになる。

「これまで嘘を言っていて申し訳ありませんでした。これからは、自分のしたことをすべて、包み隠さず申し上げます」

「読み聞けするから聞いていろ」

パソコンの印刷機から出てくる紙を取り出す。

供述調書
本籍　山梨県南都留郡勝山村×××番地
住所　右に同じ
職業　無職
氏名　小林昭二
昭和五〇年二月二四日生（二六歳）
本職は、上記の者に対する窃盗被疑事件につき、平成一三年五月一九日山梨県警察本部取調室において、予め被疑者に対して、自己の意思に反して供述をする必要がない旨を告げて取調べたところ、任意以下の通り供述した。
1　身上経歴
私は本籍地において、父小林定次五四歳、母小林キミ五二歳の次男として生まれました。

兄弟は、

兄　定一　二八歳
がいますが、東京で所帯を持っていて妻　昌子　二六歳ぐらいと息子　彰　一歳と暮らしていて、あまり実家には帰ってきません。
職業はタクシーの運転手をしていると思います。
私は小学校は……

刑事が調書をはじめから早口で読む。もっとも不動文字である前文「任意以下の通り供述した」までは読まない。

こういう「読み聞け」も前の逮捕の時されているから知っている。

「いいな?」

いい、とは言えない。いろいろ心配なところがある。けれど、とても言い出せない。

黙っていると、喋った刑事が、パソコンの刑事に、

「じゃ、印刷」

と言った。

印刷する機械から調書が出てくる。

最後の紙をとって、

「名前を書け」

ボールペンを渡された。

最後の方にも、読まれなかった文字がある。

[以上の通り録取して読み聞かせたところ、誤りない旨申し立てて、署名、指印した。

前同日　山梨県警察本部　司法警察員警部補　長谷川徳夫]

昭二が言われたところに名前を書くと、パソコンの刑事が、左手の人差し指を捕まえて、スタンプ台の上に押し付け、べっとりとインクをつけた指を、昭二が書いた名前の下に押し付けて指紋をつけさせた。これが「指印」だ。

「トイレ行かしてもらって……いいすか」

ようやく頼んだ。

「よし、早く行って来るんだぞ」

二人の刑事がトイレの入り口までついて来た。

用を足すのもそこそこに、昭二は手を洗うふりをして水道を全開にして、思い切り水を飲んだ。

12　母の供述

昭二の母親、小林キミは、息子が連れ去られたあと、朝食もそこそこに昭二の着替えと家に有るだけの現金を持って、「差し入れ行ってくる」と夫に断って家を出た。

逮捕されたら、洗面道具と着替え、それに多少の現金を持って警察に「差し入れ」に行ってやらなければならない。息子が三回も逮捕されている母親として身についた習慣だ。

軽トラックは持っていかれてしまった。バスでいつもの富士吉田警察に行き「小林昭二の差し入れに来ました」と言うと「小林昭二ってのは入ってないよ」と留置係の看守に言われた。恥を忍んで、今朝大勢の刑事さんが連れて行ったんだが、と説明すると、留置係は引っ込んで誰かと話をしてから出てきて、県警本部だと言う。ケンケイホンブがわからなくておどおどしていると、甲府にある大きい警察だ、と言われた。「すいません。何に乗ってどこで降りたらいいんでしょうか」と聞いてバスで行けと教えてもらい、甲府へ行った。

山道を揺れる一時間のバスの旅だ。どうしてこんなに苦労するのか。いつも警察へ行くたびに考えると情けなく、腹立たしいが、今はそれよりも、今朝のものものしい雰囲気が恐ろしく気がかりだ。階段から引き摺り下ろされた息子がかわいそうだ。何もあんなにしなくたって、行かないわけではないのに。あの子は意気地なしで、警察に逆らうなんてできない子だ。

あんなにされるってことは、なにか大変なことをしでかしたのだろうか。

はじめの万引きから、やることがだんだん悪くなってきている。ほんとうに困った息子だ。そのたびに、迷惑をかけた先に謝っては、被害の弁償をして、何とか刑務所行きにならないようにしてきた。でも、今回はそれとは桁違いの悪いことをしたのかもしれないと、雰囲気から感じられる。

これまで何とか助けようと、母親が尻拭いしてきたのが、かえって悪かったのだろうか。もう、何もしてやらない方があの子のためなのだろうか。夫はその方針というか、実のところは方針なんてものではなく、とっくに息子を見捨てている。でもあの弱虫の甘ったれを、母親の自分が見捨てたら、もっと悪くなるだろう。自分の子なのだから、自分が面倒を見ていくほかない。

何度も尋ねてやっと探し当てた県警本部は、大きなビルで気後れするばかりだが、受付で頭を下げて息子の名前を言うと長いこと待たされた。

朝、息子を引き摺り下ろした刑事が外から入ってきた。

この刑事が、息子の取調べ主任で、今まで息子の首を絞めて怒鳴っていたが、今ちょうど

「なだめ役」の刑事と取調べを交替して来たことなど、母親は知る由もない。

「こっちへ」

言われて小さな部屋へ連れて行かれた。

「差し入れに来たんですけど」

恐る恐る言うと、相手は無視して、

「お母さんね。昭二は一五日には何時ごろ家を出て行った？」

「一五日ですか？」

急に言われてもわからない。とくにどこかへ行ったということもないのだから家にいただろうと思うと言うと、大事なことなんだから、きちんと思い出して正直に言わなくてはいけない、と罪人に言うようなきつい言い方で言われた。気をつけて思い出しても同じで、私は朝から畑に行って、昼に帰るとまだ寝ていて、昼を食べるとどこかへ出て行って、夕方帰った。近頃小遣いをやっていないので外食できなくて、夕飯までに帰るのだと説明した。

本当か。嘘を言うとあんたも逮捕されるかもしれない、と脅すように言われた。

嘘ではないと一心に説明した。

「じゃあ夕飯を食ってからまた出かけたろう」

「出かけてないです。テレビ見たりして寝ちゃいました」

「寝たふりして、あんたらが寝てから出かけてもわからないだろう」

「階段下りてくれればわかると思いますけど」

『わかると思う』かどうかなんか聞いてるんじゃない！　寝込んだスキに出て行ったことはないとはっきり言えるんか。寝ないで見張ってたのか！」

すごい剣幕で怒鳴られた。他人からこんなに怒鳴られたことはない。びっくりして口が利けなくなってしまった。

「一五日の夜は帰ってこなかっただろう。一六日の夜もそうか？　昨日は朝一〇時ごろ帰ってきたんだろう」

「……………」

「黙ってちゃわからない！」

私が朝畑に出るときは寝ていたと思う、というとまた怒鳴られた。寝ていたところを見たのか！　見ていないと言うと、ほらまた嘘を言った。親子して嘘ばかり抜かす。

これからは自分が見たことだけを言え。もう一度聞くが、一六日に昭二を見たのは何時だ。

「昼に畑から戻ると寝てました」

「何時だ」

「一二時から少し……過ぎてたか……」

「はっきりわからないんだな？」

そう言われれば、はっきり何時何分とは言えないので、あいまいにうなずいた。

「一七日は」

「おんなじだと思います」

「その日は、家で寝ちゃいないんだ。本人がそう言ってる」

「……毎日……おんなじようなことなんで……どれがいつのことなんか」

「そういうことだから、息子が大変なことやらかすんだ。しょうがない。じゃ近頃、なんか変わったことなかったか」

思い出した。

「いつだったか……畑から帰って、流しにいるとそばに来て、なんか女の子が倒れているのを見たって言ってました」

「女の子だな。それから」

「助けたのかって聞くと……」

「どうした」

「おっかなくって——って」

「それから」

「出て行っちゃって」

「帰ったのは」

「夜です」

こうして、昭二の一五日から一七日の行動をしつこく聞かれた。

次に聞かれたのは、紺色のジャンパーみたいな上下があったろう。何時なくなった？

そして、昭二のケイタイが仏壇の裏にあったのはどうしてだ。一五日に新しく買ったケイタイはどこに捨てた？

「紺色のジャンパーは持ってないと思う。あの子は派手な色ばっか好きだから」

「あんたに黙って買ったんじゃないのか」

「………」

そんなお金はないと思うが、と言おうとしてためらった。もしかして万引きしたりしていると、息子の不利になるという気がしたのだ。

小林キミは知る由もないが、捜査本部は五月一六日に、犯人から身代金を入れたゴルフバッグを投下するように指示があったあの中央高速と交差する笹子川の川原で、釣りをしていた男が着ていた紺色のジャンパー様の上下が、今朝押収してきた小林昭二の衣類の中になかったので、犯行を隠すために捨てたのではないかと疑って母親を追及したのだ。

「昭二のケイタイが仏壇の裏にあったのはどうしてだ」

「仏壇の裏に隠したのは、私です」

ケイタイの電話代が高くて困るからだった。

「言っても言っても、月に五～六〇〇〇円使うんです。うちじゃ畑で取れたものでなるべく間に合わせて、おかず代も使わないようにしてるんです。五〇〇〇円なんて、うちの半月分のおかず代なんだから。言っても、言っても聞かないんで、もう、かなわなくてケイタイを隠したんです」

「それで新しいケイタイ買ったんだな」

これも捜査本部は、一五日に渡辺恒蔵の金御殿にかけられた身代金要求の電話、一六日にホテル・ハイランド・リゾートの受付にかけられた「藤野に来るように」という電話、「タクシー」に乗った渡辺美貴子が持参した恒蔵の携帯電話に打たれたメールが、すべてプリペイドの携帯電話から発信されたものであることを、交信記録から調べていたのだ。

「新しいケイタイなんか買ってないと思います。そんな金もたせてないから」

いったんそう言ってしまって、母親ははっとなった。ケイタイを万引きしたのだろうか。もし万引きできないのなら、何か悪いことしてとったお金で買ったんだろうか。「お金もたせてない」ってはっきり言ってはいけない。付け加えた。

「ときどき、外でなんか食べるのにって少しお金やりますけど」

一五日に新しく買ったケイタイはどこに捨てた？

買ったかどうかもわからない。捨てたなんて、どうしてそんなもったいないことするのか。知らないといったらあの子が困るんだろうか。

しつこく訊かれ続けて混乱して自分が何を言っているのかわからないような気がした。

ずいぶん時間がたって、もう夕方になってから刑事は、

「調書作るからちょっと待っててくれ」

一人で置いていかれた。

また一時間ぐらい待たされ、不安で生きている気がしなかった。自分が何か悪いことを言って、今あの子が責められているのじゃないんだろうか。

刑事が紙を持って入ってきた。

「読むから聞きなさい」

「調書の読み聞け」であることなど、この女にはわからない。ただ、自分の言ったこととして書かれているようだということはわかった。


……昭二の一五日から一六日の行動についてわかっていることを申し上げます。

一五日の朝、畑へ行く時は寝ていたかどうか見ませんでした。だから、家にいたかどうかはわからないのです。昼に帰ったときはいませんでした。夕飯は、うちで食べました。帰ってきたのは、七時半ごろだと思いますが、時計を見たわけではないので、はっきりそうだとは申し上げられません。そのあと夜出て行かなかったかどうか、注意していないので申し上げられません。

一六日も同じです。昼畑に出ている間のことと、夜出て行かなかったかどうかは、注意していないので申し上げられません。

一七日の朝、私は七時ごろ畑に出ました。その時、昭二が寝ていたかどうか、家にいたかどうか注意していないので申し上げられません。何時だかよくわからないのですが、昼すぎに帰って流しにいると昭二が私の後ろに来て何か言っていましたが、すぐに突然飛び出して行って夜まで帰りませんでした。

……紺色のジャンパーみたいな上下があったかどうか、よくわかりません。何時なくなったかもわかりません。

昭二のケイタイが仏壇の裏にあったのは私が隠したのです

隠した理由は書いてなかった。
［一五日に新しく買ったケイタイを、何時捨てたのかはわかりません］
さっき訊かれた時、買ったことは知らない、買ってすぐに捨てるなんて、そんなもったいないこと、しないと思うけど、また「思う」というと怒られるから、ただわからないと答えた。するとなんだかケイタイを買ったことは知っていて、ただどこに捨てたかだけわからないようになってしまった。

平井刑事は場数を踏んだ取調べのプロだ。今の段階では、この女は息子の犯罪を知らなかったようだと思う。しかし、これからの調べで、あとから犯行に協力した事後従犯、あるいは犯人蔵匿や証拠隠滅で立件する可能性が全くないものとして調書を作ってしまうと、あとで使えない調書になってしまう。こういうときは、どちらにでも使えるように最小限のことだけを、しかも漠然とした表現で、調書にしておくのが間違いない方法だと心得ている。被疑者の母親のはじめての調書は、そのような調書にした。

母親は自分が言ったことと相手が読んでいることとは何か違う気がした。

「ここに住所と名前書いて」

小林キミ

普段あまり字を書くこともない。小さな曲がった字。そして指に黒い色を付けられて紙に押し付けられた。

「今日は帰っていいけど、また来てもらうことになる」

勝手に言い渡された。

「あの、昭二に着替え差し入れに来たんですけど。それとお金少し。お金があるとパンとか買ってもらえるって、前にもそうしてたから……」

「着替えは看守に言いなさい。金はいけないね。お母さん。昭二を甘やかしちゃいけない。親が甘やかすから、子どもが悪くなる。こんなとんでもないことやらかした息子を、これ以上甘やかしたらいかん」

「昭二、何したんでしょうか？」

一番聞きたいことだった。

「お母さん、テレビ見てないのか？」

朝昭二が捕まったあと、あわてて家を出たのだ。テレビは見ていない。

見ていないと言うと、言われた。

「息子のこと何にも知らないんだな。そういうことだから、息子がこうなる」

「………」

「ゴルフ場の社長の娘を誘拐して殺したんだ。お母さん、ほんとに知らなかったのか」

驚きで声が出ず、体が震えた。でも、嘘だということだけは確信していた。

「昭二は人殺しなんかできる子じゃないです。弱虫で……そんなおっかないことできないですよ。そんなの嘘です。嘘です」

「お母さん」

相手が怖い声を出した。

「あんた、警察のことをうそつきだって言うのか」

「そうじゃないです。そうじゃないけど、昭二は……間違いです。間違いです」

相手は憎々しそうにこちらを見ながら立ち上がった。

「昭二に会わせて下さい。私が訊きますから」

「接見禁止だよ」

「……?」

「面会はできない」

相手は部屋から出て行った。

「接見禁止」は裁判官の決定が必要だ。小林昭二の場合は、この三日後に裁判所に「勾留質問」に連れて行かれることになるのだが、そこで裁判所が「勾留決定」をして始めて接見禁止もつけることができる。だから、この時点では、接見は禁止されていない。

しかし、そんなことはこの女にわかることではない。面会はできない、と言われては、それ以上どうするすべもない。

それでも、これだけはと思い、「差入れしたいんですけんど」とおずおず頼むと「これは甲府署だ」と言われた。この刑事には恐ろしくて訊けず、建物の入口に出てから、受付の女の人に「甲府署ってどこですかね」と聞き道を教えてもらって五分ほど歩いたところで「甲府警察署」と大きな文字で書かれている建物を見つけ「差入」と書かれた小さな机の前に立って制服の警官に差し入れの着替えと歯ブラシ、タオルを頼んだ。

「ほんとは五時までなんだけど、本部の主任さんに言われてるから今日は受け取るけど、こんどからは五時までに来なきゃダメだよ」

壁の時計を見ると五時半近かった。「本部」へ来たのは昼前だ。勝手に長い時間待たせたのは警察の方だ。でも黙って頭を下げた。

帰りのバスで、しかし母親は泣かなかった。何とか助けなくては。どうすればいいのか。それればかりを考えたが、自分には手も足も出ない世界。全くわからなかった。

しばらくして、昭二が二度目に警察のお世話になった時、はじめの時と違って大人の裁判所というところへ連れて行かれたこと、そこでは弁護士という人がいろいろなしきたりを知っていて、昭二の世話をしてくれた、それで三度目の時もその人にお世話を頼んだということを思い出した。二度目の時は国からお金が出たが、三度目の時は弁護士にも結構お金を取られて、そのほかに昭二がユンボを盗んだ相手に、お詫びのお金も払った。そういうことを弁護士がやってくれる。あの時、あの子の父親はそんな金使うなって、怒ったけれど、弁護士さんは「刑務所へ行かないですんだのは私の力だ」と言っていた。

今度もあの人を頼まなければいけないのだろうと考えた。

弁護士という人に心当たりがあるのはその人だけだった。確か名刺をもらって、仏壇の引き出しに入れてある。帰ったら探して、何とか頼みに行こう。

バスは山道に入り、大きな揺れを繰り返していた。

揺れは疲弊しきった小林キミの体にひどくこたえた。気分が悪い。キミは、これからするべきことだけを一心に考えていた。そうすることで気分が悪いことを忘れようとしていた。

13　落ちる

小林昭二がトイレから帰ると、最初の刑事がまた取調室に入って来ていた。

ぎくっとした。この刑事はとくに怖い。苦手だ。

「長谷川刑事に、金の窃盗は自白したってな。これからおれが本格的な調べに入る。引き続いて正直に言え」

いきなり言われた。

「平井主任によくお詫びして、素直に話すんだぞ」

調書を巻いた刑事（長谷川だとわかった）が保護者みたいな言い方をした。

パソコン係も別な刑事に替わった。

刑事は交替できるからいい。こっちは一人だけだ。昭二は疲れきっていた。

パイプ椅子にもどると、その硬さが体にこたえた。

平井刑事が向こう側にどかっと座った。

さっき、膝の上に跨られた重さと恐怖が思い出される。

「渡辺美加をどうやって殺した」

いきなり言われた。

「殺したなんて！」

「まだ嘘つく気か」

「ほんと、殺したりしてない。そんなことできない。アブラ採りしてたらカバンが落ちてたから、金盗っちゃっただけです。ほんとです」

「カバンだけしか触ってないって言う気か」

昭二がここでうなずいたのは、とにかく美加に手を掛けたりしていない、と言いたかったからなのだが、これは結果的にまずかった。

ベテラン刑事は被疑者との駆け引きのさまざまな技術を持っている。

「ようし、お前さっき嘘ついてたけど、証拠が挙がってたこと忘れてないだろうな。指紋がついてたことわかったら、金盗んだこと、否認できなくなった。いいか、よく聞け。美加の服にもお前の指紋ついてるんだ」

平井は被疑者の表情がさっと変わるのを見逃さなかった。ざらに使うテクニックのひとつをぶつけてみたにすぎないのだが、思いがけない強い手ごたえがあった。

衣類から指紋は検出できない。指紋は掌や指の汗腺から分泌される汗と汚れが混じったものが、さわった物に指紋の隆起部分の印象を付着させてできる。触れた対象物が平滑な物なら良く付着するが、表面に凹凸があるほど、付着は僅かになり、指紋の同一性を判定できない。アメリカのFBIは、コンピューター処理で布から指紋を読み取る技術を持っているといわれているが、それも非常に目の細かい表面の平滑な一部の布地だけだ。現在日本の警察はまだその技術をもっていない。

しかし、一般人はそんなことは知らない。指紋はどんな物にでも付く、採取できると思っている。推理作家の中にすら、布についた指紋から犯人が検挙される話を書く人もいるくらいだ。

小林昭二は、「美加の服にお前の指紋がついている」と言われて、警察は何でもわかってしまうのだと震え上がった。確かに制服にさわってる。正直に言うほかない。

「金とって、それから見たら女の子が寝てたから、昼寝してると思って顔にかけてた服取ってみたんです。そしたら、なんか……変だったから……死んでるみたいだったから、怖くなって逃げた。ほんとです。ほんと……」

取調べ刑事は、被疑者に対して、怒ったり、怒鳴ったり、を繰り返すが、そのほとんどはテクニックとしてやっているに過ぎない。しかしこの時、平井は本気で怒った。

こいつは、やっている。さっきの顔色の変わり方をおれが見過ごすとでも思っているのか。こいつは逃れられなくなるまではシラを切っておき、証拠を突きつけられると、その分だけ小出しに認めてごまかそうとする奴だ。「顔にかけてた服取ってみたら、なんか死んでるみたいだった」だと。もう許さない。こいつを完全に落として、死刑にしてやる。

「この野郎、まだそんなこと言ってるんか。そんな子供だましの言い訳が警察で通ると思ってるんか。いいか。美加のからだによ、お前の指紋がついてるんだ」

小林昭二はさっきより一層真っ青になった。

確かに、おれは、あの子の脚に触った。指紋が脚にも付いちゃったんだ。そんなことまで、警察はみんなわかってるんだ。

顔色を失った被疑者の動揺は、刑事の自信をゆるぎないものにした。こいつは少女に手をかけている。殺《や》ってるんだ。

事件の取調べ主任である平井刑事がこの時抱いたこの確信は、小林昭二にとって不幸なことだった。

これ以後、捜査上さまざまな矛盾や不審点が出てきても、平井はこのときの自分の勘、「小林昭二の殺人」を疑うことはなかった。「落としの……」と言われる刑事は、いったん抱いた確信をどんな困難があっても維持し通して自白を取る。その強固な自負がなければ「落としの平井」としての数々の業績はなかったのだ。

平井刑事は怒りをあらわにして被疑者をにらみつけた。

「おい、小林。お前は証拠見せられなければ否認で通す気なんだな。ようし、ほら、証拠を突きつけてやる。これを見ろ」

刑事は、扼殺された犠牲者の扼頸の傷痕を拡大した写真を被疑者に突きつけた。

「この首にな、ここにお前の指の跡がついてるんだ。指紋がついてるんだ」

小林昭二は驚愕した。違う。そんなとこ、触ってない。

だが、それが言葉になるより前に、平井の手が唸りを立てて飛んできて被疑者を張り倒した。

平井は、捜査本部設置の時から、取調べの主任と決定されていた。死体発見現場、死体見分、司法解剖と、すべて立ち会っている。美しい一四歳の犠牲者のみずみずしい肢体が硬直し、死斑に冒されて腐敗への道をたどっているのを見、解剖で切り刻まれたのを見ている。死に顔だって、多くの殺人犠牲者よりはきれいだというだけで、死の苦悶によってゆがんでいる。あんな女の子をあんな姿にして、平気で椅子に座って、嘘を繰り返している被疑者への心底からの憎しみに、平井は我を忘れた。

「こうやってお前は美加を絞めたんだ。こうやってな」

刑事は、張り倒した被疑者に馬乗りになって首を絞めた。幼稚な言い逃れをしていれば、人殺しの罪を免れると思っている被疑者への怒りがベテラン刑事の冷静さを失わせた。おれが一四歳の女の子に代わってこいつを殺してやる。仇を取ってやる。

パソコンの前にいた補助役の刑事が飛んできた。

「主任、主任、待ってください。待って……長谷川警部補！　長谷川警部補！」

大声で叫ぶ声に長谷川が飛んできた。

「主任、主任、……」

二人で平井を被疑者から引き離した。

「小林、主任に謝れ。土下座して謝るんだ」

小林昭二は床に倒されたまま、痙攣《けいれん》するみたいにがたがた震えていて、土下座の姿勢になることができなかった。その小柄な体を、長谷川が引き起こしてひっくり返し、土下座させた。

「主任。自分からも謝ります。小林もわかったでしょう。もう、嘘はつかないでしょう。自分に任せてください」

平井を抱えるようにしてドアの外に連れ出した。

平井が出て行っても、被疑者の震えは止まらなかった。椅子に座ることができず、床に土下座させられた姿のままで、引きつった声をあげて泣いている。

「さ、小林、立て」

立てない被疑者を見下ろしていた長谷川が、補助役に目配せして出て行った。

少し放っておけ。

何分経ったか。被疑者の泣き声が小さくなり、消えていった。

長谷川が入ってきた。

「トイレに行って来い」

二人で引き起こしてトイレに連れて行った。

昭二はまた水を飲んだ。それで少し落ち着いて椅子に座った被疑者に、長谷川がビニールに包まれた三角のサンドイッチを差し出した。

「食え」

取調べは複数の刑事が組になって行なう。中には必ずなだめ役、ほだし役がいる。このチームでは長谷川がそれだ。

「お前はまだ任意同行中だ。だから留置場の官食は出ない。これはおれが捜査費から特別に出してもらったんだ」

温情あふれる言葉と取扱、これが、怒声や、暴力よりも、被疑者に自白させる有効な手段になることが多い。長谷川の任務は、それだ。

「刑事さん。おれ、ほんとうに、ほんとうに……」

「ま、いいから食え。食ってから聞いてやる」

聞いてくれる。その言葉を頼りに、小林昭二はビニール袋を開けた。もちろん空腹は極限に達していた。小さなビニール袋は、あっという間に空になった。

「飲め」

お茶も出してくれた。お茶の温かさが、疲弊した体にしみわたった。

警察だって、さっきの平井刑事みたいに、嘘つきと決め付けて首を絞めたりする刑事だけじゃない。この長谷川さんみたいに、わかってくれる人もいる。この人が頼りだ。

被疑者が食べ終るのを、長谷川は実はじりじりしながら待っていた。

もう、午後一〇時半だ。

一一時半が限度だ。この被疑者は「任意同行」で身柄を引いてきている。日付が変わるまでに正式の逮捕に切り替えなければならない。「任意同行」で「泊める」わけにはいかないのだ。

先刻とった「財布から金を盗った」供述調書を添付資料にして、逮捕状はすでにとってある。だが、今日の日付で、なんとか殺人を認めさせたい。大まかでもいいから。

この事件への世間の関心、また、盛田県警本部長と被害者の父親との関係、そして「身代金受け渡しの失敗」の一件からしても、「逮捕当日に殺人自白」を取りたい、それが今日午後の捜査本部幹部会の決定だった。

残された時間はあと一時間。

「いいか?」

食べ終ったろう? と湯飲みを片付けて、取調べを開始する。

もう言い訳を言わせて、それを崩す方法を取っている時間はない。諄々《じゅんじゅん》と説いて聞かせる口調になった。

「なあ小林。お前の言いたいことはいっぱいあるだろう。それはこれから裁判になったとき、裁判官がじっくり聞いてくれる。それもまあ、ここで素直になって、認めていけばの話だけんどな。

裁判官だって人間だ。否認、否認ばっかりじゃ、お前は裁判官に、こいつは嘘つきだと思われちゃう。頭から信用されない。

ここは一応認めておけ。そうすればよ。裁判所に行って、否認もできるし、裁判官には情状酌量ってことができるんだ。

それはまあ、おれたちの調書の巻き方によるんだけどな。

おれに任せないか。お前の有利なように、調書書いてやろうと、おれ、思ってんだ」

小林昭二は、混乱した。

ジョウジョウシャクリョウという言葉はどこかで聞いたような気する。このときの小林にははっきり思い出す余裕はなかったが、前に窃盗事件で弁護士の世話になったときに聞いたのだ。その言葉には、なんだかそれが助かる道みたいな感じがあるが、長谷川から、自分としては知りもしない殺人を、自分がしたと言えと言われているようだ。

この人を頼ろうと思った長谷川刑事も、殺人を認めさせようとしているのだろうか。

ショックだった。自分がそんなことはしていないことを、この人に訴えようと思っているのに。

絶望してものが言えなかった。

人殺しは死刑じゃないのか。どうしてこんなことになっちゃったんだろうか。言えば人殺しも疑われると。あの財布から金を盗ったことは、絶対に言ってはいけない、と感じていた。言わなければ良かったんだ。でも、指紋ついてるんだからだめなんだろうな。それとあの平井。あれはほんとにおれを殺す気だ。長谷川刑事が来なければ殺されてた。

黙り込む被疑者に、長谷川はじりじりした。時間がない。業を煮やして切り札を出した。

「おい、小林よ。おれを信用できないか。できないんなら、おれはもう、お前の面倒は見切れない。この調べから降りる。あとは平井主任に頼んでいく」

被疑者の顔に恐怖が広がった。長谷川はその効果を強めるために、立ち上がって入り口に向かう。

「じゃ、平井主任と代わるから」

補助役の刑事に言ってドアを開ける。

「長谷川さん。待ってやってくださいよ。それじゃ小林があんまりかわいそうだ」

補助役の刑事にも、役割分担がある。取りすがって連れ戻す演技をする。

「小林、お前、長谷川さんに見捨てられたら、どうする気だ。謝れ、ほれ早く謝って、面倒見てもらわなければどうするんだ。お前死刑になっちゃうぞ」

被疑者の全身がぴくりと硬直した。

「さ、頭下げて。ほら」

補助役の刑事は、被疑者の頭を長谷川に向かって下げさせる。

小林昭二は泣き出した。

「死刑にならないように、お願いします。お願いします」

泣きじゃくる被疑者の肩に暖かい手が置かれた。

「わかればいいんだ。おれはお前のために何とかしてやろうと思ってんだってことがわかればな」

「お願いします」

「じゃあ、簡単に調書つくろうな。お前も朝からで疲れただろう。そうすれば取調べ終って、留置してもらって、寝られるぞ」

これをすれば、この取調べから逃れられる。もう、疲れ果てて、欲も得もない。ただ休ませてほしかった。休める、とにかく、今は休みたい。

うなずいた。

長谷川がまた自分の代わりに喋り、それがパソコンに打ち込まれ、印刷される。

私はこれまで、死刑が怖くて、渡辺美加さんを殺したことを言えないでいましたが、刑事さんからさとされて、正直に申し上げることにしました。美加さんを殺したことは間違いありません。詳しいことは明日申し上げます。


「ほら、さっきと同じに名前書いて」

こんなことしていいんだろうか、とためらう気持ちはもちろんあった。

しかし、じりじりとして待っている長谷川に、なんと言って断ることができるだろう。

「ほら、早くしろ」

刑事は急き立てた。こういうことには勢いっていうことが大事だ。ここで僅かでも間延びさせたら、被疑者は署名しなくなる。

「早くしないか！」

昭二は切羽詰った。署名してはいけないと自分の直感が叫んでいる。でも、するほかないところに追い詰められていた。「裁判所に行って、否認もできるし、裁判官には情状酌量ってことができるんだ」さっき言ってくれたその言葉に取りすがった。そうするほか何ができるだろう。

持たされたボールペンで、昭二は名前を書き、また「指印」をさせられた。

「よし、小林、良くやった。お前も男だな」

その調書を持って長谷川が取調室を飛び出して行くと、すぐに数人の警察官がなだれ込むように入ってきた。

「小林昭二。渡辺美加に対する窃盗事件で逮捕する。逮捕状だ」

顔の前に紙が突きつけられて、両手が前に引っ張られガチャッと音がして手錠が掛けられた。手錠をかけたのは平井取調べ主任。一一時三四分だった。

殺人の自白は一応取れたが、本格的な取調べはこれからだ。とりあえず逮捕状が取れている軽い容疑で逮捕して殺人の具体的な自白を取ってから再逮捕するのが警察のいつものやり方だ。小林昭二の身分はこのときから「任意同行者」から正式に逮捕された「留置人」に変わった。警察は重要な容疑者をこのように早朝「任意同行」で引いて、日付が変わる前に逮捕状を執行する形をとることが多い。小林昭二のように、両腕をがっしり掴まれて引きずられてきても、それは「被疑者が任意で同行してきた」扱いとされる。

警察は逮捕した被疑者を四八時間以内に検察庁に送る「送検」の手続をしなければならず、それができなければ釈放しなければならない。任意同行の午前六時から、ほぼ一八時間は、この四八時間のわく外の時間、警察にとって取調べのための「余禄」みたいな時間だ。

手錠をかけられた昭二に平井刑事が言った。

「トウバンベンゴシに連絡して欲しいかどうか言え」

「弁護士」という言葉はわかったが当番弁護士は知らなかった。

事件が起訴されれば、自分で弁護士をつけられない被告人には、国が弁護士をつける国選弁護制度があるが、起訴前の被疑者は対象外だ。警察で取調べを受けている被疑者に面会して、相談に乗る。そのために、弁護士会が全国で自主的に運営する「当番弁護士制度」をつくり、逮捕された被疑者が望めば弁護士を差し向ける。費用が払えない被疑者には、無償で派遣するし、事件が起訴されれば、その弁護士が国選弁護士に移行することもできる。警察はこの弁護士会の活動に協力して、当番弁護士制度のことを被疑者に説明して、弁護士を呼んで欲しいか尋ねるということになっている。

しかし昭二はそんなことは知らない。

昭二が成人になって、二度目の事件を起こして逮捕された時には、このシステムはまだ機能していなかった。国選弁護人だけが付けられた。次に逮捕されたときは、警察で「弁護士を頼んで、息子がユンボなどを盗んだ先と示談交渉をしたほうがいい」と言われた母親が、前に国選弁護人だった弁護士に金を払って頼んだ。私選弁護人だ。

昭二にとって、弁護士とは、示談交渉をする人だという漠然とした記憶しかない。トウバンベンゴシもわからないし、今「連絡してほしい」と言えばどうなるのかもわからない。

もし相手がこの怖い刑事でなければ、尋ねたかもしれないけれど、この人には、何か聞くことなんかとんでもないという気がする。黙っていると、

「いいんだな？」

それでその話は終わりになった。

このとき昭二がもし当番弁護士を呼んで欲しいと言っていたら、この「渡辺美加誘拐殺人事件」のその後の展開は全く違っていたかもしれない。


正式に逮捕された小林昭二は、写真を撮られ、指紋をとられる。

これでもう終わりかと思っても、まだすまない。

また、取調室に連れ戻され、「弁解録取書」を取られる。

警察は逮捕した者から、弁解を聞いて「弁解録取書」に記録しなければならないと法律に決められているからだ。

書式のはじめの書き出しが「被疑者が弁解したことを記録する」という趣旨の少し違う文章になっているだけで、肝心の本文はさっきの調書と同じ内容が、もうパソコンで打ち出されていた。

またささっと読んで聞かされたが、手錠を掛けられたという気持ちで、内容を聞き取っていられるような余裕はない。その文章の終わりは、

「当番弁護士を頼めることはわかりましたが、特に必要ありません」

となっていたのだが、それは違うとか、考えることもできない。

苦手の平井刑事の前に座らされ、

「ここへ名前書け」

小林は「弁解録取書」にまた署名と指印をとられた。

結局、小林昭二が留置場に連れて行かれて「房」と呼ばれる「寝られる」場所に入れられたのは、午前二時を過ぎていた。

14 葬送

五月一九日。二六歳の容疑者が早朝逮捕されたその同じ日、渡辺美加の葬儀が行なわれた。一七日の深夜近く娘の遺体を受け取った渡辺家で、翌々日に盛大な葬儀が行なわれた。大臣経験者を含む国会議員が何人も参列して弔辞を読み、名の知れた政治家や財界人の弔電が続々と読み上げられた。知事に、県会議員のほとんども列席した。

県警本部長の盛田克行も、多数の部下と共に参列し、その中に鑑識班長の沖田も入っていた。

財界からの参列者、地元関係者も多数に上り、花輪が何百メートルも続いた。

渡辺恒蔵はしっかりと喪主を務めた。

妻の美貴子は手首に包帯を巻いてやつれた姿で、美加の棺から離れようとしなかった。

美貴子はこれまで、渡辺土建の社長の妻として、後ろ指を指されないように万全の気遣いをして生きてきた。若さと美貌を武器に、先妻を追い出して金御殿の女主人の座を手に入れたと陰口されていることを知っていたから、すべての感情を殺して、しきたりと人の意向に沿う行動を取ってきた。

でも、もういいのだ。このことが終れば、私はここにいない。だから、ただ今は、もうすぐ火の中に入れられて無くなってしまう美加のなきがらのそばに居られるすべての時間を、離れずにいたいだけだという自分の気持ちにまかせていた。

葬儀すらも、美貴子にはもう、何の意味もないことだった。

半ば放心したその表情から、誰もそれを咎《とが》められなかった。

斎場で最後の別れをすませ、参会者が控室で骨上げを待つ間、美貴子は待合室を抜け出して、火に焼かれている娘のそばに戻って、ひとりで立ち尽くしていた。

私は美加と一緒に焼かれているんだわ。ねえ、美加、一緒に焼かれようね。


そのとき、控室では、参列者らに「清めの酒」を注いでいた渡辺恒蔵を、盛田県警本部長が、袖を引いて廊下の端に呼び出した。

「犯人を逮捕した」

この日早朝、二六歳の無職の容疑者を任意同行したことは、被害者のカバンから採取した指紋が符合したとはいえ、自白が得られるまでは、慎重を期してマスコミにも流していない。

「ご葬儀で、今まで伝えられなかったが、ちょうど今朝だ」

渡辺恒蔵がその瞬間示した表情は、盛田を驚かせた。恐怖と言うのが最も近い名状しがたい恐ろしい表情だった。

言葉が出ない相手に、盛田は手早く説明した。

「二六歳の金に困っている遊び人だ。前にあんたのとこのゴルフ場で働いたことがあるんだそうだ。そのとき美加さんのことで支配人とトラブって辞めさせられたことを根にもってたらしい。名前は小林昭二っていうんだそうだ。知ってる？　アルバイトで、勤めてたのは僅かな期間らしいが」

「いや」

恒蔵は首を振った。

「指紋が一致した。美加さんの学生カバンから採取した指紋だ」

「――」

「金を盗ったことまでは自白したとさっき報告が入った」

「――殺した……のか。そいつが」

「ほぼ、間違いないだろうと、取調べ班は言ってる」

「――そんな若い奴……なのか」

「声は、奥さんの言ってた浅田マサルの声っていうのと、今のところちょっと違うようだ」

「今のところ？」

「声色を使ったのかもしれない」

「――」

「共犯がいたのかもしれない」

「――」

「これから追及する。何しろ取調べが始まったばかりだ」

「――」

「取調べの進展があれば、その都度お報せする」

渡辺恒蔵は首を振った。

無言のまま、県警本部長を残して、待合室に戻っていった。

待合室で、またしばらく酒を注いで回っていた喪主が、捜査本部鑑識班長沖田正利のそばに行き「ちょっと頼む」とささやいたのを、県警本部長盛田克行は目の隅に捉えていた。人気《ひとけ》のない廊下の端にいざなわれた沖田に被害者の父は訊いた。

「あれは……まだかね、あの……何時だったかってことは」

沖田はこのことを予期していた。

あの夜、死体発見から司法解剖までの長い一日だった五月一七日。司法解剖を終った美加の遺体を、オフホワイトの毛布で包んでこの男に渡したあと、相手は同じ質問をした。そして言った。

「おれは、盛田さんを信用していない。あんただけを信用する。本当のことを聞かせてくれ。盛田さんには、あんたから聞いたことは言わない。おれにだけは本当のことを」

今も、盛田本部長から恐らく犯人逮捕の報告を受けた渡辺恒蔵が、そのあとで自分を呼んで死亡推定時刻のことを訊く。本部長には訊けないのか、訊く気がないのか。

あのとき沖田は建前を答えるだけしかできなかった。そして今日も。

自分は再度、その相手から心の底を見通すような強い視線を受けている。

「はい。申し訳ありません。鑑定書が、まだのようであります。出来しだい、本部長からお話があると思います」

「いつまでかかるのかね」

「はい。教授の先生によっていろいろなのですが、鑑定書がいただけるのは、二～三か月後になることもあります」

「二～三か月後だと？」

渡辺恒蔵の眉根がぴりぴりと引きつった。怒声が襲い掛かるのではないか。

しかし初めて経験した苦しみが、この強者の力を今はほとんど失わせていた。無力感と絶望がないまぜになって、無言で首を振る男に、沖田は同情をこめて言った。

「この事件では、本部長がとくに至急に鑑定書を出されるように、お頼みしているのではないかと、自分などは拝察しております」

渡辺恒蔵は眼の光を消し、あいまいにうなずいた。

沖田が待合室に戻ると、盛田本部長が見迎えて、陰りのある目が、どうした？　と尋ねていた。

沖田は瞑目して、被害者の父に気づかれぬ程度にうなずいた。

(何とか大丈夫のようです)

本部長の目が安堵を漂わせて（よし）と言った。


葬儀の後、斎場から帰ると、このあたりの風習で「初七日の供養」が、この土地で最大のホテルの広間を借り切って行なわれた。

美貴子は病院に戻って、この席に出なかった。

恒蔵は供養の席で、自分のために来てくれた政財界の要人に手厚く応対した。

酒を注いで回り、丁重に礼を言った。

大勢の部下を連れた県警本部長を含めて、賓客が大方帰り、一息ついたとき、恒蔵ははるか末席に一人の男を見た。

渡辺利一、恒蔵の長兄だった。盛田県警本部長を取り巻くように、県警の警察官が大勢来ていたが、その中に利一はいなかった。その警察官たちの一団が帰ったあとで、離れた末席に一人いる利一に、恒蔵は気づいたのだ。

恒蔵は徳利と猪口を持ってずかずかと歩き、座っている利一の前に椅子を引いて行ってどかっと座った。

射るように相手を見据えて猪口を突きつけ、手に持たせた。

徳利を差し出して注ごうとするのを避けて、利一は猪口を飯台の上に伏せた。

「弔いの酒だ。呑めないっと言うんか」

「いや、おれは。禁酒してるから」

「おれが、何だって言うんだ」

利一は押されて猪口を取って酌を受けた。

「美加のこと。どう思ってんだ」

恒蔵は相手をにらみながら、決闘の刃のように言葉を出した。

利一は初めてまっすぐに恒蔵を見返した。

「美加ちゃんは良い子だった。おれは美加ちゃんが好きだった」

渡辺恒蔵が株式会社「渡辺土建」を設立する時、一〇〇〇万円の資本金を全額銀行から借りた。そのとき、父の利作名義になっていた渡辺家の先祖からの田畑とその隅に建っていた小さな材木小屋兼用の住宅のすべてを担保にした。それでも担保不足ではあったが、若くして徒手空拳、有名な政商の傘下にもぐりこんだ恒蔵の将来性を買った支店長の英断で、銀行は一〇〇〇万円の融資を決定した。

そういう事情から、設立時の株式二〇〇株は一六〇株が利作名義、残りの四〇株のうち発起人に名前を借りた五人に名目的に各一株だけを割り当て、三五株を恒蔵名義として、定款を作り、会社登記をした。

恒蔵はこのあとつぎつぎと事業を拡大していったが、新株発行の手続をしていなかった。目先の利く恒蔵にして、やはり無学の弱みがこういうところに現れたのか。恒蔵は他人を基本的に信用していなかったから、会社で使っている公認会計士であっても、自分の資産の管理状況に口を出す者を強く警戒するところがあるので、こうした必要な財産管理に本気でアドバイスをしてくれる者がいなかった、ということもあった。

そのために、父の利作が死んだ時、すでにゴルフ会社の預託金収入も含めて実質二〇〇億を超えるといわれている会社資産の八割に相当する株式が遺産ということになった。利作の妻はすでに他界していて、相続人は、長男利一、次男卓二、三男恒蔵の三人で、法律上は平等に三分の一ずつの相続分を持っている。

しかし恒蔵は、株式が父の名義になっているといっても、それは会社設立時の銀行融資のためで、父親は名前以外になんの働きもしていないし、融資を受けた一〇〇〇万円は自分が会社を切り盛りして全額返済したという頭だから、会社資産の八割を、三等分する実質になる遺産分割など、まるっきりありえないと思っていた。

父の通夜の席で、二十代で家を出て音信もろくになかった次兄の卓二が、株式をいくらかでもほしいと言ったことに恒蔵が腹を立てて、父の棺の前で、取っ組み合いのけんかをしたことは、渡辺一族への悪評として、今でも語り継がれている。

長兄の利一も、取っ組み合いまではしなかったが、同じ意見だった。

利一は、学資も自分で稼ぎながら高校を出た。成績は抜群で、なんとしても大学に行くようにと担任の教師も勧め、本人はもとよりその希望だった。東京に出て自分で働いて大学に行きたい、許して欲しいと、親に頼んだが、その頃すでにほとんど稼がなくなっていた父親の収入では、残された両親とまだ中学生の次男、三男の四人の生活が成り立たなかった。長男に高卒で就職してもらい、給料を家に入れてもらう日が来ることを、一家は待ち望んできたのだ。

利一は大学をあきらめて警官になり、長兄として、その給料で両親と弟たちの生計を支えた。そのようにして「大きくしてやった」末弟が、自分には断りもなく、渡辺家の資産を利用し、そのおかげでこれまでになれた。

それを、自分に対して何の感謝も示さず、中元と歳暮に儀礼的な品物を送って寄越す以外には、桁違いの暮らしをしながら、兄弟にこれまで何の財政的な配慮もしない。

その上、遺産相続の話になると、父名義の株式はすべて自分のものだと言い、

「あのぼろ家と畑を三分の一ずつくれてやる」

と言う恒蔵に、利一は心底腹を立てた。

「くれてやるとは何事だ。お前のものとでも思っているか」

激しく怒鳴りあって、翌日の葬儀の席で、兄弟は目も見合わさなかった。

渡辺土建の社葬という名目で、喪主も長男の利一を差しおいて恒蔵がつとめることに勝手に決められていた。

有名な政治家や財界人の焼香に、喪主として頭を下げる弟の後ろで、利一はただ名もない親族の一人だった。その屈辱感が遺産の恨みを増幅させた。

それ以来、恒蔵は兄弟と反目したままである。お互いの家庭に行き来は全くない。

これが、盛田県警本部長も聞いていて、優秀な鑑識課員である利一を、美加誘拐殺害事件の捜査本部から外した理由だ。


しかしこの兄弟の間の確執はそれだけではなかった。

「美加が好きだと？　何時、美加と会っていた。それを聞こうじゃないか」

恒蔵の眼は異様な光を宿して、相手の眼に挑みかかった。

利一は視線を落として、しかし静かに相手を押し返した。

「由紀がアメリカで手術すれば助かるちゅうとき、……あんたに……」

恒蔵は相手が昔自分を呼んでいた「お前」という言葉を使うことを避けたのを意識した。

「……あんたに……金を頼んだ。……あんたに……頼んでも、断られて、それでおれは……せっぱつまって、あんたの奥さんに頼んだ……そんときに、美加ちゃんを……はじめて見た」

「………」

「奥さんから、聞かなかったか。おれは富士吉田の長崎屋で、奥さんを待ち伏せして……金を頼んだ。由紀の心臓はアメリカへ行って手術をするほかには、助けられない。旦那さんに頼んでくれませんか。……おれは泣いて頼んだ。聞いていただろう。聞いただろう。奥さんも泣いてくれた。良い人だ。頼んでくれただろう。あんたに。でも……」

渡辺利一は激しい憎しみで言葉を詰まらせた。

「お前は。お前は。きかなかった。由紀を殺したのはお前だ」

二人の男はにらみ合ったまま動かなくなった。

近くに居た者は、音を立てないように席を立ってその場を逃れて行った。

広大な宴会場の、そこだけ誰も居ない、暗い穴のような空間で、恒蔵は最後の反撃に出た。

「心臓手術に一億円要るってな?」

相手はがっしりと刃を合わせた。

「そうだ。一億円だ。あん時それがあれば由紀は助かってた」

「親父の株のことを言った時も一億だった」

「ああ、一億さ。二〇〇億の三分の一取れるって、弁護士は言ったぞ。一億にまけてやった」

「心臓手術だとか、株だとか……どうしても一億取ろうってな」

恒蔵はそのとき、利一の娘の心臓手術という話を疑ったのだ。小手先の騙しの手口を使いやがってと思った。

父の葬式以来、行き来はなくなった。利一の末娘の顔はいちども見たことがなかった。名前すら聞いたことが無かった。病気のことなどもちろん知らない。

調べもせずに、金を取るための口実だと決め付けていたが、娘が死んではがき一枚の葬儀の通知が来たのを見て、嘘ではなかったかと、恒蔵はやはり心に咎めるものがあった。

利一は今も、いささかも薄れることのないその恨みを隠さない。

「由紀は死んだ」

しかし恒蔵は、それでも訊き質《ただ》したい気持ちを抑えられなかった。

「今度も一億か」

相手は恒蔵の眼をまっすぐに見て応じた。

「奥さんに会った時、美加ちゃんが一緒だった。……はじめて会ったけど、すぐわかった。由紀にそっくりの良い子だった。だからおれは美加ちゃんが好きだった」

「好きならなぜ……」

あとを口に出せなかった。口に出すのが恐ろしかった。

遠まわしに訊いた。

「一五日に……どこ行った」

相手は堂々と応じた。

「勤めさ」

「夕方だ」

「うちへ帰ったさ」

「……一六日は」

「休暇とったからな。アブラ採りに行った」

「誰と一緒だ」

「おっかあさ」

「どこへ行った」

「今、北麓公園てのができた上の方だな」

恒蔵の眼が三角になった。

「ハイランド・リゾートのそばじゃないか！　あのそばにいたんだな。何であそこにいた！」

相手は穏やかに受けた。

「昔行ったとこだ。懐かしいから今でもアブラ採りはあそこだ」

「………」

兄弟が幼かったとき、いつも一緒に山菜やキノコ採りに行った。趣味や行楽ではない。口に入るものが少しでも手に入る方法だった。

兄は何でも知っていた。山ひだを読み、樹相を読み、季節ごとの山菜やキノコがどこに行けば手に入るか判断し、危険な場所を避けて弟たちを導き、収穫を上げた。

木イチゴを見つけて、弟たちに採らせてくれた。おやつなどもらえない暮らしの中で、あれはごちそうだった。

「昔はアブラだけゆでて食ってた。今は肉と炒めて食える」

利一はそんなことを言った。肉という言葉で、恒蔵は思い出した。利一が巡査を拝命して初めての俸給で豚のコマギレを一キロ買って帰った。一家五人は初めてこれだけの量の肉を食べた。あの時の嬉しさ。だが、贅沢はその一度だけだった。利一の僅かな俸給が一家の生活の基盤になった。

そして恒蔵は思い出した。おやじがヤミで借りていた高利の借金を、利一がその俸給の中から僅かずつ返済したのだった。あの親父の借金で、担保に取られていた畑地をヤミ金融業者に取られてしまっていたら、その後に自分が渡辺土建を設立する時に、担保にするものはなくなっていて、資本金を借りることはできなかった。

兄弟の父の利作は、感情の起伏の激しい男だった。すぐに妻子を張り倒し、三男の恒蔵も、次男の卓二も、そういう父親と、貧しさに反発して、ぐれたり、キレたりを繰り返した。

考えてみれば利一が父に殴られるのを、恒蔵は見たことがなかった。兄弟の中で、最も父親似なのは利一だった。背が高く、痩せ型のところも、顔も父親に似ている。気質も、本当は一番似ているのではないか。

しかし次男も三男も受け継いだ父の激しさや横暴を、長男は持っていないかのように、いつも理性的で、静かだった。兄は長男として一家を背負って行く立場から、もしかして何時も自分を抑制し続けていたのか。

あの父の葬式の時以外は。

あの時も恒蔵は、利一が怒鳴るなどということは予想していなかった。

利一が内に秘めている激しさは、もしかしたら自分に摑みかかってきた次兄の卓二より、もっと恐ろしいのではないか。恒蔵は実はあの時、それをちらっと垣間見た思いがしたのだが、その後疎遠になって、恒蔵は事業の拡張や政財界への進出に神経を集中し、血縁にまつわるそんな暗部を思い出すいとまもなかった。

黙り込んだ恒蔵に、利一がぽつんと言った。

「あんたは、由紀の葬式に来なかった」

「………」

「おれは来たぞ」

「………」

「おれは美加ちゃんが好きだった。優しい子だった」

利一の目に不意に涙があふれた。

すると恒蔵も、こみあげる涙を抑えられなくなった。

それを見られたくなくて、恒蔵はガタンと椅子を倒して席を立った。

15　自白調書

警察の留置場は、明治時代にはトメオキバと呼ばれていた。行き倒れ者などを留めておく場所だった。今は犯罪の被疑者のほかに酔っ払いも泊める。

もう日付が変わって、五月二〇日午前一時半を回っていた。留置人たちも寝静まっている留置場の扉がガチャガチャッと音をさせて開かれ、小林昭二はその中に入れられて手錠を外され、貸与の毛布を渡されて、小さく区切られた居房に入れられると居房の扉にもガチャッとカギが掛けられた。

留置場では数枚貸与される毛布の一〜二枚を細長く折って厚みを出して敷布団代わりにし、横たわった体ごと残りの毛布で巻きすのように巻いて暖をとる。昭二はそういうことを三度の留置場体験で知っているが、今はそれをする体力もなく、ただ毛布を体に巻きつけて床に倒れた。他の房にはおのおの複数の留置人が入れられていたが、重大事件の被疑者である昭二は一人だけの「独居」状態だ。

死ぬほど眠いと思っていたのに、横になると眠りに入れない。神経がずたずたで、荒れ果てている。ささくれだって、眠りに入るなど到底出来ない。

どうしてこんなことになってしまったのか、未だに悪い夢の中のようだ。

あの女の子を殺したと、自白したことになったことはわかっていた。

殺人は死刑だと聞いている。死刑にならないようにするためには、長谷川刑事の言うように「ここは一応認めておいて、裁判所に行って、否認して、裁判官にジョウジョウシャクリョウしてもらう」ほかないのだろうか。そうすると自分が殺してないことをわかってもらえて、死刑にならないようにしてもらえるんだろうか。

理屈では表わせないが、二六歳の青年の生物の本能が、そういう長谷川の言葉を信じることに、なにか危険なものを感じ取っていた。しかしそれ以外何か方法があるというわけではまったくない。不安が、けば立つ神経の中で増幅され、思わず叫び声を上げていた。

看守が飛んでくる。じっと留置人の動静を観察している。

留置場で大きな声を上げることは禁じられている。昭二は毛布の中で身動きしないようにした。しばらく観察して、看守の靴音が遠のいた。

その夜、看守係が記録した「留置人動静簿」には「小林昭二　何度も大声を上げたり泣いたりしている。寝返りばかりしている」と記入されている。

五月二〇日の夜が明けた。

外の世界では、テレビは早朝のニュースから、この事件の新展開を繰り返し報道した。昨夜、日付が変わってすぐに、捜査本部長が記者会見して発表したのだ。

「今月一五日に誘拐され、一七日に遺体となって発見された中学二年の渡辺美加さんの事件で、昨夜逮捕された小林昭二容疑者は、美加さんを誘拐して殺害したことを大筋で認める供述を始めています。捜査本部は犯行の詳細や動機について、引き続き容疑者を厳しく追及して真相を解明したいとしています」

外界のことは一切聞こえてこない閉鎖空間で、昭二は一睡もできずに「起床」の号令を聞いた。午前七時。

起きなければならないと思うと、不足していた眠気がどっと襲い掛かる。でもぐずぐずしていると怒鳴られる。ふらふらしながら起きて、毛布をたたんで返して、蛇口の並んだところに行って顔を洗う。洗面道具のない昭二は、一昨日から着続けているトレーナーの袖で顔を拭いた。

母親が昨日、どうしてもと差し入れた着替えと洗面道具は、渡されなかった。

平井警部は取調べ捜査のベテランだ。五時半過ぎに、被疑者の母親から差し入れ品を預かったと留置係の看守から報告を受けると「明日の取扱にしといてくれ」と命じた。

差し入れを受け付けたのは、五時過ぎで差し入れ窓口が閉まった後だ。翌日もう一度来るところを便宜をはかり預かってやったという取扱。留置人に渡す業務はその「翌日」午前九時の窓口業務開始後に行なうのが当然だ。九時前に留置人に渡さなくとも、手続上はなんら問題はない。

母親の差し入れは、留置人に母親の支援を「差し入れ品」の形で伝える。

自白には妨げになる。

午前八時。平井は出勤してきて、捜査本部の部屋に行って宿直している副本部長に簡単な挨拶だけした。

小林昭二から、殺人を認める概括的な自白調書を取ったことは、昨夜のうちに報告してあって、

「ご苦労だった」とか「やっぱり平井さんだ」

とか、こんな時刻でも部屋に居た数人の全員からねぎらいの言葉が掛けられた。

どんより曇った朝だったが、甲府署の取調室に入ると、平井は窓のブラインドを下ろした。殺したとか、絞めたとか、そんな話に、明るい陽光の朝は似合わない。今日は曇っているからいいが、なおその上にも、外界と遮断した暗い空間を作った。

自分の心も明るくはない。昨日は、あの出来損ないの首を絞めて、本当に息の根を止めるところだった。否認している被疑者から自白を引き出すのは、心弾む仕事ではない。でも、

罪もない女の子を誘拐して、殺すなんて奴をこの社会にはびこらせてはいけない。

気が臆したら、そのときは、あの解剖台の上の、ほっそりした腕を思い浮かべるのだ。

そこだけは無傷のままだった、ほの白い、何か貴重な細工物のようなあの腕を。


きっかり八時半に、被疑者を連れてくるように、取調補助者の安東刑事に言いつけてある。ドアがノックされ、手錠に腰縄姿の小林昭二と、その縄を握った取調班の安東巡査部長が入って来た。

「お早うございます、主任」

安東がまず自分で敬礼してから、被疑者の頭に手をかけて膝まで下げさせた。

「ほら、お早うございますって言うんだ」

取調室では誰が支配者か、支配者にはどのように服従しなければならないのか、あらゆる機会を捉えて被疑者を教育しなければならない。

「おはようございます」

小林昭二は口の中でもごもご言った。この平井主任は苦手だ。怖い。いやだ。

もし長谷川さんだったら、もう一度だけ勇気を出して、言ってみようと、留置場からここに来る間に決心していた。人殺しなんかやっていないと。しかし、この人にはとても言えそうもなかった。

安東が手錠を外し、被疑者がパイプ椅子に座ると、腰縄をスチール机の脚に結びつけた。
逃げようとは思っていないが、こうされると、逃げることは不可能なのだと思い知らされて、気が滅入る。

「やって見せろ」

いきなり言われた。何のことかわからない。

おどおどと相手を見上げる。

「やって見せろって言ってるのが聞こえないか」

「――――」

「どうやって絞めたかやれっていってるんだ」

「わからない……わかんないです」

「お前は馬鹿か。馬鹿なんだな。この手がやったことを頭はわかんないってのか」

手首を摑んでひねられた。

間髪をいれず、カラー写真を突きつけられた。死体の首のところだけが大きく写っている。

「ここに右手の親指の跡がついてる。これがお前の親指の爪の跡だ。こっちにあるすじは人差し指がこう横になって絞めた跡だ」

白い首についた紫色やこげ茶っぽい色の跡。気味が悪くて目をそむけた。

「見られないだろう。お前がしたことだから、見ることができないんだ。でも、それじゃあ仏は浮かばれない。よく見ろ。見てお詫びしろ」

頭を机にごつんと当たるまで下げさせられ、そのままにしていると怒声がとんだ。

「手くらい合わせられないのか。お前は人間の皮をかぶった化け物か」

あわてて手を合わせた。これは死んだ人なのだ。怖かった。

「右手はどうやった」

「——」

「どうやったか、これ見ればわかるだろう。手を出してその格好にしてみろ」

小林昭二は泣きべそをかきながら、両手を前に出して首を絞める形にした。

すると怒声は一層大きくなった。

「お前おれを馬鹿にしてるのか。なめたまねしやがって。わざと違うことやる気か。美加を殺った時のとおりに正直にやれっていってるんだ。やれないっていうのか」

また昨日みたいにされる。

思わず、もう一人の刑事——安東の方を見た。助けてほしかった。

昨日、長谷川刑事に「それじゃあんまり小林がかわいそうだ」と言ってくれた刑事。するとその刑事が両手を前に出して手まねをして見せていた。

目配せをして、こうやるんだとコーチしている。

反射的にそのまねをした。右手と左手の上下が逆だったとわかった。

「よし、そのままにしてろ。調書に取る」

「供述調書」の前文はいつも同じだ。


今日は、美加さんの首を絞めた時のことを正直に申し上げます。このように、左手を上にして、親指と人差し指で半分輪みたいにして、美加さんの首をすもうの喉輪みたいに前から押さえ、右手はその下側に、同じように押さえて両手で力いっぱい絞めました。


安東がパソコンに、取調べ主任から口述されたことを打ち込んでいる。

「その前だ。美加は寝てたんだな。その上に、お前が馬乗りになって絞めたんだな」

そんなこと、考えていなかった。寝ていたとか、馬乗りとか。

「よし、安東、前に戻る」

「仰向けになっている美加さんの上に私が馬乗りになって」

「そうそこに入れるんだ」

主任は安東のパソコンの画面を覗き込んで、文章を追加する場所を指示した。

「写真を呼べ」

安東が卓上の電話を取って内線ボタンを押し「写真願います」と叫ぶ。

鑑識班の写真係がきて、昭二の「首を絞めた時の」両手の状態を、さまざまな角度からフラッシュをたいて写真に撮った。

「よし。馬乗りになった時の写真だ。安東、ここへ寝ろ」

一瞬、えっという顔になった安東だが、すぐに昭二のそばの床に仰向けに寝た。

「跨れ。何してるんだ。早くしろ」

震えている被疑者を安東が手招きした。

「足をこっちへ。跨げ」

自分の体を跨がせ、下からひっぱって、自分の体の上に被疑者の腰を下ろさせた。

「首を絞めてみろ」

平井の声が飛んだ。昭二は泣き出した。

「さっきのとおりにすればいいんだよ」

下から安東が優しく言った。

首に両手を当てると、

「違う、さっきは左手が上だ」

平井に叱られ、半円型に構えた右手と左手を上下逆にした。

「絞めるんだ。そんなへっぴり腰でしたわけじゃないだろう。重みをかけなきゃ絞まらないじゃないか。真面目にやれ！」

　平井の言葉で、被疑者の腰が浮き、膝が床につき、安東がもがいて足をばたばたさせた。フラッシュがめまぐるしくたかれ、シャッター音が鳴り続けた。

「横からも写してくれ、そうだよし。小林もうやめろ」

　安東は被疑者を押しのけた。

「馬鹿、本気で絞めやがって」

　安東が服の埃を払ってパソコンの前に戻ると、主任の口述が飛んできた。

「今から、その時、私が美加さんの首を絞めたやり方を警察官の方を相手にしてみます。行を変えて、

〈この時被疑者は、取調べ立会いの安東巡査部長を被害者に見立てて、その仰臥した体の上に跨り、被害者を扼殺した犯行を再現して見せたので、当職はそれを写真班員山内弘児により写真撮影させ、末尾に添付した〉」

「ありがとう、もういい。出来たらすぐもらえないか」

　取調べ主任は写真班に言って、取調室から退出させ、

「じゃ、打ち出して」

　安東に命じると自分も写真班について廊下に出た。

　捜査本部に戻り会議室へ行って殺害行為の自白が取れたことを報告すべきなのだが、平井

は風に当たりたかった。

屋上に昇り、雲が垂れ込めた空を仰いだ。

平井も昨夜眠れなかった。

この被疑者をどう取調べて自白を得るか。闇の中で眼を見開いて考え続けていた。

事件ごとに被疑者は全く違い、事件に対する反省の姿勢も全く違う。

事件について心から反省している被疑者はもとより、犯行の動機に関係して言いたいことがいっぱいあるタイプの被疑者には、まずその言い分、犯罪に至る事情から、順を追って丁寧に聴いてやることが、良い自白調書を取る条件だ。

だが、この被疑者はそれと全く違うタイプだ。財布から金を盗んだことからして、指紋という動かない証拠を突きつけないとシラを切る。被害者の服から指紋が出たと引っ掛りなければ、被害者の体に触れたことまで否認する。ひ弱そうに見えてとんでもない奴だ。

昨夜は強引に殺害を認めさせたが、あいつの言うことをそのまま聞いていたら、何とかして言い逃れをしようと企むだろう。こういう被疑者には証拠から動かない犯行の細部をまず固めて、しだいに遡って行き、犯行動機の調べは最後にするという取調べしかない。

それも、証拠からわかっていることを、取調官の方から「向けて」一つ一つ着実に認めさせ、調書にしていく。「向ける」というのは取調べ用語で、取調官の方から自白させる内容を言って、それを認めさせる手法だ。供述者の自由な発想と発言でされる供述ではなく、身体が拘束されていない公開法廷でも、原則的には禁じられている誘導尋問だ。

密室である取調室の中での尋問の手法としては、自白が取れたとしても任意性に疑いを持たれ得る尋問の形であって、その意味では褒められたものではない。

だが、この被疑者にはこれしかない。

それが、取調べの達人と言われるこの刑事が、夜のあいだ中かかって考え抜いた結論だった。そのためには、かなり異例のやり方だが、こっちが持っている情報を的確に使って「向けて」調べ、調書はポイント別にひとつひとつ、短く巻いていこう。

そして今日、被害者の首に残った扼頸の跡、犯人の指の跡から、扼頸の犯行そのものだけをまず、調書に取った。

ふーっとため息が出た。疲れる仕事だ。だがやらなければならない。

昨日付の二通の調書は、二通とも長谷川が巻いたものだ。脅し役とほだし役、調書はその協力の賜物だが、やはり調書の末尾には、被疑者の署名の後に、

［以上の通り録取して読み聞かせたところ、誤りない旨申し立てて、署名、指印した。

山梨県警察本部　司法警察員警部補　長谷川徳夫］

としてその調書を取った取調べ刑事の署名が残るのだ。

本部のみんなは、取調チーム主任である平井の功績として賛辞を述べてくれたが……。

これからだ。これからがおれの仕事だ。

平井は自らを奮い立たせてエレベーターに向かった。

平井刑事が取調室に戻ると、安東は前後に決まり文句をつけた自白調書の書式に入れてすでに打ち出したものを机の上に揃えていた。

「読み聞け」をして署名、指印を取る。

一一時少し前。まだあと一二時間は使える。日付が変わらないうちに、

犯行の時刻

犯行の場所

くらいは調書にしたい。

16　ストーリー

次に調書に巻くのは、犯行の時刻だ。平井刑事はそう決めていた。

平井は死体見分に立会《りっかい》している。

法医学の内藤教授が、鑑識班長の沖田警部と死後経過時間について話し合っているのを聞き、死体の状態を自分の眼で見ている。

死体の直腸体温は、三二度、死斑はまだ濃く、死後硬直はまだ手足にまで来てない。

「すると、一二〜三時間とかでしょうか」

と沖田が尋ね、内藤教授はほぼそれで良いという感じの返事をしていた。

あれが大体午後四時から五時くらいだったから、殺害時刻は一七日の未明、午前三時から四時くらいということになるという情報を、こっちは握っているんだ。

それと、窒息に伴う失禁の跡が、スカートに広がっているのに、その下の落ち葉の堆積にはどうも尿反応は無いようで、そこからすると、殺害の犯行場所はあの林の中ではない。どこかで殺害して、そのあとで午前九時から一〇時の間くらいに、リアルタイムに載せて運んできて捨てた。

捨てて帰る時に、被害者のカバンを歩きながら開けて、現金だけを盗んで、カバンを捨てた。

こっちには、ちゃんとわかっているんだ。

この出来損ないめが、こっちが知らないとたかをくくっている間は、ずうずうしく否認する気だろうが、そうはさせない。

こういうずうずうしいくせに、根性の無い犯罪者には、間違いのないところを、ぐんぐんと向けて、有無を言わせず調書を巻くやりかたしかない。

荒っぽく椅子を引いて、被疑者の前にどっかりと腰を下ろすと、被疑者がぴくっとするのがわかった。根性なしの癖に。

「次だ。殺《や》ったのはいつだ」

「………」

被疑者は怯えて目をきょときょとさせる。

「何時殺したのかって聞いてるんだ。また嘘言う気か？」

「知らない………知らない」

「またシラを切る気だな。こっちはな、ちゃんと死体を調べてるんだ。何時殺したのか、死体見ればわかるんだ。科学的捜査ってやつよ。嘘言ってもわかるんだから、ちゃんと言ってしまえ」

「ほんとに、おれ……自分は……知らないから」

「この野郎！」

補助役の安東が怒りに震える主任をなだめるように割って入った。

「ほら、小林、お前まだわからないのか。素直になれって、昨日教えたじゃないか。お前な。殺したことは、昨日も今日も素直に認めてる。殺したのが何時かなんかって、そんなことで強情張っても、何にもなんないんだぞ。わかるな？　わかるだろう？　そんなことがわからなければお前、ジョウジョウシャクリョウは望めないぞ」

小林昭二の目が絶望と恐怖で洞穴のようにうつろになった。その被疑者に安東がほだすように言った。

「朝か？」

思わずうなずいた。味方になってくれる安東さんがそう言って聞くんだから、それが言うべきことなんだろうと、とっさに首が動いていた。

「よし、そうだ。そうやって素直になればいいんだ。主任さんはな、怖いばっかりじゃないんだぞ。素直になった被疑者には、それなりの情けを掛けてくださる方なんだ。

主任、お願いしますよ。こいつはただ、根性が無いから、言えないだけなんですよ」

「朝なんだな」

平井主任の声が心なしか穏やかになった。

「はい」

口に出して返事をした。そうしなければいけないと感じられた。

「よし、朝早くだな？」

こういう聞き方をされるときは、肯定の返事をするのがいいと、本能的にわかってきた。

「はい」

「時計を見たか？」

さあ、困った。

「見なかったんだな？」

「はい」

「まあいい、そんな時に時計を見られる奴はプロだ」

「はい」

「明るくなっていたか？」

これも困る。詰まっていると、

「三時から四時――っていうと、明るくなるかならないかだからな」

と言われたので、そうなんだろうな、そんな時刻は、と思ってうなずいた。

「よし、お前、素直になってきたじゃないか」

この怖い人にはじめて褒められた。と思ったとたんに次が来た。

「そいで、場所はどこだ」

また困ったことになった。

「あの林の中じゃない。それはわかってる」

あいまいにうなずいた。

「どこだ。お前のうちか?」

強くかぶりを振った。

「そりゃそうだろう。うちじゃできない。親もいる」

安心してうなずいた。

「うちでもない、あの林でもない。お前が使える場所はどこだ」

使える場所——使える場所——

何に使える場所なのか、ということよりは、とにかく使える場所を考えた。

「人に見られないとこだな?」

そういわれて、人に見られないで使える場所——思いついた。

「徳之助さんの古屋《ふるや》……」

村では、渡辺、高橋、小林の三姓がやたらに多いので、各家庭を、姓ではなく、当主の名で呼ぶ慣わしがある。渡辺徳之助はその家の先代の当主だが、当時まで使っていた茅葺きの農家造りの家を、そのままにして、より集落に近い場所に家を新築して移った。土地はただ同然の時代で、取り壊し費用の方が高くつく。このように放棄されて朽ちかけている古屋が村には何軒かある。

「どこだ」

「あの、おれんち……自分のうちの山の畑行く道で、横道んとこの使ってない家……大きいんで、子どもん時から入って遊んでて」

「どこだ。どこにある！」

「あの、速水林道、入る前の、あの、横道の……」

「地図をもってこい！」

主任は興奮して叫んだ。

こいつが、はじめて話そうとしてる。向けないでも、自分から、ちゃんと話す気になった！

安東が脱兎のごとく飛び出して行き、警察が使っている航空写真地図を持って飛び込んできた。

「どこだ？　ほら、ここがお前んちだ。ここが速水林道。横道ってどれだ」

地図など見慣れていないらしい被疑者を教えて、「横道」を特定させ、

「この道のどのあたりだ。赤で○付けてみろ。馬鹿、そんなに大きく書くんじゃない」

ようやく、「徳之助さんの古屋」の位置を特定させた。

安東がその地図を持って再び飛び出していく。すぐに実況見分のチームを編成して、現地に行かせる。鑑識班も同行して、そこで被害者と、被疑者の遺留品、とくに被害者の毛髪などの証拠品を捜索・差押する。同時に裁判所に捜索・差押と検証の令状をもらいに行かせて、令状が出しだい、実況見分を検証に切り替える。

平井刑事は、人の出入りにまぎれて、被疑者に気づかれないように腕時計を見た。

取調室には、被疑者に見えるような時計を置かない。

腕時計の針は一時を回っていた。

素直に自白した被疑者に昼飯を食べさせてやりたい気もするが、ここで中断すると、被疑者の気が変わってしまうおそれがある。取調べを続行する。

「美加を徳之助さんの古屋に連れてったんだな」

被疑者はきょとんとした。

あんなに怖かった「主任」が優しくなって、一緒に地図を見たり、○を付ける場所を自分が刑事さんに教えたりして、なんだか友達みたいになれた。その嬉しさで、何のために、そういうことをしていたのか、忘れていた。

「落としの平井」は首を振った。こいつ、まるっきり馬鹿か。

「だからよ。徳之助さんの古屋は、お前が人に見られないとこ、人に見られないでお前が使える場所だ。そこをお前は思いついた。そいで、美加をよ、そこへ連れてった。お前はおれにそう話したから、おれはその徳之助さんの古屋は、どこかって、お前に聞いたんじゃないか」

被疑者はまだ、きょとんとしたままだった。頭の切り替えがつかないのだ。

その様子を見て、平井は取調べの手口を変えた。「落としの平井」の実績は、脅しだけでは築けるものではない。被疑者の心境に臨機応変に柔軟な対応ができてこそ、ほしい白白は取れるというものだ。

「美加はきれいな子だってな？　美加のことはマウントフジ・ゴルフに勤めてたときから知ってるんだろ？」

カノジョのことを話す男同士の口調になった。

しかし被疑者は、取調官の意図を測りかねた。「マウントフジ・ゴルフに勤めてたときから美加を知ってた」話には懲りている。

初めての取調べのときこの人に、部屋のガラスがビリビリするほどの声で怒鳴られた。「倶楽部の支配人からちゃんと調べついてるんだ。美加のことで文句言って倶楽部やめたってな」あの時は怖かった。「徳之助さんの古屋」の話になったあたりから、何だか様子が変わってきたが、美加の話に乗っていいのだろうか。

だが、平井刑事の方は、このとき頭にひらめいたことがあったのだ。渡辺美加が、下校中の富士吉田駅の改札を出てから足取りがわからなくなった時、しかし誰も暴力的に女の子を連れ去るようなトラブルを見ていない。どうやら美加は自分の意思で、誰かについて行ったらしいと思われる。もしかして美加は、この青年が自分のために辞めさせられたことで、気の毒に思っていて、その負い目から、話したいことがあるなどと言われてついて行き、「徳之助さんの古屋」へ連れ込まれたのではないか。

これは、そっと扱って、おだてて、誰も知らないその話を引き出すのがいい。

「徳之助さんの古屋で、夜中、二人で話してたんだろなぁ」

「若者はうらやましい」、といった口調になった。

すると小林昭二の胸の中に、小さな灯が点った。

彼の胸に、美加の面影が浮かんで来た。

写真の中で死体になっている少女ではなくて、あのマウントフジ・ゴルフ倶楽部の緑あふれる芝生の中で、短い白のゴルフショーツをはいたすらっとした脚を惜しみなく見せながら、クラブを振っている美少女。クラブハウスのジュースボックスの前で、仰向いて白い喉を長く見せながら、無心にジュースを飲み干している愛らしい女の子。

クラブハウスで働いているすべての男たちが、憧れと、そして自分こそがあの子を保護してやりたいという思いを隠さない、あの少女。

あの美加と、他の誰でもないこの自分が、徳之助さんの古屋で、二人だけで話をしながら一晩を過ごすのだ。その甘美な空想が、この長い長い二日間、荒海に放り出されて翻弄され続けていた小林昭二に、暗夜のともし火のようにゆらめいた。

死んだっていいんだ。そのためなら。

「そうです」

小林昭二はきっぱりと肯定した。

「徳之助さんの古屋で、夜中、二人でいたんだな？　間違いないんだな？」

小林昭二はうなずいた。なぜか、そういうことがあったということになるんだ。なんて、いいことなんだろう。

取調べ刑事は、取調べの思いがけない進展に感動を味わっていた。この被疑者が、はじめてこんなにきっぱりと事実を供述した。事件のヤミの部分が一つ解明された。

「よし、小林。よく言った。お前もいいとこあるな。よし、飯にしよう。署名終ったら引きあたりいくからな。あ、パンだけじゃ足りないだろう。安東、ラーメンとってやれ」

留置場の昼飯は、コッペパン二個にビニールの小袋に入ったジャムとバターだけだ。

安東が電話で、ラーメンの出前を頼んだ。

「引きあたり」は犯行現場に被疑者を連れて行って、場所を確認し、場合によればその現場で犯行を再現させてみて、犯行が被疑者の供述どおりで可能だということを確認する。

小林昭二も、前に倉庫荒らしをした時、経験しているから知っていた。

しかし「落としの平井」はただ甘いわけではない。部屋を出て行きながら、

「安東、録音はちゃんと取ってるな？」

安東は驚いて主任の顔を見た。取調べを録音していることは、被疑者に内証のはずだ。

「取ってるな？」

主任はなお念を押した。

安東も気づいた。昼飯を摂って、体力を回復した被疑者が、もし今の話を否認しても、そのときは録音されているんだと、主任は被疑者に釘を刺しているのだ。

「ハイ、全部取ってます」

平井は部屋を出て行った。

取調室で、被疑者と一緒に昼食を食べる方がいいときと、ここは外した方がいいときがある。

今はもし、午後に、今の調べを調書にして読み聞けされた時、被疑者が自白内容の重大さに気づいて否認してきた時に備えて、「怖い刑事」の顔も、残しておいたほうがいい。

小林昭二は、パンとラーメンをがつがつ飲み込んだ。昨日からの空腹が、まだそれでも納まりきらなかった。安東がお茶をくれた。

「美加と一晩なんて、いい思いしてるんだ」

安東も、お茶を注ぎながら、被疑者を持ち上げておく。

この日の午後、こうして小林昭二の四通目の調書が作られた。

この調書は前半と後半が別々の事項になっている。

前半は、

「今日は私が美加さんを手にかけた時刻について申し上げます」

とはじまり、「それは五月一七日の、空が明るくなるかならないかくらいだから、時計を見たわけではないから正確なことはわかりませんが、多分三時から四時くらいだろうと思います。このことについては、後日また詳しく申し上げます」

という短い文章で終っている。

これに比べると後半部分はやや長く、物語調に書かれていて、その内容は、被疑者は、美加を富士吉田駅の改札を出たところで待ち伏せして、美加のためにマウントフジ・ゴルフ倶楽部を辞めさせられた、話したいことがあると訴える。美加は気の毒に思っていたと言い、昭二の運転するリアルタイムに乗って、一緒に行くことを承知する。昭二は子どもの頃そこで遊んでいた「徳之助さんの古屋」へ美加を連れて行き、そこで「いろんな話」をして夜を過ごす（被害者の遺体に「処女膜の損傷」がないことを平井は知っている）という美しい思い出話的な記述になっている。

平井刑事は、この前半と後半を、今日の段階では、あえて結び付けないことにした。

このあたりが、この刑事の賢いところだ。並みの刑事なら、後半が先に来て、一しロの夜が明けるころに、殺害行為が行なわれたという調書にするのだが、平井は今日のところは、そこで被疑者が事の重大さに気づいて、猛然と抵抗してきて調書の署名、指印に応じなくなるという危険を避けたのだ。それに、美加が富士吉田駅で足取りを絶ったのは五月一五日、死体となって発見されたのは一七日だ。間に挟まる一六日は「身代金受け渡しの失敗」があった日だ。この間美加はどこにどうしていたのか。昭二はどのようにホテル・ハイランド・リゾートに電話を掛け、美貴子の持つ恒蔵のケイタイにメールを打ったのか、そういう全体像が解明されないうちに、うかうかと調書を巻いては、あとで大きな間違いを犯してしまうことになりかねない。

今はあとで、いかようにもつなげることのできる断片から固定していく。それが彼の方針だ。

今日はとにかく殺害の時期について、死体の状況と矛盾しない時刻で自白を得た。それにこれまで捜査本部が知らなかった誘拐の具体的な行為も明らかになった。

特に後半の部分では、ぽつり、ぽつりと話す被疑者の話を、あまり急かせないで聞いてやったし、調書の記述も比較的長いので時間がかかって、五時の夕食時刻を少し過ぎて、やっと読み聞けまで終った。

小林昭二がこの調書に署名、指印したのは、基本的に、署名、指印を拒むなどということができるとは思っていないからだが、後半の甘美な物語が、寄る辺ない心情に温かく働きかけたという要素を否定できない。

自白とは、このように、取調べる捜査官と、取調べられる被疑者の、世にも不思議な共同作業で編まれていく物語だ。

関係者、特に冤罪を自白した経験者は、この物語を、アイロニーをこめて「ストーリー」と呼ぶ。

ストーリーが事実に反して、無辜《むこ》の被疑者を犯人とする物語になっているのか、とくに「日本型冤罪」の特徴だ。

犯罪に関係する事実関係の細部までを、取調官が、独特の物語調の記述で文章化する「供述調書」が、証拠の中核を占める日本の刑事裁判で、冤罪を晴らすための冤罪弁護の手法は、だから「ストーリー」の虚構を他の証拠によって裁判所に説得していく、という独特のスタイルをとることになる。


しかし渡辺美加誘拐殺人事件では、裁判以前に、捜査本部の内部から、平井刑事が描いたストーリーが崩されることになる。

被疑者の身柄をいったん留置場に返して夕食をとらせるようにし、自分も職員食堂に行って「夕飯定食」を食べはじめたところで、平井のポケットでケイタイの呼び出し音が鳴った。

「あ、押田だが。今、手が離せる？」

渡辺美加誘拐殺人事件捜査本部長の押田警視だった。

「は、はい。大丈夫です」

「じゃちょっと、……そうだな、三号会議室へ来てくれる？」

箸をつけたばかりの定食のトレイを食器返還口に出して、本部へ行った。

捜査本部の部屋にではなく、誰も居ない小さな会議室に呼ばれたことをいぶかりながらノックして入室すると、

「連日ご苦労だね」

本部長はまず、部下をねぎらった。

「は、本部長もご苦労様です」

「だいぶ調書も取ってるね」

「まだ、まだこれからです」

「ところで、さっき見せてもらった、あの犯行時刻の調書だが」

「は？」

「ちょっと、鑑定結果と違うようなんだよ」

「鑑定書が出たんでしょうか」

「いや、鑑定書はまだ先になる。しかしこの事件では待っているだけではすまないので、林

教授に今日お会いして、大体のことを聞いてきた」

「はい」

「教授の意見では、死亡推定時刻は、一五日の午後六時から八時ごろだそうだ」

「……………」

「胃の内容物が当日の昼の給食の内容と一致したそうだ。六時から八時っていう時間は、昼に食べた時からの消化の状態から割り出すそうだ。知ってのとおり」

「……………」

「被疑者は嘘を言う。いや、これは『落としの平井』には釈迦に説法だな」

「いえ、そんな」

「法医学者の鑑定は科学的なものだ。被疑者を攻めなおしてくれないかね」

「……………」

「被疑者の嘘を改めさせる。君ならたやすくできるだろう」

「……はい……」

「じゃ、頼む。明日は送検だね?」

被疑者の身柄を検察庁に送る。その前に、犯行時刻の点を訂正する供述を取っておけ、そう言われているのだ。

「はい」

「今夜これからだね」

「はい」

敬礼してその部屋を出ようとすると、本部長が言った。

「あ、それと、被害者は睡眠剤を大量に投与されていた」

「はい」

それは、見分時に聞いたことと同じだ。

「失礼します」

もう一度敬礼して部屋を出た。

あとに残った捜査本部長の押田警視は、ほっと一息ついた。死亡推定時刻が、「身代金受け渡し失敗」の後であっては、被害者の父親の渡辺恒蔵と警察の間でまずいことになる。

そのことを注意して捜査を進展させなければならない。鑑識班長の沖田には、県警本部長から話をしてあると聞いた。取調チーム主任である平井にも、同じように盛田本部長から言ってもらっていたと思っていたが、上がってきた被疑者の調書を見て、平井が何も聞かされていないことがわかった。盛田本部長は今日は警察庁へ出張している。こんなことはうっかりケイタイなどで話せない。自分ひとりの判断で平井を呼んで、「林教授の見解」を伝えた。

危ないところだった。見逃していたら、明日の送検前に、調書がメールで検事に届いてしまうところだった。そうなれば、失態は捜査本部長である自分の統括のミスである。

廊下を歩きながら平井は首を振った。なぜだろう。疑問が渦巻いて、とうていそのまま調べに入ることができないと思った。

死体の見分をした鑑識班の沖田に聞いてみなければ。

鑑識班長の沖田のケイタイを呼んだ。屋上で待ち合わせることにした。

平井も沖田も階級はともに警部だ。

しかし警察庁は一一年前に「階級是正」を実施し、大量昇進が制度化された。警部補と警部が急増し「巡査一人に警部が一人」と陰口を叩かれるような中層部の肥大現象をきたしている。

だから階級としては同じ警部でも、人によってキャリアには大きな差がある。

比較的最近警部昇任となった沖田は、平井にとってはずっと後輩になる。

沖田の姿を見るなり、平井は渦巻く心中をぶつけた。

「あの見分の時、内藤先生とあんたの話、聞いていたんでね。犯行はあの見分時から一二～三時間前ってことじゃなかったか？」

沖田の顔に苦渋が走るのを、平井は見逃さなかった。

「……あれは、なんと言っても、外見《そとみ》からの見分ですから……」

「でも、おれも、仕事だから、メモしてる。死体の直腸体温は、三二度、死斑はまだ濃く、死後硬直はまだ手足にまで来てない」

「……死斑とか、死後硬直は……往復があるんです」

「オウフク？」

「行きと帰り。一度一番強くなって、それからまたほどけていく」

「………」

「難しいことは自分らにはわかりません。素人だから。鑑定の先生の意見に従うしか……」

沖田が言外に言っていることは、沖田の意見は林教授の意見とは違うということだと感じた。

「殺害は一七日の明け方ということで、犯行の調書を取った」

「………」

「これから取り直さなきゃなんない」

「……すまないです」

沖田も同じことを誰かから——自分と同じように押田捜査本部長だろうか？——言われている。平井はそう感じた。

「あんたが謝ることじゃない」

二人は無言でエレベーターに向かった。

宮仕えは辛いものだ。なんとなく揃った歩幅が同じ思いを刻んでいた。

平井は一人になってなお、疑問にとらわれ続けた。

平井は鑑識の部署にいたことはないが、殺人事件は数多く取調べに当たっているから、死体のたどる死後の経過はある程度知っている。死斑や死後硬直に「往復がある」ことは知っている。しかし違いは……計算してみると三二ないし三四時間もある。もし、林が鑑定したという死亡推定時刻＝一五日の午後六時から八時ということだったら、あの死体見分時には、死斑や死後硬直は全く消失しているはずだ。沖田が「往復がある」と言ったのは、仕方なく口にした、まあ、挨拶みたいなものだ。

そしてもし一五日の夕方、つまり誘拐直後に殺されたのであれば、一七日の見分時には、直腸体温は外気温と同じにまで下がっているはずだ。それが、三二度あったんだ。

それに、沖田は「素人だから」と言ったが、あれは見分に立ち会っていた法医学者の内藤教授の意見でもあった。

何か、大きな力が、この事件のガイシャの死亡推定時刻を左右している感じがする。

こんな気持ちで、調べに戻ることはできない。自信を持って被疑者に「ウソつくな」と怒鳴れない。取調チームの長谷川や安東に自信のある顔を見せられない。

平井はもう一度屋上にとって返した。星のない空を仰いだ。

17 供述変更

取調室に戻ったとき「落としの平井」は威厳を取り戻していた。少なくとも外見上は。

平井はプロだ。あまり正面切って考えたくはないことだが、本当はこういうことは、これまで自分がしてきたどの取調べにもつきものだ。「向けた」内容に、実は自分の思いと重ならない部分が入っている。それが多いか少ないか、ただそれだけのことだ。そう思いなおして、その感覚に戻ればあとは仕事師としての、事の成否だけが問題なのだ。

本部長に会う前には予定していたのだが今日は「引きあたり」に行っている暇はなくなった。

明日の送検までに、供述の変更を調書にしなければならない。

「調べだ。すぐ出してきてくれ」

補助者の椅子に戻っていた安東に命じた。

「調べ……ですね？」

一瞬とまどったが、補助者にとってもこういう予定の変更はまま経験のあることだ。被疑者を出房させるために、留置場へとんでいく。

小林は穏やかな顔になって入ってきた。親しい年長者に向ける顔を平井に向けようとしたとき、いきなり怒声がとんだ。

「てめえ！　なめやがって」

今度の怒りはテクニカルな怒りだ。だがそんなことは小林昭二にはわからない。

全く予測しない事態に文字どおり飛び上がって、震えた。

被疑者が取調べの椅子に着くのももどかしく、平井は浴びせかけた。

「殺したのは、誘拐してすぐじゃないか。嘘つきやがって！」

供述を変更させる必要が生じた時、被疑者が嘘を言っていたり、思い違いをしていたり、被疑者サイドの事情なら、当然被疑者は取調官から叱責される。そして逆に、それが取調官個人の思い違いであっても、捜査側の組織的な間違いであっても、警察サイドの事情であるとき、刑事はもとより被疑者にそんなことを明かすわけにはいかない。どちらにせよ「嘘を言っていた」と被疑者を責めて供述を変えさせる、という処理しかありえないのだ。

殺した時刻は一七日の午前三時から四時の間だと決め付けたのは平井刑事の方だ。それなのに、それに従っただけの小林昭二が、いきなり嘘つきだと責められる。

言葉も出ない被疑者に、平井はたたみかけた。

「徳之助さんの古屋に着いてすぐ殺《や》ったな？　何で一晩中話してたなんてとんでもない嘘つ

きやがったんだ。そうさな、生かしといちゃあ、そのあとすることの手足まといになる」

これは取調べ刑事の本音でもあった。

学校側の話では、美加は成績もよく、クラスでの人気もあり、学校を休むことはほとんどないという。その美加が一六日は無断で休んだ。もしこの時にすでに殺されていないなら、自由を奪われていたか、自分の意思で休んだかのどちらかしかない。美加の死体に、暴行を受けたり、縛られたりしたような跡は全くないのだから、美加は自分の意思で学校を休んだことになる。

一方、誘拐犯人にとって一六日は身代金受け渡しのために忙しかった日だ。

美加を一人で放置しなければならない。一人になって、監禁もされていない美加が、学校を休んで、小林昭二の帰りをおとなしく待っていたことにならないと、つじつまが合わない。

しかし、自分のせいで解雇された、というだけで、親しくもない若い男のために、美加がそこまでするとは考えられない。

話の筋としては、誘拐してすぐ殺害、が通りやすい話だ。

だが、被疑者としては、寝耳に水だ。話が最前とは全く違っている。

美加と一晩話をしていたという、それがあるから、なんだかそれでいいような気にもなった甘美なシーンがいきなり奪われて、恐ろしくただ血なまぐさいだけの殺害劇になった。小林昭二は震えながら首を振った。そんな恐ろしいこと自分とは関係ないと必死で首を振った。

「なんだそれは？　違うとでもいうんか」

「違う。……違う——殺したなんてうそだ。殺してなんかいない。アブラ採ってたら死んでただけだ。本当だ。本当なんだよぉ——」

合わせた話が嘘だと言われ、どうしたらよいかわからない。子どものように本音を叫んで昭二は号泣した。

「このヤロー！」

平井にはもう時間がなかった。ここで振り出しに戻られたら、明日の送検に間に合わない。襟首を摑んで絞めながら、後ろの壁に頭を打ち付けた。

「ひゃっっ、ひゃああー」

被疑者は声にならない悲鳴を上げてもがいた。

「主任、主任、待ってください。自分が言い聞かせますから、主任」

長谷川だった。またこの男の出番が来たのだ。

安東も協力して、平井を被疑者から引き離した。

「一服してください。自分が言い聞かせますから。こいつちょっと血迷っただけなんです」

平井をドアから押し出して、二人で被疑者を取り囲んだ。

昨夜と同じパターンの説得。時間はどんどん経っていく。もう夜の一〇時を回った。被疑者はこれが最後の機会と感じているのか、頑強に抵抗している。

往生際の悪い被疑者は、美加を殺したことなんかない、アブラ採りをしていたら――と泣きながら訴え続け、長谷川と安東は、時間を気にしながら、じゃあ、おれたちは手を引いて主任さんに任せる、と脅しては、またなだめることを繰り返した。

最後に安東が思いついて付け加えた。

「お前がさっき言ったことはな、殺しましたって、な、みーんな録音に入ってるんだぞ。そうしょっちゅう供述を変えてたんじゃ。裁判所だって何言ったって嘘だとしか思わないぞ。おまえ死刑しかないな。だって情状酌量してもらう余地ってもんがなくなるもんな」

実は被疑者自身が「殺しました」と発音したことは一度もない。それに、一七日の午前三時から四時ごろを殺害時刻だと言ったのも、美加と一晩中話をしていたと言ったのも、実は平井の声であって、被疑者はうなずいたか、せいぜい「そうです」くらいのことしか言っていない。

しかし被疑者には、そんなことを分析しているだけの心理的余裕などない。録音されてる。殺したと録音されてる。それなのに否認したりしたら、嘘つきと思われて死刑になる。その恐怖感だけが襲い掛かった。

「早く主任さんに謝らないと間に合わない。明日は送検だ。強情張ったまんま検事さんの前に行くんか、お前。そしたらもう取り返しはつかないからな」

今回はこれで決め手になった。

呆けたように宙を見つめて言葉を失った被疑者の様子に、抵抗を放棄したことが現れていた。

「さ、もういいか？　主任さんに来てもらうぞ。いいな？　すぐ謝るんだぞ」

長谷川は今度は自分で調書を巻かなかった。昨日の二通は自分が巻いた。ここは主任の顔を立てないと。

平井が入室してきて、被疑者は「主任」に向かって何度も頭を下げさせられ、そして、

「古屋に連れ込んですぐ絞めたことに間違いはないそうです」

長谷川が被疑者に代わって供述した。すると平井のあの怖い声が、下げた頭の上から落ちてきた。

「すぐ首を絞めたんじゃ情が悪いと思ったな？」

「情が悪い」と言う言葉は知っていた。

これまでの三回の逮捕でも刑事から何回か聞いている。「こいつは悪い奴だと思われる」というか、同情してもらえないというか。そういう意味だ。

今、自分を取調べている怖い刑事は返事も待たずに、次の瞬間、

「眠り薬はどこで飲ませた」

全く考えてもいない言葉を浴びせてきた。

「………」

「車に乗せてすぐだな？」

「――」

「黙ってちゃわからない！」

そう言われても、返事のしようがわからない。

「――」

「ジュースに混ぜといたな。眠り薬飲ませといて、眠ってるとこを絞めたな？」

厳しい取調べを受けた者は知っている。刑事の質問は、被疑者が言うべき答えなのだ。真っ向から否認しない限り、被疑者は刑事の発音したことを「認めた」ということになって取調べは進行して行く。

「お前、根性なしだから、そうしなきゃ絞められなかったんだろう」

眠っているところを首絞めるほうが、まだしもだ。そういう意識と何か返事をしないままではすまないという気がしたのとで、かすかにうなずくことになってしまった。

「よし、時間がない。安東」

安東がパソコンを起動させた。


これまで何度も嘘を言ってお手数をかけて申し訳なかったと反省しています。

私はこれまで話したことで、五月一五日の夕方六時ごろ、渡辺美加さん（四歳）を富士吉田の駅で待ち伏せして、話があるといって車に乗せて、自分が美加さんのことでマウントフジ・ゴルフ倶楽部を首になって困っていると話したこと、美加さんが私のせいで悪かったと言ってくれたことは本当です。

車というのは父定次所有の

軽トラック　リアルタイム　山梨　×－××××　です。

この車を私はスーパー長崎屋の駐車場に停めておいたのです。

停めておいた位置について図面を書いて説明いたします。

〈このとき被疑者は、任意、停車位置を説明する図面一葉を作成して差し出したので、本職はこれを図1として本調書末尾に添付することにした〉

嘘を言っていたのはそれからのことで、まず、車に美加さんを乗せるとすぐ、用意していたジュースをペットボトルから紙コップについで美加さんに渡しました。ジュースには睡眠薬を入れておいたのです。睡眠薬を手に入れたときのことは、またのちほど申し上げます。

美加さんがジュースを飲んだので、私はやった、と思いました。

私は美加さんに、首になったことをどうにかしてほしいと話して、頼みました。

本当はどうにかしてもらう気はなかったのですが、そうやって睡眠薬が効くのを待っていたのです。美加さんはどうしてほしいのかと聞きましたので、私は考えるふりをして時間を稼いで、もう一度雇ってほしいから、支配人に頼んでくださいなどと話しました。

美加さんはやってみるといってくれました。

それで、話が済んだと思ったらしく、車を降りて行こうとしたので、私はそれでは誘拐が出来なくなると思って、自分もこれからうちに帰るから帰り道だから送っていくと言って、美加さんが車から降りるのを止めました。

私は早く睡眠薬が効いて美加さんが眠ればいいと思ったのですが、なかなか効かないので、焦って、道を間違えたふりをして遠回りしました。

そのうちに、美加さんはだんだん眠そうになって眠り始めたので、私は上手くいったと思って、車を走らせて、徳之助さんの古屋へ行きました。

徳之助さんの古屋は、私が子どもの時から空き家になっていて、うちの畑のそばだし、誰も来ないところなので、よく中に入って遊んだりしていましたので、美加さんを誘拐することを考えた時から、誘拐したら、徳之助さんの古屋へ連れて行こうと考えていたのです。

徳之助さんの古屋の位置については、お示しの地図に赤い丸をつけて説明します。

〈このとき被疑者は、本職が示した航空地図に、任意「徳之助さんの古屋」の位置を示

す赤丸を記入して差し出したので、本職はこれを図2として本調書末尾に添付すること
にした〉

徳之助さんの古屋に着く頃には、美加さんはすっかり眠り込んでいましたので、私は
美加さんを抱いて助手席から下ろして、古屋の中に運び込みました。

運び込むとすぐに首を絞めたのです。

古屋の中の首を絞めた場所については、あとで詳しく申し上げます。

絞めたやりかたは、昨日申し上げた通りで間違いありません。

ジュースに混ぜて眠り薬を飲ませておいて、美加さんが眠っているところを絞めたの
は、私は根性がないから、そうしなければ、人の首を絞められなかったからです。

これが、私がした本当のことです。

嘘をついていたことは、本当にお詫びします。嘘をついていたわけは、誘拐してすぐ
に首を絞めたとわかれば、情が悪いと思ったからです。

今申し上げたことは間違いありません。もう嘘は申しません。詳しいことは、またあ
とで申し上げます。

新たなストーリーが編まれていく。

小林昭二には時刻はわからなかったが、平井の腕時計は午前零時を回っていた。綿のように疲れ、空腹とひりひりする喉の渇きに苦しみながら、被疑者は読み上げられるその物語を聞いていた。どこか別の世界の話のようでもあり、それでいて自分が実際にしたことのような気もしてくるのだった。

ふしぎなバーチャルリアリティの世界。

「名前書け」

指印。

小林昭二が留置場に戻されたのは午前一時を過ぎてからだった。

留置場の看守が、

「小林。差し入れだ」

紙袋から出した衣類を渡した。

それを抱え持って房に入り、ガチャとカギをかけられた。

房の中の、小さなついたてで腰から下だけが隠されたトイレに入り、手洗い用の小さな蛇口からちょろちょろしか出ない水をむさぼり飲んだ。

看守から渡された衣類は、いつも家で着ているトレーナーやTシャツ、下着だった。自分の着古した普段着が、お袋の手で畳まれ、それらに、「うち」の匂いがしていた。

留置場には独特の匂いがある。ここに囚われて何日かを過ごしては出て行った無数の男たちの汗と汚れと、そして定期的に施される消毒薬の匂いが混じって、壁や床や天井、そして鉄格子にまで深く染み付いている。その中で胸に抱いた差し入れ品だけに「うち」の匂いがあった。それが悲しかった。

声を忍ばせて泣いた。もうたぶんうちへは帰れないというあらがうことのできない予感がする。うちは遠い遠いところに行ってしまった。

被疑者を留置場に帰してからも、取調班の作業は残っていた。

今取った調書を多数コピーして、捜査本部に持っていく。安東には、昨日長谷川が巻いた二通の調書と今の調書を、明日行く検察庁の担当検事付の事務官のパソコンにメールで送るように指示し、平井は捜査本部の部屋に行った。当直で残っていた副本部長の杉井に経過を説明して、明日朝一番で、殺害場所である「徳之助さんの古屋」に被疑者を押送《おうそう》して、現場検証を行ないたい、地検への送検は、そのあと午後にしたいので、特別押送にしたいと言って許可を受けた。杉井副本部長は、死亡推定時刻の一件を承知しているらしく、

「今日はご苦労だったね」とねぎらってくれた。

「押送」とは被疑者などを強制的に連れて行くことだ。地検への送検というのは、逮捕した被疑者の身柄を四八時間以内に地方検察庁へ送ることで、普通は窓に格子の嵌められた「押送車」が各警察署を回って、当日押送される被疑者を拾っていくのだが、小林昭二は明日ま

ず殺害現場で現場検証に立ち会わせなければならないので、その定刻の押送には合わせられない。こういうとき一人だけ別の車で連れて行くことを「特別押送」という。

平井敏一が、その日の残務整理を終ったのは午前二時だった。家に往復する時間が惜しいので捜査本部のソファーで仮眠することにした。

走り使いみたいなことをしている庶務班の新米の巡査が、

「奥さんから差し入れです」

と紙袋を差し出した。

着替えが入っていた。

取調べ刑事もまた「うちの匂い」を受け取って、短い眠りに着いた。

五月二一日午前八時三四分、数台の車が国道139号線から富士山側に少し入った農道に停まった。小林昭二のいう「横道」だ。

「徳之助さんの古屋」は山村の五月の朝の強い光の中で崩れかけながら懐かしく存在していた。小林昭二は、手錠腰縄姿で車から下ろされ、子どもの時からほとんど変わっていない古屋を見つめた。子ども時代がそのままここにある。だが、昨日、もう一度この古屋を見ることがあるとは、思ってもいなかった。

手錠をかけられ、猿回しの猿のように腰に打たれた縄を警察官に引かれている自分の姿と、ここで遊んだ子どもの時の時間が混ざり合う不思議な感覚。

「ここだな。間違いないな？」

取調主任の声が、呆然とする昭二に現実を突きつけた。

うなずく以外に何ができるだろう。

「どこから入った」

入るところはいつも決まっていた。大きな土間に通じる引き戸が一枚、何時の頃からか半分開いたままだ。

「ここなんだな？　写真！　動くな。指差してみろ」

手錠だけが外され「侵入口を指差す被疑者」の写真が何枚か写された。

暗い屋内に入った。

「どこで殺《や》った？」

答えられずにいると平井刑事が苛立《いらだ》ちを含んだ声で言った。

「昨日は、入ってすぐのところだって言ったじゃないか。ここか？」

土間の土の上を指した。

自分にとってはどこでも同じなのだ。あいまいにうなずくと、

「こんな土の上でか」

咎められるように言われたので、あわてて上がりかまちの方を指した。

「ここなんだな？　写真！」

「扼殺の場所を指差す被疑者」の写真が何枚も写された。

終わりかと思ったら、

「やって見せろ。美加の頭はどっちに向けてた」

そんなこと考えたこともなかった。

「よし、どうやって運んできたか、そこからやってみろ。一度外へ出ろ」

外へ引き出されると見覚えがあるうちのリアルタイムが目の前にあった。助手席に大きな人形が立てかけてある。洋服を売る店にあるマネキンだ。

「美加を抱いて下ろしたんだな。その格好からやってみせろ」

運転席に乗せられた。そこから、ドアを開けてマネキンを抱き下ろすのは、とても難しかった。入り口につかえて上手く行かない。

「よし、まあ、人間の体は曲げられるからな。抱き下ろしてドアの前にいるところからでい い」

負けてもらったことになる。

「頭が左なんだな？」

抱き方を聞かれたが、そうなんだろうとしか言いようがない。その抱き方のまま、指されるままに先ほどの侵入口から入ろうとすると、写真を撮る警官から言われた。

「もっとゆっくりだ。写真撮ってんだから」

一歩一歩時間をかけて、土間を通り、先ほどの上がりかまちの前に行くと、歩いてきた成り行きで自然に、上がりかまちのゆがんだ板敷きの上にマネキンを下ろす位置がきまった。

「北枕じゃないか」

その意味を若い被疑者はわからなかった。

マネキンを下ろすと、

「やってみろ」

被疑者が半べそをかきながらぐずぐずしていると取り巻く警察官の中から、安東が少し前に出て、言った。

「この前はおれにさ、ちゃんとやれたじゃないか」

小林昭二は思い出した。あの時取調室の床に寝た安東にしたように、マネキンにすればいいんだとわかった。

被疑者が示す「扼殺の犯行状況」の写真がアングルやズームを変えて何枚も写された。ただ、あの時は「違う、左手が上だ」と怒鳴られたのだが、今日は怒鳴られなかった。平井刑事は時間を気にしていて、ついそこを見落としたのだ。このことがあとで意味を持つことになる。

実況写真の撮影が終ると、被疑者がマネキンを置いた場所に白墨で人型が描かれた。

小林昭二の知らない一人の警官が平井に歩み寄ってささやいた。鑑識班の一人の長尾警部補。

昨日この場所が犯行現場だと指示されて、現場の実況見分をしているが、今日は裁判所の検証令状を取って、被疑者を現場に「引きあたり」しての検証という形式になる。

「昨日一応全般的にやりましたが、位置がわかりましたから集中的にもう一度やります」

犯行現場に遺留された、犯人と被害者の毛髪などの遺留物の採集だ。特に被害者の毛髪や、扼殺に伴う失禁の跡が発見できれば、犯行の動かない裏づけになる。

平井はうなずいた。

リアルタイムの中から採取したものは、すでに鑑定に出している。そこから被害者の毛髪などが発見できれば、それだけでも犯行の大きな補強証拠になる。

すでに正午を過ぎていた。いったん県警本部に帰り、被疑者にも急いで昼食をとらせて、地検押送をしなければならない。鑑識班をあとに残して、平井は被疑者を乗せた車に乗って発進を命じた。

県警本部の本部長室で、盛田克行本部長は電話を掛けていた。電話の相手は渡辺恒蔵。娘の美加を誘拐し殺害した犯人として逮捕した被疑者が、殺害を認める供述をしたことを告げるための電話だ。一昨日、葬儀に参列して、斎場まで行き、火葬を待つ間に犯人逮捕の事実だけを告げておいたが、今日はその後の取調べの進展の状況を話した。

「やはり一昨日話した被疑者が殺害を詳しく自白した」

「――」

「富士吉田の駅で待ち伏せして、お嬢さんに、あんたのせいで首になったとか話して同情を引いて車に乗せて、睡眠薬を入れたジュースを飲ませて空き家に連れ込んですぐに殺害行為をしたそうだ」

「――」

「一五日の夜というか夕方だ」

「――」

相手が押し黙っていることに盛田は不安を覚えた。

「ご家族としては、聞きたくない話だろうが、お伝えしないわけにはいかないから」

「――」

「取調べの進展があれば、また、その都度お知らせする。奥さんをお大事に」

渡辺恒蔵は終始無言だった。

取調べ主任の平井警部は本部に戻ると、急いで昼食を済ませ、警察の制服に着替えた。地検の特別押送に自身が付き添うためだ。普通、被疑者を押送するのは総務部の看守係の任務だが、まれに刑事部の刑事が行なうことがある。被疑者の手錠に結んだ腰縄を持って、検事の取調べに事実上立ち会うのは、被疑者が刑事にした自白を、検事には覆すことがあるからだ。

渡辺美加誘拐殺人事件の小林昭二被疑者を担当するのは、東京地検にもいたことがある滝川検察官だった。優秀だと評判がある。平井とは面識があって、被疑者を引いていくと「や、平井主任おんみずからですか」目がそう挨拶した。

刑事捜査にパソコンが導入されてから、取調べは省力化した。

以前は警察の取調べで刑事が手書きした調書正式には司法警察員面前調書（略して「員面調書」）の写しを見ながら検事が取調べをして、調書にする内容を事務官に口述して、事務官が手書きした検察官面前調書（略して「検面調書」）が作成されていた。

今は警察で刑事が取った調書が事前にメールで送られて来て、検事付の事務官がパソコン画面に出して待っている。検面調書はその画面を見て、法曹有資格者としての検察官が、公判維持に耐える証拠になるように、文章に加除を加えて打ち出せば出来る。

「小林昭二だね」

検事は型どおりの黙秘権を告知した。

「これまで何度も取調べを受けたことがあるからわかっていると思うが、君には黙秘権といって、言いたくないことは言わなくてもいい権利がある」

それから続けて言った。

「でも君は、これまでの警察の調べでは素直に供述しているようだね。じゃ、警察で話したことを確認しよう」

それは「確認」され、検事はメール送信されていた三通の員面調書を、一通にまとめて、この事件についての最初の検面調書にして事務官にプリントアウトさせ、被疑者に署名、指印させた。これで、渡辺美加誘拐殺人事件について、核心部分の大筋で犯行を認める被疑者小林昭二の員面、検面両調書が揃った。

「じゃ、動機なんかのことは、また警察でよく調べてもらいなさい」

それが初めての検事調べの締めくくりの言葉だった。

「ご苦労だったね。帰っていいよ」

ねぎらいの言葉は、実質的には平井刑事に向けられたものだ。

平井は被疑者の腰縄の端を握りながら、エレベーターの中で、心中一安心していた。

明日、被疑者は裁判所に勾留質問に行く。念のためあと一回、明日だけはついて行こうか。

18　私選弁護人

五月一九日、早朝に、息子の昭二が自宅で逮捕された日、母親の小林キミは、甲府の県警本部からの遠い道を、日が暮れてから家に帰り着いた。

バスの中で、床に吸い込まれるような悪心《おしん》がして、疲れきっていることを感じていたが、一日中どこをほっつき歩いてきた、帰りが遅いと怒鳴り散らす夫のために、言い訳は後にして急いで夕飯の支度をして食べさせ、食べ終わった夫がテレビに向かうと自分は食べるのもそこそこに、以前昭二が世話になった弁護士の名刺を探すために、仏壇の引き出しを引き抜いて勝手口のほうへ持って行き、中のものを出して、その名刺を探し出した。

弁護士　岡村勇。そうだこの人だ。

「お父さん」

なるべく穏やかに呼びかけた。

今日遅くなったわけを話し、昭二のために弁護士を頼まなければならないと思うと話した。

夫はたちまち怒鳴り出した。

「そんな人殺し仕出かした奴は勘当だ。もう面会に行くな」

「お父さん。そうじゃないよ。昭一はそんな大それたことできる子じゃないだろうよ。何かの間違いだよ。でもこのまんまじゃ、人殺しにされちゃうんだよ。死刑になっちゃうんだよ……」

小林キミは、自分の口から出た言葉に怯えて泣き出した。

「お父さん、お願いだから、お願いだから、あの子を助けてやってくださいよ、助けて……あの子の命をよ、お父さんの血を分けた息子なんだから……」

小林定次は最近、仕事に出る日が一層減り、妻が畑に出ている日中、他にすることがないから、一日テレビを見て過ごす。

数日前死体が発見された日から、テレビは連日「身代金目的の美少女誘拐殺人事件」の話題でもちきりだ。

殺されたのが、息子が働いていたこともあるマウントフジ・ゴルフ倶楽部の社長の一人娘であること、脅迫電話は中年の男の声で、一億円の受け渡しに失敗して娘が遺体で発見されたことなど、この家族の中で一番詳しく知っているのは、一番長い時間テレビを見ている定次だった。

誘拐犯人は、声が浅田マサルに似ている中年の男で、高額の身代金を要求し、高速道路と交差してはるかに下を流れる笹子川の川原に落とすように直前に指示する、冷静で頭脳明晰な犯人像がテレビのワイドショウの話題を独占しているのを知っていた。

息子が逮捕された時は、これまでとは全く違う物々しさを不審に感じてはいたが、まさかこの事件で逮捕されたとは夢にも思わなかった。

妻の話を聞いて、狼狽《ろうばい》して妻を怒鳴りつけはしたが、

（あの昭二の馬鹿に、できる芸当じゃない）

という思いはあった。

ただ、降りかかってきたこんな災難にどう対処すればいいのか皆目わからず、その原因になっている出来の悪い息子と、そんな馬鹿息子を、まだ甘やかし続ける妻に、理不尽な怒りをぶつけることしかできないのだった。黙って畑仕事と家事をこなし続けて、めったに感情を表に出さない、年齢よりふけて老婆のようになった妻が、身も世もなく泣き喚くのに驚き、そしてそれに対しても、怒りという表現でしか反応できない定次だった。


不貞寝してしまった翌朝、テレビをつけた夫は物を言わなくなった。

五月二〇日。テレビは早朝から、渡辺美加誘拐殺人事件の犯人逮捕のニュースを繰り返していて、小林定次は起きるとすぐにつけたテレビでそれを見た。

「今月一五日に誘拐され、一七日に遺体となって発見された中学二年の渡辺美加さんの事件で昨日逮捕された小林昭二容疑者は、美加さんを誘拐して殺害したことを大筋で認める供述

を始めています。捜査本部は犯行の詳細や動機について、引き続き容疑者を厳しく追及して真相を解明したいとしています」

口を利かない夫に朝食をさせてから、キミはまた昨日のバスに乗った。

甲府市内の岡村勇弁護士事務所を探し当てたのは、一一時近かった。

小さなビルの三階で、ビルの脇の狭い階段は急で、キミは昇りながら脂汗が出てくるのを感じ、動悸がして何度も立ち止まった。ようやく昇りきると「岡村法律・会計事務所」と書かれたガラスのドアの前で、切れ切れの息を整えていたが、ガラス戸の中から若い女が不審の目を向けているので仕方なく、ドアを押して入った。

用件を言うと「先生は法廷です」とその女事務員に言われて、待たされた。

正午を過ぎて帰ってきた弁護士は昼飯に行くと出て行き、また待たされた。

二時過ぎて、やっと会ってもらえた。

「前にお世話になった小林昭二の母親です」

弁護士は気のない様子で、小林昭二の名前を覚えてはいないようだった。

「刑事事件だったかな？　それで？　何やったんだった？」

「あの、工事につかう車盗んで、お世話になったんで」

「ああ、ああ。あの、示談してやったあれね？　あの息子がまた何かやった？」

テレビでやっている少女誘拐殺人事件で逮捕された、と言うと、相手は目をむき出した。

「あの、テレビでやってる、一億円要求したってやつか?」

「うそなんです。昭二はそんなこと出来る子じゃないです」

「お母さんね、まだ今聞いたばっかりでよくわかんないけどね、みんな、自分の子はそんなことしないって、親は思ってるんだよ」

小林キミは癌の宣告を受けた患者のように絶望した。この人ははたして息子のためになってくれるだろうかという漠然とした不安。しかし、弁護士といってはこの人しか知らない。気を取り直して、説明しかかると、

「お母さん。それでその事件を私に頼みたいの?」

昭二の母親も「トウバンベンゴシ」の制度を知らない。弁護士を頼むなら、前の時のようにお金を出して、知っている唯一の弁護士であるこの人に頼むしかないと思っていた。

「はいどうかお願いします」

「お願いします、と言ってもね、この前は国選だったんだろう? ア、違うの。一度は国選で一度は私選? 私選の時いくら払ってもらった? 二〇万ね。あれは特別安くしてあげたんだよ。でもね、今度の事件は窃盗とは違うんだよ。大きな事件だからね」

「おいくらぐらいなんでしょうかね」

「うーん　本当は、うんと高いんだね」

弁護士は引き出しから「弁護士報酬会規」という冊子を取り出して、開いて見せた。

「ほら、お母さんここ。わかる？『刑事事件の着手金』って書いてあるところを見て。特に簡単な事件じゃないとね、事件に手を着ける時に最低で五〇万なんだよ。事件が難しいと何百万取る先生もいる」

五〇万円。小林の家の預金のほとんど全額だった。左官職の夫は最近ほとんど働いていない。

しかしキミは息子を助けたかった。

「五〇万何とかして、持ってきますから」

「五〇万ね……」

弁護士は渋っていた。

テレビでは被疑者はすでに逮捕直後から殺人の自白をしていると言っている。母親は信じたくないものだが、やっていることに間違いはないだろう。とすると、自白事件だ。情状弁論をすればいい事件だ。

それほど手を掛けずに終らせることができる。

ただ、こういう世間の指弾を浴びている事件を引き受けるのは、弁護士の評判としていかがなものだろうか。極悪人の味方をする弁護士ということになって非難を浴びるのはさけられない。営業上マイナスになる。だから、こんな事件の報酬は、いわば弁護士の評判を下げることへの損害金みたいなものだ。それをたった五〇万の着手金で引き受ける？

それに弁護士の報酬は、事件に手を着ける時に受け取る「着手金」と一審が終った時に仕事のできばえに応じて受け取る「報酬」とに分かれているのだが、この事件は「報酬」の方はまず見込みがないから、はじめに受け取る着手金だけしかとれない可能性が高い。

断ろう、と思って口を開きかけた時、弁護士にまた別な考えが浮かんだ。

前にテレビでやっていたな。やはり悪名高い犯人の事件を受けて、犯人に同調せずに、犯人を批判しながら、遺族に謝罪させることに徹した法廷活動をして評判になった弁護士がいる。ああいうやり方は、悪い事件を受けながら、かえって弁護士の見識を示して評価をあげる効果もある。

もしこの事件を受けるなら、そのやり方だな。

「お母さんね。五〇万っていうのはあくまでも最低なんだよ」

「いくらなら、やっていただけるんでしょうか」

「いくらといわれてもね。逆にお母さんの方で用意できるのどのくらい？」

小林キミは清水の舞台から飛び降りるつもりで言った。

「六〇万まで何とか」

「仕方ないね。じゃ、それを持ってきてもらってからのことになるから。今日はもういいですよ」

次の来客が待っていた。

それ以上話を聞いてもらうことはできなかった。着手金を払うまでは話を聞いても仕方がない、というはっきりした扱いだった。

小林キミはこの人に頼んでいいのだろうかと不安を抱えながらビルの階段をのろのろ下りた。三階からまっすぐに下りる細い階段が目がくらむように感じられた。

しかしでは、他に誰に頼めばいいのか。全く心当たりはないのだった。

足元もおぼつかないような悪心に襲われながら、キミは県警本部へ行った。

昭二の着替えを差し入れるためだ。着替えは昨日、三日分差し入れてあるが、面会が許されない今、差し入れをすることだけが、母親が息子を見捨てていないことを、昭二に伝える方法だ。

しかし留置係は、「差し入れの受付は五時までで終わりだよ」とにべもなく言った。

バスに乗っている長い時間、キミは心の中で、自分のこれからするべきことを次第にまとめていた。

家に帰るとすぐに、夫に弁護士と会ってきたことを話した。

「お父さん。わたしの葬式の費用を出してもらえんでしょうか。わたしが死んだ時には、線香一本も要らない。ただ、ぼろにでもくるんであの墓の隅に埋めてくれればいいから、その費用、今出してやってくれんだろうかね」

とっぴな頼みに定次はうろたえた。

「馬鹿やろう。お前が先に死ぬんなら勝手だけんどな。そうは問屋が卸さねえや」

「定一に二〇万頼むから、四〇万だけ出してくださいよ」

黙りこくっている夫の返事を待たずに、キミは東京で所帯を持ってタクシーの運転手をしている長男に電話をした。

長男もニュースを見ていて、何も手につかないと言った。

キミは弁護士の話をしたうえで長男に同じことを頼んだ。

「定一、お前に教育もつけてやれなくて、分けてやれるような財産もないで、言えた義理じゃないけんどな、母ちゃんが死んだら、お前、葬式費用いくらか出してくれるかねえ。その分さ、今、二〇万母ちゃんにくれんかねえ」

「葬式費用なんて……」

長男は声を詰まらせた。

「おれ、このごろ不景気でタクシーも客が減って、貯金減らしてるんだ。でも二〇万なら残ってる。出すからさ、母ちゃん体気いつけてな」

「ありがとう。定一。ありがとう。昌子さんに謝っといてな。悪いな、悪い」

何度かしか会ったことのない嫁の名を言って、謝りながら泣いている母親に、明日一番で電信で振り込むから、午後になれば入金しているはずだ、と長男は言ってくれた。

長男との電話の内容を言うと、夫は何も言わなくなった。

翌二一日。キミは言われたとおり午後一番を目指して信用金庫に行き、振り込みが入って、残高が七〇万円台になった定次名義の預金から引き出した、六〇万というはじめて持つ大金をしっかりと抱えてバスに乗った。

また「先生のお帰り」を待たされて、岡村弁護士に面会できたのは四時だった。

六〇万を差し出し、昭二は死体を見ただけなので、間違えられているんですと訴えた。

「間違えられてるって、息子さんがそう言ってた？」

「いいえ、そんな話したことがなくって。ただ、女の子が倒れてるのを見たって言っただけで」

「息子さんにどうして疑われてるのか詳しい話は聞いたのかね？」

「警察に行ったけど、セッケン何とかで会わせられないって言われて」

「逮捕されるまでには、そのことについて話してないの？」

うなずく女を見ながら、弁護士は心中思った。

(母親だけが何も知らないってことはよくある)

「ま、本人に会って聞いてみるからね。ア、接見禁止でも弁護士なら面会できるんだよ」

弁護士はそう言うと、事務員に持ってこさせた「弁護人選任届」に小林キミの署名をさせた。「小林昭二の弁護人として、岡村勇弁護士を選任しましたのでお届けします」という書類で、本人に代わって、親、配偶者、など近い親族も選任することが出来る。

選任届を取ると、弁護士は貧しい依頼人を帰した。


小林キミは、その足でまた、県警本部へ行き、今日は差し入れの受付に間に合った。「宅下げはあるでしょうか」キミは聞いた。留置人の家族は、差し入れと引き換えに、留置人が洗濯したい衣類を受け取って帰る。「宅下げ」という古めかしい言葉が今でも使われている。過去の三度の経験で、キミはそれを覚えた。

宅下げされてきた昭二の衣類は、息子が一昨日、警官たちに階段から引き摺り下ろされたときに来ていたトレーナーの上下だった。一枚ずつ確認させられて、それを受け取りながら、キミは引き摺り下ろされた息子の姿を思い出して、かわいそうでたまらなかった。

宅下げ品を入れた手提げ袋をひざに置いてバスに揺られ、また、ひどい悪心に襲われながら、母親は胸中つぶやいていた。

(昭二、母ちゃんが何とか助けてやるからな)

岡村勇弁護士は、五〇歳を過ぎた中堅の弁護士だった。扱う事件は民事事件が多いが、全県で弁護士が五三人しかいないこの県では、発生する刑事事件のほとんどを占める国選弁護事件、それにまだ国選制度がない起訴前の被疑者の弁護をするために弁護士会がつくっている「当番弁護」の事件を、老齢で仕事が出来ない弁護士以外は全員で分担してこなさなければならない。

そうして受けた事件の被告人が、再度事件を起こした時に頼まれることはよくあり、この小林昭二の事件もそのパターンだ。

嫌な事件をやって、なんとかよい弁護士の評価に振り向ける策は、昨日思いついている。

無罪を争う事件だとすれば、着手金六〇万は少ない。

報道によれば、被疑者の指紋が出ているともいう。もし無罪主張しても、成功することはほとんどないから、無罪による成功報酬は望めない。

被疑者の親は、親だから息子はそんなことをしないと信じているが、本人に糺《ただ》せば、きっと無罪主張はしないですむ事件だろう。できれば無期懲役くらいに収められれば大成功だが、そうなってもあの親では、減刑による成功報酬というやつも、事実上望めないかもしれない。受け取ることの出来る報酬の範囲で仕事をすればいい。

とりあえず、事務員にファイルを起こすことを命じて、次の依頼人を呼ばせた。

夕刻、岡村弁護士は県警本部の留置係に電話を入れた。

今日依頼されてもすぐには、面会に行けない。それにこういう難しい事件では、弁護士が面会に行っても、警察から「捜査の都合で今は面会できない」と断られることが多い。刑事弁護の委員会に所属している弁護士のなかには、弁護士接見（面会）の権利は、「捜査の便宜」より優先するはずだと言って警察と喧嘩をする者もいるが、自分はそういうことはしない。

無駄足を避けるために、あらかじめ面会を申し込んでおけば、まあ二〜三日中には多少の面会時間を作ってもらえるのだから、それを待てばいい。なにしろ弁護士は、時間はいくらあっても足りないくらい忙しいんだから。

「ア、留置係ですね。私は弁護士の岡村勇です。そちらに留置されているコバヤシショウジに面会したいので、ご都合を聞かせてください」

コバヤシショウジの名を言うと、電話の向こうから緊張した空気が伝わってきた。やはりこの事件は大きい事件なんだと実感する。

「先生、お名前をもう一度お願いします」

「オカムラ・イサムです」

「お待ちください」

長いこと待たされた。

「もしもし、お電話替わりました。刑事部の長谷川です」

やはり、留置係で接見させるかどうかをきめられない事件なのだ。面会を含めて、被疑者の取扱をする担当部署である留置係ではなく、取調べをする刑事部の刑事が面会のことを一切取り仕切っているのは、被疑者の自白がまだ十分取れていないことを物語っている。

「先生が小林昭二にお付きになるんですか」

「はい。親からの依頼で弁選を取りましたんで」

「弁選」とは弁護人選任届である。

「ご苦労様です。被疑者は今現場検証に立ち会っておりまして、午後には地検へ押送でまだ身柄がこっちに帰っていませんので」

「そうですか。すると明日は勾留質問で裁判所ですな」

「お察しの通りで」

明日は被疑者に勾留をつけるかどうかを判断するために、裁判官に面会させる日だ。

捜査本部は、担当の滝川検事と話し合って、明日の勾留請求は間違いなくとれる「窃盗」容疑だけで取ることにしてある。カバンから指紋が出ていることだし、被疑者もこの罪状は争わないだろう。

裁判所としても、窃盗容疑なら、被疑者の身柄を、まずは一〇日、拘束するように命令する「勾留決定」は間違いなく出すから、その一〇日のうちに、身代金目的誘拐、殺人の完全な自白を取って、その被疑事実でまた一〇日の勾留を取る。勾留は「取調べ未了」で延長できるから、合計三〇日の十分な取調べ時間が確保できる。この三〇日の間は、弁護士に邪魔されることなく、自白を取れれば最高なのだが、近頃は弁護士会が当番弁護というのをやりはじめて、私選弁護人を頼めない被疑者にも、逮捕後すぐに弁護士がつけられることになってしまった。うるさい弁護士がついたりすると、こっちの仕事に多大な妨げになる。

長谷川刑事は、弁護士が「それでは裁判所で面会します」と言うのではないかと恐れた。勾留質問に来て裁判所の仮監（連れてこられている被疑者が仮に収容されている場所）の面会室で面会させるのは裁判所の許可できまり、警察は口を出せない。平井取調べ主任が、今の段階で被疑者を弁護人に会わせたくないのは補助をしている長谷川にももちろん良くわかっている。

しかし、

「そうですか、明日はだめとね。はい……」

この弁護士が、明日は被疑者面会はできないこととして、話を次に進めたので長谷川はほっとした。

「そうですか、そうね、明後日は私のほうがちょっと差し支えるので、接見はその後になりますが、しあさって以後では面会はいつできますかな」

弁護士が面会を急いで強く交渉してくるタイプでないことに長谷川はいよいよ安堵した。

今、まだ完全な自白がとれていない段階で、被疑者を弁護士に会わせることは、自白を撤回させることになる危険がある。

なるべく時間稼ぎをして、弁護士接見をあとに延ばしたい。

ただ、この弁護士は、今の問答からだけでも、被疑者に自白の撤回を強く勧めるタイプではないと、長谷川は判断した。運がいい。こういう相手には宥和《ゆうわ》政策で臨むのがいい。

「先生、申し訳ありませんなあ、今取調べの責任者が留守でして、自分では予定がよくわかりませんのですよ。ご承知のように、引きあたりの検証などはもとより、取調べの予定も、判例では接見を延ばしていただく正当な理由に認められておりますので」

「よくわかっています。ですからお電話したのでね。じゃ、責任者の方がいらっしゃる時にまたお電話しますわ。なんとおっしゃる方で？」

「申し訳ないですなあ。平井警部です。よろしくお願いします」

長谷川は受話器に向かって何度も礼をした。

19　母の死

　翌五月二二日、平井警部は、被疑者小林昭二の勾留質問のための地裁押送に付き添った。その日も、特別押送にした。昨日の地検押送とは違って、今日は、時間的には午前九時過ぎに県警本部を出る一般押送の車で不都合はないのだが、それだと取調べ刑事が同行することができない。車で数分もかからない地裁だが、乗用車に刑事三人が同乗して県警本部を出た。小林昭二を両側から挟んで刑事二人、腰縄を持った伊藤と、今日は長谷川も後部座席に座り、平井は助手席に乗った。長谷川を同行させるのは理由がある。

　昨日の検察庁とは違い、裁判所と警察の関係は、警察で刑事が取った調書を事前にメールで送っておいて、自分たち警察官が取った員面調書を、検察官がほとんどそのまま検面調書に作り直す、という仲間同士の関係ではない。

　一応裁判官は中立なのだから、検事が作って出しておいてくれた「勾留請求書」につけてある証拠を吟味して、この被疑者に勾留をつけるかどうかを判断する、ということになっている。

もっとも、これは法律上の建て前で、たとえ被疑者が裁判官に向かって、警察で言ったことは嘘ですなどと言い出したりしても、だからと言って、勾留をつけないという「却下決定」をするような裁判官は、昔はいたと聞いているが、今はいないから、基本的には安心していてよいのだが。

今日の勾留は間違いなくとれる「窃盗」容疑だけで取ることにしているので、勾留請求書の「被疑事実」には、美加のカバンから四千何がしかの金を盗んだことだけしか書いていない。カバンから小林昭二の指紋が出たことは、鑑定書もつけてある。被疑者もこの罪状は争わないだろう。

だが何しろ、この被疑者の取調べは、すんなりはいっていない。犯行の中心になる殺人行為の犯行日時が当初自白を取った一七日の朝から、一五日の誘拐直後へと、大きく変わるなど、難しい事件だ。おまけにこの供述の変更は、平井が被疑者と格闘してようやく自白を取ったあとで、上司から突然言われた。そのために、いったん巻いた供述調書を巻きなおすことになって手間取り、脅迫行為や身代金の受け渡しのところは今日の勾留質問までにまだ全く取調べができていない。固めていないのだ。

裁判官が「被疑事実」以外のことを被疑者に質問することはないはずだが、あの野郎が突然、「殺したりしていないです」なんて叫びだすという事態は避けたい。

勾留質問で被疑者がどう述べたかは、通常の記録には入れられないが、やはりここはすんなり勾留質問を終っておきたい。

被疑者には、昨夜なだめ役の長谷川から、十分言い聞かせてある。

「いいか、小林。明日は裁判官のところへ行くんだ。明日は窃盗、お前が美加の財布から金を盗んだ件だけの勾留だ。お前は金を盗ったことは文句ないんだろう。

それでいいんだ。余計なことは一切言うなよ。前にも話しただろう。この事件にゃ指紋ていう逃れられない証拠があるんだ。それなのに変なこと言い出して、否認したりすれば、裁判官がどう思うか。情状酌量してもらえなくなるんだぞ。おれはお前を死刑にだけはしたくない。せっかく素直になったお前の命を助けたいんだよ。

いいか。よく考えて、情状酌量してもらえるように、素直になって裁判官の情けにすがるんだぞ。おれはお前を助けたいんだ。だから明日はおれは非番なんだけど、休みを返上してお前についていってやるんだ。わかったな。裁判官には素直にそのとおりですってだけ答えるんだぞ。おれは隣の部屋までついていってやるからな」

隣の部屋にいて、お前が裁判官にどう答えるか聞いているから、という脅しだ。そのうえ、被疑者が恐れている平井自身も一緒に来ている。

被疑者がこれまでの自白を翻すおそれはないはずだが……。

小林昭二にとって、勾留質問はこれまでに二度経験していることだ。

小さな部屋に背広姿のまだ若い男が一人だけいて、それが裁判官。その机の前に手錠を外された小林昭二は座らされた。

「これから、あなたに対する被疑事実を読みますから、聞いていてください」

ていねいな口調だった。

「『被疑者は平成一三年五月一七日、午前一〇時ころ、山梨県南都留郡鳴沢村……通称速水林道脇山林内において、同県南都留郡河口湖町……渡辺美加(一四歳)所有の学生カバン内より、同女所有の財布を取り出し、在中した現金四千数百円を窃取したものである』ということですが、間違いありませんか?」

「はい」

「何か、聞きたいこととか、言いたいことはありませんか?」

長谷川警部補から言われたのはこのことだとわかった。

(人殺しだと言われているけど、そんなことやってない。金は落ちているカバンから取っただけです)

言うなら今だということもわかっていた。

でも長谷川刑事も平井刑事も聞いている、そう信じている昭二には言葉に出せなかった。

もじもじしていると裁判官が言った。

「弁護士はどうしますか。……あなたはこの事実は認めているようだけれど、……念のために弁護士を頼んだ方がいいんじゃないかと思うけどね。頼みたいのなら、当番弁護士といって、お金を払えなくても、はじめの一回だけは無料で来てくれる人がいるんだが、頼みますか？」

裁判官も新聞やテレビを見ている。

このひよわそうに見える二六歳の被疑者に掛けられている容疑が、単なる窃盗ではないこと、すでに殺人を自白していることは、報道で十分承知していた。

今日の勾留請求の名目は窃盗だが、被疑者が誘拐・殺人の取調べを受けていることは、報道から察しがつく。つまり、この勾留は、いわゆる別件勾留だ。少し前までは、別件勾留は違法であり、そのような勾留請求は却下すべきだ、と考え、それを実行した先輩裁判官もいた。しかし、彼等少数派は孤立して、今ではほとんど絶えてしまった。

自分も、そんな波風を立てるような振る舞いをする気はない。

ただ、そのような重要な容疑で取調べを受けているこの被疑者に、当番弁護人を、通常よりやや強い言い方で勧めるくらいは、裁判官としてあまり突出したやりかたではないだろう。そのくらいはやっておこう。

裁判官の勧めに、小林昭二の首は、ひとりでにこくんとうなずいていた。

なぜそうなったのか、自分でもよくはわからない。

これまでの三件の窃盗事件で、弁護士という人が自分のために大変に役立ってくれたという記憶はなかった。

もしかして、とにかく自分は、警察官以外の人なら誰でも良いから、会いたかっただけなのかもしれないと、あとでこのときのことを振り返って昭二は思うのだった。

「じゃ、裁判所から弁護士会に連絡しておきますから」

立ち上がってお辞儀をして、部屋を出ながら、被疑者は、自分は刑事たちを怒らせることをしてしまったのではないかという不安に襲われた。

しかし、小林昭二の不安はそれほど当たらなかった。

帰りの車中、長谷川が皮肉っぽく言っただけだった。

「当番弁護士頼むなんて、小林よ、お前も一丁前なことやってくれるじゃないか。でもよ、お前には必要ないんだ。もう私選がついてるんだからな」

長谷川刑事は、昨日の夕刻、小林昭二の母親から選任されたという岡村勇弁護士から、接見の申し込みがあったことを、地検から帰ってきた平井主任に報告した。

「岡村勇か。良い弁護士がついてくれた」

平井は岡村をよく知っていると言った。

「あれなら大丈夫だ。当番弁護士がつく前にきまってよかったよ」

当番弁護士には、弁護士会の刑事弁護委員会などの委員をしている弁護士が多く来る。

被疑者との接見をやかましく要求し、事件が冤罪ではないかと目を皿のようにして探りたがる。この事件でそれをやられたら、とんでもないことになる可能性を秘めている事件だ。

「明日は弁護士のほうが都合が悪いそうで、主任の居られる時に、電話して接見させる日を決めるように言っておきました」

「よし、できるだけあとにさせよう」

平井主任と長谷川警部補の間で、昨夜そういう会話があったこと、だから被疑者が当番弁護士を頼んでも何の心配もしないのだということを、小林昭二はもちろん知る由もない。

ただ、なぜか思ったより怒られないことにほっとしただけだった。

平井はこのとき、長谷川に命じておいた。

「ただ弁選だけは届けさせとけ」

弁選＝被疑者がこの弁護士を弁護人として選任したということを届け出る「弁護人選任届」は、事件が送検され、まだ正式に起訴されていない今の時点では、検察庁に提出する。しかし平井刑事の勘は、それをとにかく早く手中にして、自分の方で被疑者に代わって検察庁に出すということをやっておいたほうがいい、とひらめいたのだ。

もっとも、この平井の勘が当たっていたことが、後にわかることになるとは、平井自身も予想だにしていなかったのだが。

翌日、県警本部の留置係に、弁護士バッジをつけた若い男が現れた。

「弁護士会の当番弁護で、昨日裁判所からの通知で、そちらに留置されている小林昭二に派遣依頼を受けた弁護士です。面会お願いします」

男はしばらく待たされた。働き盛りといった感じの刑事が出てきた。

「平井といいます。小林昭二に当番弁護で面会に来られた先生ですね。小林には昨日、私選の先生が付かれましたので。ご苦労さんでした」

起訴前の捜査段階での当番弁護、そして公判段階での国選弁護は、私選弁護士を付けられない被疑者・被告人のためだ。私選がつけば、任務がなくなる。

平井刑事は、余裕しゃくしゃくとその事実を告げたのだ。

相手は一瞬黙ったが、聞き返してきた。

「なんという弁護士ですか」

「………」

「弁護士会に報告しなければならないので」

「岡村勇弁護士です」

「わかりました」

当番弁護士は帰って行った。

(あいつでなくて良かった)

平井警部は幸運に感謝した。

(小林の親はまったくいい事をしてくれたよ)

岡村勇弁護士からの電話で被疑者接見の予約をしたのは、結局それから四日後だった。弁護士の都合と、警察の「会わせてもいい」という日時が、そこで折れ合えたのだ。

だがその前に事態は急展開した。


小林キミが死んだのだ。

山の畑で農作業中に死んだらしく、発見されたのはほぼ一日半後だった。

小林家の畑は、家のそばの小さな畑と、先代が山を開墾して作ったやや広い「山の畑」の二箇所がある。

家のそばの畑では、自家用にする雑多な蔬菜《そさい》類を作り、「山の畑」では、この土地の特産である大根とキャベツを作って、農協に出荷し、僅かだが現金収入を得ていた。

昭二の事件で、キミは一人で奔走して、三日続けて慣れない警察や弁護士事務所、金融機関へ行って、疲れきって帰ってから家事をこなしていた。初夏のこの時期、畑は雑草がたちまちはびこる季節だ。普段でも女手一つで追いつかない草取りの作業が、数日遅れては作物が負けて、キャベツは型崩れして、売り物にならなくなる。預金のほとんどをはたいて弁護士に払ってしまった。キャベツが売れなかったら、無一文だ。

夫の定次は、農作業を手伝わない。「おれが百姓んなったら、左官やめたことんなる。人が左官の仕事頼まなくなる」これが口実だった。若い頃には兼業でやっていたことは忘れたようだ。

弁護士事務所と県警への差し入れに行った翌日、キミは大儀な体をおして、山の畑に向かった。

キミは「山の畑」に行く時はリアルタイムを運転していく。坂道もある四キロほどの距離だし、農機具も持っていかねばならない。しかしそのリアルタイムは、昭二が逮捕された日に押収されて、警察に持っていかれてしまった。キミは仕方なく自転車で畑に向かった。坂道を登る力がなく、自転車を押していく姿を、近くの農婦が見たのが生前の最後の姿だった。

朝自分が寝ているうちに出て行ったキミが、夜になっても帰らないので、夫の定次はまず、腹を立てた。また昭二の面会に甲府へ行ったと思い、夕飯の時間なのに食事の支度もしないと独り言で文句を言った。しかし夜が更けるとさすがに心配になった。とは言っても、何も手を打つことも思いつかない男でそのまま翌朝を迎えて、やっと、キミが付き合っている近所の農家の主婦に「おらとこのおっかあはきてないかね」ととんちんかんなことを聞きに行った。昨夜このことを考えないわけではなかったのだが、息子がとんでもない事件で逮捕されて以後、普段でも付き合いが少ない小林の家では、近隣の眼を避けるように暮らしていた。定次なりに、その家に行くのも気が引けていたのだ。

昨夜から帰らないと聞いて、その家で警察に届けた方がいいと勧められた。警察は嫌だとぐずぐず言っているので、その家の主人が警察に電話した。警察では事情を聞き、甲府の県警本部に、昨日小林キミが面会に行ったかを問い合わせ、来ていないそうだ、他に心当たりはないのかと言われた。

「山の畑じゃないかね」とその家の主婦が言い、軽トラックで見に行ってくれて、キャベツ畑の中でこと切れているキミを見つけた。抜いていた草を手に握ったままだった。

死亡診断書は急性虚血性心不全、キミが息切れがすると言っていたのは、だいぶ前からだったが、医者にかかってはいなかった。

生来丈夫な体ではなく、夫の定次が手伝わないので、一人で農作業と家事をこなして、慢性的な過労状態だったところへ、昭二の事件で心労と無理が重なったのだ。

近隣者から警察に捜索依頼の電話がされたことから、キミの死亡は県警本部にすぐに知られた。

平井警部は自分の勘に感謝した。この日朝一番で、岡村弁護士事務所に電話して持ってこさせたキミ名義の弁護人選任届を検察庁に届けた後だった。

もし届出が遅れていれば、死者の選任ということになって、効力が争われる。

あの当番弁護と言ってきた若い弁護士に弁護人になられてはやりづらい。この事件でおれはなんとついていることか。

小林キミの急死の報せに、東京から駆けつけた長男の定一は、母親が「自分の葬式費用を出してほしい」と頼んで、昭二のために弁護士を依頼したのは、虫が報せたのかと言って泣き、さすがに定次も涙をこぼした。

「ぼろにくるんで墓の隅に」とはまさかいかなかったが、葬式は家人だけで、最低限の費用で行なわれた。

村では、次男のとんでもない犯罪を苦にして自殺したという噂がささやかれた。

葬儀の翌日、数名の警察官が小林定次方へ来た。

「お父さん。おっかさんがとんだことだったたな。そんなとけえ悪いけんどよ。こういうことで来たんだ」

見せられた書類には「捜索、押収令状」と書かれていた。

「なんだね。また」

「いや、昭二の事件でよ、悪いけんどもう一度、捜索させてもらわなきゃなんないんでさ」

「なんでかね」

「いやちょっとよ、それは捜査の関係で言えないんだが。じゃ、はじめさせてもらうから」

警官たちは有無を言わせず上がり込んで、また家の中をひっくり返して探した。たんすの中から、衣類を引き出す警官に、定次は抗議した。

「その下着はおれんだぞ。なんでおれのもんまで……」

「いや、おとうさんのもんだかどうかは、おれらにはわかんないから」

「だからおれが言ってるんじゃないか。それはおれのだ」

「いや、そう言われてもわからないからさ」

「本人が言ってるんだ。そんなに何もかも持ってかれちゃ、着るもんがなくなる」

「お父さん。これは裁判所の命令なんだ。さっきの紙に書いてあったろ。それから昭二が事件の前ころ新しく買ったケイタイどうしたかね」

「知らねえ。そんなもん買ったか、買わないか知らんが、おれは見てねえ」

警官たちは、結局またそのケイタイを見つけることはできず、段ボール箱三杯に衣類を詰めて、またあの「押収品目録交付書」を残して引き上げていった。

20 死刑判決

留置場は情報の闇だ。

外界からの情報は面会に来る外来者から入るだけで、小林昭二のように、家族との接見をさせられない留置人は、世の中で何が起こっているのか、全く知ることはできない。たとえ親が死んでも、警察側から知らされなければ、知らないままなのだ。

だから、小林昭二は、母親が死んだことを、もし警察から知らされなければ、もしかしてずっと、すくなくともこの日に知ることはなかった。

キミ死亡の第一報が県警の捜査本部に入ったのは、五月二三日の午後二時近かった。

小林の事件の取調べ主任である平井警部は、母親の死を、直ちに被疑者に伝えるべきだと判断した。捜査本部の幹部会に諮《はか》って了承された。

この初老の農婦が、息子の無実を信じていることは逮捕の日に差し入れに来た時の取調べでわかっている。学問も社会的な知識も皆無だが、捜査にとってはうるさい存在だ。

被疑者小林昭二が父親とは上手く行っていないことは近所に聞き込みをして調べがついて

いる。兄は所帯を持って東京にいて、ほとんど帰ってこない。昭二のただ一つの支えは母親だ。支えが外れることは、捜査官にとっては仕事がしやすくなる。

「お前に辛《つら》いことを言わなきゃなんないんだが」

取調室の机を挟んで背中を丸めて座っている小林昭二に平井が切り出すと、被疑者はまたどんな糾問を受けるのかと怯えた眼になった。

「おまえのおっかさんが亡くなったんだ」

ずばっと言うと、昭二は一瞬何が起こったかわからないようだった。

「今日、山の畑で倒れているのが見つかった。心臓麻痺だそうだ」

「………」

「葬式の日取りはまだ決まってないってな」

「………」

「お前、聞いてるのか？　おっかさんがな、死んだんだ」

被疑者は一瞬、この世のものとも思われない恐ろしい形相になった。

そして次の瞬間、平井警部は被疑者の全身が白くなったように感じた。

小林昭二は棒になったようにのけぞって椅子から床に転げ落ちた。

警察医が呼ばれて、脳貧血だからしばらく休ませるようにと言い、被疑者は留置場の独房に横たえられた。

平井主任は留置場の看守に、この被疑者から目を離すな、逐一動静を報告しろと命じ、看守は留置人小林は、物も食べず、寝返りも打たず、眼を見開いたままで、叱り付けても反応がないと報告してきた。夜が来ても、ほとんど目を閉じていないという。

二日目になり、平井は被疑者を取調室に連れて来させた。

長谷川と安東が留置場まで迎えに行って両脇を抱えて連れて来たが、ぬいぐるみの人形のようにだらんとして無表情な被疑者を見て、取調べの再開は無理だと判断せざるを得なかった。

勾留を取って、時間はたっぷり出来たと思ったのも束の間、とんだ事態になった。母親の死を告げたのは間違いだったたか。平井警部は焦った。殺害の実行行為の供述は取ったが、脅迫電話や身代金受け渡しの指示など、犯行の流れがほとんど取調べできていない。

とりあえず滝川検事に事情を話して、取らないつもりだった窃盗事件の勾留延長もとってもらう手はずにした。取調べに使える期間は合計で四〇日ということになる。

取調べが再開されたのはそれから五日目だった。

ほだし役の長谷川刑事が、昼間は取調室の床に毛布を敷いて被疑者を寝かし、温めた牛乳を飲ませたり、うどんを食べさせたりして幼児にするように世話すると、被疑者は大声で泣くようになり、人間の顔つきが多少戻ってきた。

しかし刑事たちを困らせたのは、取調べで何を「向けて」も、被疑者はすべてにうなずくばかりで、手ごたえがまったく感じられないことだった。

平井は内心恐怖に近いものを感じていた。

足を踏み込むとどこまでも沈んでいく底なしの沼のように、抵抗の全くない被疑者から供述調書を取るというのは、恐ろしい仕事だった。

「自分の口で言え！」

怒鳴りつけると、先刻平井の言った言葉がそのまま、たどたどしくその口から出てくる。

悪い夢でも見ているようだと平井は暗澹《あんたん》とした。

もしかして、こいつは何も知らないのかもしれない。まさか殺しをやっていないなんてことがあるとは思えないが。

それは恐ろしいことだ。もしこの被疑者が殺しも誘拐もやっていないとしても、被疑者を逮捕し、多数の自白調書を積み重ねて、その都度マスコミに自白の内容を発表し、誘拐と被害者の殺害はこの被疑者の犯行だということで固まっている。それをしてきた警察が、この期に及んであの調書はみんな嘘で、被疑者は無実だなどと言い出すことは、天地がひっくり返ってもできないことなのだ。

平井刑事は泥沼の感覚に襲われるたびに、初期の調べで、自分が「美加の体にお前の指紋がついてるんだ」とカマをかけた時に、この被疑者が示した強い反応、あのたちまち顔色を失った動揺ぶりを、意識して思い起こした。

あの時の「こいつは殺ってる」という勘。自分がそれに生涯をかけている取調べ刑事としてのクロの感覚を振り返って確認した。

こいつがやってることに間違いはないんだ。ただ、母親への依存が強すぎて、その死のショックから呆けているだけだ。

取調べというものは、いつでも、どんな取調べでも、取調官の主導によって運ばれる要素を否定できない。被疑者は忘れることも、思い違いをすることもある、それを筋道を立てて問いただし、あったことを警察や裁判所が納得できるように、調書の中に再現してやるのが、取調官の役割ではないか。

時間はどんどんなくなっていく、痴呆になったような被疑者に犯行の一部始終を思い出させるのは無理だ。自分が考えて道筋をつけてやらなければ。

取調べが再開されてから三日目に、平井刑事は被疑者に接見に来た岡村弁護士を、接見させる前にまず刑事部屋に呼び込んだ。

「しばらくですね。岡村先生。今度はまた大きな事件を引き受けられて」

「いや、前の窃盗事件の時の腐れ縁で、母親に泣きつかれちまいましてね」

「その小林の母親が死んだのはご存知で？」

「いや知りません。知りません。死にましたか。あの母親がねえ」

「小林はよっぽどマザコンだったようでね。それで死んだと聞いた時に倒れてね。それからこっち、魂が抜けたみたいで、取調べに困っているんですよ」

打ち明け話をして見せてから、取調主任は、本題に入り、この私選弁護士に、被害者のカバンからの指紋の検出から、被疑者のこれまでの自白内容までのあらましを、納得させるためにていねいに話した。

途中で長谷川刑事が気を利かしてお茶を持ってきて、岡村弁護士はぺこぺこ頭を下げた。

「いやあ　恐縮ですな。こりゃあ」

話し終わると、被疑者の弁護人から、平井刑事が期待したとおりの答えが返ってきた。

「そういうところだと思っていましたよ。いやお聞きしてよかった。素直になってすべて、その要領よくですな、お話しするように、私からもよく言いますよ」

接見室で俯《うつむ》いている被疑者と向き合った弁護士は言った。

「指紋が出たんじゃ仕方ないよな。示談はむりだな。相手は億万長者だ。きみが払える金では桁が何桁も違う。どうにもならん。刑事さんたちに逆らわないようにして、裁判ではちゃんと非を認めて、裁判官の情にすがるしかないな」

取調べは再開されたが、被疑者の状態以外にも、難しいことは、いろいろあった。

被疑者から殺人の自白が取れたあと、この事件の捜査の一番のネックは被害者渡辺美加の母親の美貴子が聞いた身代金要求の電話の声が「中年の声」だということだ。

捜査本部内部には、被疑者小林には、中年の共犯者がいたという見解が根強くあった。五月一六日の身代金受け渡しへの指示は、知能に優れた、冷静な犯人にしか出来ないことで、けちな窃盗の前科しかない小林昭二に出来る芸当ではない、という説だ。

もう一つの説は、あれは小林が声色を使って電話をかけたのだ、身代金受け渡しへの指示は、映画「天国と地獄」がヒントで、映画を見た者が、この土地の地形に当てはめて計画すれば、それほど非凡な犯罪ではない。たまたま非常に巧妙に仕組まれたように見えたのは結果論で、偶然そうなっただけだ、というのだ。

平井は当初、どちらかというと共犯者存在説だった。智恵も度胸もあるとは思えない小林が、たまたまマウントフジ・ゴルフ倶楽部に恨みを持っていたことを、共犯者に話して、共犯者が金目当てで犯行の計画を立て、殺しという単純な部分を小林が、身代金の要求と受け渡しの指示という知能面で難しい部分をその男が受け持ったと考えたのだ。

しかしどのように洗ってもその「中年の共犯者の影」は捜査線上に浮かんでこない。二六歳の無職のチンピラと、どんな経歴、職業かはわからないが、頭のいい中年男の接点は、どこにあったのか。

捜査本部会議では、マウントフジ・ゴルフ倶楽部の客という推理と、パチンコ屋かなんかの知り合いじゃないかという説が出て、その両方をかなり入念にあたったが、成果は全くなかった。

ゴルフ倶楽部の客という線は、キャディならともかく短期間アルバイトの芝刈り作業員が、ゴルフ客と親しくなる機会はないことが倶楽部への捜査ではっきりした。パチンコ屋の線は、小林昭二はパチンコにはなじみがなく、行くのはゲームセンターで、そこは想定されている知能犯の中年男が出入りするとは思えない子どもの遊び場だった。

それでも聞き込みの捜査員に小林の写真を持たせて何日も聞き込みをさせた。「この若者なら時々来ていた。でも中年の男と話をしていたとかは見たことない」というのが聞き込み相手の一致した答えだった。

残るところは「声色」だ。

まず、県警本部長から渡辺恒蔵に特別に話をつけてもらい、ようやく退院した被害者の母親の美貴子に甲府まで来てもらい、取調室のドアを開けて、その蔭に座ってもらって、取調べ中の被疑者の声を聞かせたが、被害者の母親は、これは全然違うとはっきり否定した。

そこで次に、事件発生日に盛田県警本部長に随行した刑事が、渡辺美貴子から聞き取って調書にした「犯人の言葉」を、小林昭二に「中年の声」で言わせて見た。何度も怒られ、泣きべそをかきながらの練習のあとで録音したその「声」を、渡辺美貴子に聞かせたが、やはり全く違うと言われた。

五月一六日の「受け渡し指定日」に犯人からの電話を取り次いだ、あのホテル・ハイランド・リゾートの女性従業員にも同じように聞かせたが、違うと思うと言われた。

しかし、捜査には日限がある。四〇日あるといっても、警察の調書が出来さえすればいいのではない。警察の調書を仕上げて検察庁に回し、滝川検事が仕上げの「検面調書」に巻きなおして、他の捜査結果と合わせて起訴状にまとめあげ、裁判所に起訴の手続を取るところまでを四〇日でやらなければならないのだ。

最も破綻の少ないのが「声色」説だ。この事件では、犯人がその日に実際に出した声は録音されていない。被疑者が取調室でたまたま出した声色が、渡辺美貴子やホテル従業員の聞いた声色と同じでないことはありうるし、こうした証人の記憶も単なる記憶だから、絶対とは言えない。捜査本部の会議はそういう結論になった。

犯人の声が録音されていなかったことが、小林昭二にとっては大きなマイナスになった。もし録音されていたならば、どんなに声色を使っても、声紋鑑定で別人であることが明らかになったはずだった。

共犯者はいなかった。あれは小林昭二の声色であった、という線で調書はまとめられ、それがその後の確定的な捜査方針になった。

五月一六日の身代金受け渡し日の調書作りは、「声」の問題に比べれば、比較的容易だった。犯人の行動は、ほぼ分刻みでわかっている。わかっていなかったのは犯人のその時々の所在場所だったが、いずれもリアルタイムに乗って、指定の午前一一時にはハイランド・リゾート付近の路上から、美貴子を乗せた「タクシー」がレストランに入るのを確認して、一般道路を使って、身代金投下を指示することを計画していた中央道の笹子川との交差点方面に向かい、途中でホテルの受付にケイタイ電話から電話し、渡辺美貴子を乗せた「タクシー」が花咲トンネルに入る寸前をねらって美貴子の持っている渡辺恒蔵のケイタイにメールを打った。そうしながら移動を続けて、身代金投下の時点では高速道路下の川原にいられる位置に行った。

という確定している事実と矛盾のない公道上の位置と設定すると、その位置は時刻ごとにほとんど特定される。

この事件では、犯人の電話が少なく、警察が事件を知った後には意表を突いたホテルのフロントへの電話以外には一回のメールしかなかったために逆探知はできていない。そこで、この捜査本部が特定した位置からの携帯電話の通話テストが行なわれ、成功した。その位置に被疑者を「引きあたり」して、「この位置で、……をしたことは間違いありません」という調書を取る。

取調べ班の調書はこの犯罪のすべての経過が整然と記述された立派な仕上がりに出来た。

遅れていた法医学者林喬一教授の解剖鑑定書も、度重なる督促の結果、起訴の日限を三日後に控えた日になってようやく電話があり、捜査員が車で神奈川までとりに行った。

通常なら、鑑定書は、起訴後、第一回公判期日が決まってからでも、検察官が「証拠関係カード」に記入するのに間に合いさえすればよいのだが、この事件では、死体見分書の作成を、教授の鑑定書に合わせるべく沖田警部をキャップとする捜査本部鑑識班が待機したまま待っていた、という特殊事情があったのだ。

被害者の死亡推定時刻の一件は、万が一にも齟齬《そご》があってはいけないという捜査本部長の方針で、起訴状作成前に入手するように、固く指示されていた。

そのために、なぜこんなに急がされるのかと不機嫌な林教授を、捜査副本部長が日参して拝み倒す形で、急がせた。

そうして得られた鑑定書を一々の項目ごとに慎重に参照しながら、鑑識課員の沖田正利は徹夜で死体見分書を完成させ、林鑑定書の翌日の日付で、本部に提出した。

その次の日、小林昭二に対する身代金目的誘拐・殺人・死体遺棄・窃盗事件の起訴状は、二つの勾留決定をいずれも延長した合計四〇日の勾留の満期日の前日である六月二九日に甲府地方裁判所に提出された。

起訴状提出の報告を受けて、県警本部長の盛田克行は、被害者の父親である渡辺恒蔵に電話をして、林鑑定書、沖田作成の警察の死体見分書のコピーを持参して美加さんにお線香を上げて報告したいと言った。

相手はただ「ああ」と言った。

盛田が「金御殿」に入るのは、あの誘拐事件発生の夜以来のことだった。別に掃除が行き届いていないというわけではないのだが、盛田には、なぜか邸内は寒々として荒れていると感じられた。

盛田はまず巨大な仏壇の中に飾られた美加の写真に線香を上げ、長い時間合掌した。解剖鑑定書と死体見分書のコピーを出して死亡推定時刻が、被疑者の自供と一致して、五月一五日の夕刻であることを説明した。

渡辺恒蔵は一言も発しなかった。その無言は、渡辺が盛田の説明に納得してはいないこと、しかし、それを違うと言うこともできないことを示していると盛田は感じていた。

ただ、少なくとも、渡辺恒蔵のあの激しい怒りは、焦点を奪われ、出口を失い、そして勢いを失った。内部ではまだ強く渦巻くやり場のない怒りを、無言という形で示している相手と向き合っているのは、居心地の悪い時間だった。しかしこれを耐えれば、危険は遠のくのだと盛田は自分に言い聞かせて、この被害者の父に丁重に対応した。

一通りの説明をして「またこれから本部に戻らなきゃならないんでね。因果な仕事だ」と嘆いて見せて席を立った。玄関に向かって歩きながら言った。

「あ、一と月か、もう少し先になるか、裁判が始まる。被害者の家族の傍聴席は確保させる。……それと、今は被害者の意見陳述という制度ができて、裁判所に家族の思いのたけを聞いてもらえるようになった。どうする？　やるなら検事に言って手続を取らせるが」

相手はやはり無言だった。

「いや、なに、今決めなくてもいいんだ。その気になったら、いつでも電話をもらえば」

玄関でふと気づいた。

さっき茶を持ってきたのは手伝いらしい女だった。

「奥さんは、まだ具合が良くないの？」

自殺を図って手首を切り、葬儀の時には入院していたが、もうあれから一と月半になる。

「実家に帰っている」

予期しない答えだった。盛田はとっさに、

「そう、病後は実家が一番だからね」

世慣れた挨拶を言って、なんでも必要なことがあればするからと繰り返して金御殿を出た。公用車のシートに深く身をうずめて、盛田は危機を切り抜けた安堵感とぬぐいきれない後味の悪さとを噛み締めていた。


小林昭二に対する身代金目的誘拐・殺人・死体遺棄・窃盗事件の第一回公判は、夏休みが終った九月一一日に開かれた。

傍聴席は記者クラブ加盟の記者用の席はもとより、競争率一〇倍以上の抽選となった一般傍聴席も満員だった。

被害者家族のためにリザーヴされた席に、渡辺恒蔵と美貴子の姿があった。被害者の父母。父に比べて母が若すぎるとはいえ、並んで席に着く姿は普通の夫婦に見えたが、実は美貴子はただこの日のために、東京からここへ来たのであり、この公判が終ったら戸籍上も離婚届けをすることで、渡辺恒蔵との間で話し合いがついていた。

起訴状朗読が型どおりに行なわれ、まず傍聴席がどよめいたのは、裁判長から罪状認否を求められた被告人がただ「はい」と答え、弁護人が大きな声で「すべて間違いございません」と答えた時だった。

四か月前、誘拐された少女が死体で発見され、報道協定が解除されると、各メディアは一斉に多量の報道を繰り広げ、その中では「有識者の談話」として、犯行の巧みさから、これは警察捜査を知りぬいた恐らく中年の知能犯だという説が有力だった。その犯人像の推測が直後の犯人逮捕で、見事に否定された。犯人が、二六歳の窃盗歴しかないチンピラだったことは、なんとなく割り切れない後味の悪さを残したままだった。

それは、第一回公判の「罪状認否」で被告人が「私はやってない」と叫ぶのでは、という幾分かの予測を引きずっていたのだが、それが否定されたのだ。

認否に続いて検察官が冒頭陳述のあと「以上の事実を立証するために、証拠関係カード記載のとおりの証拠を申請します」と言い、裁判長が弁護人に「ご意見は」とうながし、弁護人が答えた時、記者席から再び押し殺したどよめきが上がった。弁護人は検察官が申請したすべての証拠に同意したのだ。

これだけの重大事件だから、そして事件発生時に報道された犯人像と、逮捕された被疑者の人物像があまりにも食い違っていたことから、公判は波乱含みと見られていた予測も裏切られて、被告側は事件を全く争わないことがこれで決定的になったからだ。

被告側があっさりと検察官証拠に同意したので、直ちに証拠調べが行なわれたが、検察側の書証がつぎつぎと「要旨陳述」されていくだけだったから、傍聴席の渡辺恒蔵にも美貴子にも、ほとんど意味がわからなかった。

ほぼ一か月後の一〇月九日、第二回公判が開かれ、証言台に立つことを断った被害者の父親である渡辺恒蔵の証言に代えて「極刑を望む」という供述調書が、その部分だけは文字通り読み上げられた時、隣に座っている美貴子はうつむいた。県警本部に連れて行かれ、「犯人の声」を聞かされたときから、なぜかわからないが取り返しのつかないことが進行していると感じていた。そして自分は何もできない。美加の命を助けるために何もできなかったように、また何もできない。

検察側立証はこうしてあっけなく終わり、裁判長から弁護側立証をうながされた岡村弁護人は大きく、場違いに明るい声で、

「被告人質問をほんの二〜三分だけ」

と答えた。

記者席からまたも小さなどよめきが上がった。死刑判決もありうるこれだけの重大な犯罪で、たとえ事件をすべて認めるとしても、被告人の死刑判決を避けるために、できるだけ多くの「情状証拠」を出すのが、弁護の常識ではないか。

「では、今日できますか？」

裁判長の問いに、弁護士は「はい」と答えた。

「では被告人前へ出なさい」

裁判長にうながされても、意味がわからないかに見えた被告人を廷吏が立ち上がらせて陳述台の前に立たせた。弁護士は声を張り上げた。

「きみはね。こんなとんでもない事件を起こしてしまって、今はどういう気持ちでいるんだね？」

法廷中が静まり返って、被告人の言葉を待った。しかし声は聞こえてこなかった。

「被告人、弁護人の質問はわかりましたか？」

裁判官が問い直した。

それでも被告人は無言だった。弁護士は一層声をはりあげた。

「なるほど、一言もないというわけだね。では、この法廷にいらっしゃっている被害者のご遺族にお詫びしなさい。裁判長、被告人に、後ろを向いてご遺族にお詫びすることをお許しください」

被害者の父母は、遺族の意見陳述は申し出なかったが、毎回傍聴席を取ってもらって法廷に来ていることは裁判官もわかっている。壇上の三人の裁判官は互いに相談し合って、裁判長が言った。

「検察官のご意見は」

「前例がないと思います」

「いや、その、発言がいけなければですね、お詫びの礼をさせるだけでよろしいので、何とかお許しくださるわけには参りませんでしょうか」

「まあ、いいでしょう礼だけなら、事実上やってる例はありますから」

検察官は微苦笑して言った。

「さあ、きみ、傍聴席の方を向いて深く礼をしなさい。お詫びするんだ、な、お詫びを」

被告人は廷吏の介助を受けて傍聴席に向き直って、精一杯頭を下げた。

「終ります」

弁護人の高らかな声がまた法廷いっぱいに響いた。

あれほどマスコミを賑わせた山梨少女誘拐殺人事件の実質的な審理は僅か二回で終った。

第三回公判は、検察官の論告準備のため二か月余の間隔をあけて、一一月二〇日に開かれた。

検察官の論告は、証拠を細かく引用しながら、被告人の理不尽な身代金要求、残酷な人質殺害、そのうえで被害者の親心につけ入って身代金を奪おうとした行為は人間として許せない、と断じた。

「このような人間としてあるまじき犯行には、極刑以外ありえないと思料いたします。被害者の遺族もそれを望んでおります。被告人は、犯行後も、遺族に対して何ら謝罪の行為をすることなく、本法廷でも、弁護人にうながされても、一言のお詫びの言葉も口にしないという、考えられない態度をとっておるものであり、反省の態度は全く見られません。かような次第ですから、相当法条適用の上死刑のご判決を頂きたいと思います」

予想どおりとはいえ、死刑の求刑に傍聴席はざわめいた。

「弁護人、弁論は今できますか？」裁判長の問いに、

「はい、もちろんでございます」

弁護士は立ち上がって、大声で述べ始めたが、その内容は、検察官の論告を不正確に短くしたようなもので、司法記者席から失笑が漏れた。最後に弁護士は一段と声を張り上げた。

「と、このようなたぐい稀な犯罪と言える本件ではありますが、法にも情けというものがございますでしょう。このような犯罪を犯した被告人にも、どうか法の情けによって、死一等を減じてくださいますよう、弁護人岡村勇、心よりお願いするものでございます」

弁護人は汗を拭きながら座った。

「被告人、最後に何か言うことはありますか？」

裁判長の問いかけにも、被告人は答えなかった。

「カバンの中からお金を盗んだだけで、殺したりしていない」ということを言える時期はもうはるか遠い昔に組み込まれているのだということが、無知な被告人にも肌で感じられた。

そのうえ、小林昭二に、岡村弁護士は、裁判官からこう聞かれたらどのように答えればいいと教えてくれていなかった。前の二回の裁判では、示談が出来ていたので、裁判官から、二度と盗みをしないように努力できますかと聞かれて「はい」と答えたのだが、この裁判官は「二度とやらないか」とは聞いてくれなかった。長谷川刑事から繰り返しいわれていた「裁判官の情けにすがる」ということは、どのように何を言えばいいのか。「最後に言うこと」と急に言われても、どうすればいいのか、とっさにわからなかった。

被告人の沈黙の時間、傍聴席は静まり返って、その何秒かが過ぎるのを待った。

裁判官がその沈黙にけりをつけた。

「ではこれで結審します。判決言い渡し期日は追って指定。検察官、弁護人は裁判官室へ来てください」

裁判官はこのあと、裁判官室に来た弁護人に、被告人は精神に問題があるのではないか、精神鑑定を申し立てるかと尋ねたのだった。同席した検察官は必要ないと強硬に言い、そして弁護人も、当然のようにそれに従った。

「いやなに、とんでもないことをやらかしてしまって、あれはあれなりにショックを受けているだけでして、元はと言えば気の小さいやつですから。母親が急死しまして、それで気が抜けたようになってもおるようです」

饒舌な弁護人に検察官が言った。

「岡村先生は、小林にお付きになるのは三回目だそうですね」

「はい、これまでの二回は単なる窃盗でしたがね」

検察官の言葉にうなずく弁護士を見て、裁判長は被告人のあの態度は刑事責任の判断に関係する心神の異常ではなく、性格の問題、それに母親の死のショックに過ぎないとして判決を書いてよいと判断した。

判決期日はほぼ一か月後、年末も押し詰まった一二月二五日に指定され、求刑通り、死刑判決が言い渡された。

その瞬間、被告人の後姿が大きく身を震わせたのが、傍聴席からもはっきりと見られた。

第二部

21　国選受任

二〇〇二年七月一六日、東京神田の小さな雑居ビルの三階にある弁護士川井倫明の事務所の電話が鳴った。事務員の持田とき子がさっと取った。

「はい、川井法律事務所でございます」

持田とき子は、四五歳で、雇い主の弁護士川井倫明より六歳年上だ。川井が前の事務所から独立して自分の事務所を持つ時、持田とき子は自分から希望してついてきた形だ。

「川井先生、商売下手だから、面倒見てあげないと破産するからさ」

そんな冗談を事務員仲間に言って、ローファーム（アメリカ式の大きな法律事務所）型の事務所から、一人事務所の川井の事務員になってくれたのだ。

「給料遅配するぞ」

川井は予め宣告した。

「だからさ、私が依頼人から取りはぐれないように目を光らしてあげるのよ」

その言葉どおり、事務所を切り盛りして、一応破綻ない事務所としての経営をしてくれている。川井一人だったら、とてもこうはいかない。

「先生、弁護士会の寄居さんです」

川井がパソコンから手を離して、内線ボタンを押して受話器を取ると、

「東京弁護士会の寄居です。先生、また無理なお願い。滞留事件です」

寄居真紀は、川井が所属する東京弁護士会の事務職員で国選弁護の係だ。

国選事件は、自分で弁護士をつけられない被告人のために、裁判所から、国費でつける事件だ。裁判所は、弁護士の推薦を弁護士会に依頼し、原則として推薦された弁護士を選任する。川井の所属する弁護士会では、依頼のあるごとに、国選受任の登録をしている弁護士から、必要数を「委嘱通知」をして呼び出し、呼び出された弁護士は、先着順で、当日分の多数の事件ファイルの中から、自分がやってもいいと思う事件を選ぶ。

ほとんどの事件がそのようにして一回の委嘱日で受任されていくが、難しい事件や、手が掛かる事件、あるいは世間の指弾が厳しい事件で、積極的な引き受け手がなく、何回委嘱に出しても残ってしまい、弁護士会に溜まったままになる事件が「滞留事件」だ。

あまり日がたちすぎると被告人の勾留期間が不当に長くなるので、寄居のような職員には、滞留事件の処理が一番頭の痛い仕事だ。

報酬の安い国選事件は、それでなくとも、腕がよく、私選の依頼が多数ある弁護士は敬遠する。

まして、人が嫌がる滞留事件でも、犠牲的に引き受けてもらえる弁護士、それも刑事事件に強くて、受けた仕事をきちんとこなしてくれる川井のような弁護士は、寄居にとって、頼りになる貴重な弁護士だ。川井が弁護士会に行くと、寄居真紀は、国選の用事で行ったのではなくとも、川井の姿を見つけて飛んでくる。

事件をきちんとやらないために、裁判所や、被告人からクレームが来てしまう困った弁護士のことなど、あれこれと喋ったり、とにかく川井と話をするのだ。

そんな寄居からの頼み。でも今回、川井は断った。

「だめだよ、今手一杯だよ。今度にしてくれないか」

「先生、お願い。どなたも先生がいないんです。もう二か月滞留で、限度なんです」

「だからってなぜ僕なのさ。ほかにも弁護士はいるでしょう」

「このところ、滞留事件が多くって、やってくださりそうな先生にはみんなお願いしたばっかりなんです」

「………」

「ね、先生、お願いします。もう滞留が長くって、私、裁判所に言い訳ができないんです」

「何の事件なの」

「控訴事件なんですけど、ほら、去年の暮れに一審の判決が新聞に出た、あの山梨の誘拐殺人事件」

「ああ、あれぇ？」

その事件は、記憶がある。なんだか割り切れない事件だと思っていた。中学生の女の子が誘拐され、犯人の指定通りに身代金を渡さなかったら死体で見つかった。ひどい事件だから、東京でも新聞がトップに扱ったことが何度もある。

しかし、割り切れない印象を残したのは、事件のひどさとともに、事件発生時の報道では、身代金要求は中年の男の声でされたと報道され、そしてメディアをにぎわしたその犯行のあざやかな手口は、報道を見る限り非常に頭脳型で「デキル犯人」だと感じていたのに、逮捕されたのは若いチンピラで、しかも簡単に自白して、わずか四開廷で裁判を終わり、死刑判決だったからだ。

四開廷といっても、冒頭手続に一回、論告・弁論で一回、判決の一回は常識だから、実質的な審理はたったの一回、多くても二開廷だったろう。いくら被告人が自白しているからといって、これだけの事件を一〜二回の証拠調べで終わってしまうというのは問題だ。そんな審理では、検察側の出した証拠を「要旨陳述」（検察官が証拠の内容をかいつまんで述べる）するだけで終わってしまう。死刑が予測される事件なのだから、少なくとも被告人の側の汲むべき情状についての証拠をきちんと出して取調べてもらうのに、何はあれもう一開廷は必要なはずだ。弁護士はどんな弁護をしたのだろうと、川井は嫌な感じで報道を見た記憶があるのだ。

「あれ、あの事件、控訴してたんだ。変な事件だったけど」

「そうです。一審は私選だったんですけど、控訴して、その私選の先生はもうつかないみたいです」

「重たい事件だよね。ああいう事件じゃ、弁護士は憎まれ役だしね」

「死刑なんです。一審」

「余計いやだ。控訴したって助からない。今の裁判所は助けない」

「もし、冤罪だったら？　先生変な事件だって、今言われたでしょう？」

　寄居は川井弁護士の落とし方を心得ている。

　一瞬詰まった川井を、事務員の席から持田とき子が首を振って見せてけん制している。

(引き受けちゃダメですよ、ダメ)

「冤罪じゃないんだろう。新聞には自白したって出ていた」

「でもなんか不自然な事件だと思いませんか？　先生、この前、言ったじゃないですか。一審争ってなくっても冤罪の事件はあるって」

「………」

「明日裁判所に来られた時、おついでに弁護士会に寄ってくださいませんか。委任の　件書類だけでも見ていただけませんか。それでどうしてもお嫌でしたら、断って下さっても、仕方ないですから」

「見るだけな」

事務員の持田とき子がまた首を振った。今度のは（あーあ、やっぱり！　しょうがない先生！）という振り方。

受話器を置くと果たして、持田事務員は言った。

「リンメイ先生。国選ばかりではご飯は食べられません」

川井の名前の読みはトモアキだ。しかしこういう時、持田とき子はわざと「リンメイ」と言う。川井が司法修習を終って、前の事務所の新人「イソ弁」（イソウロウ弁護士＝雇われ弁護士）になった時、そこでもう一〇年も事務員をしている持田は「倫理的で明朗な先生」と冷やかしながら、よく面倒をみてくれた。成り立ての新人弁護士より、ベテラン事務員の方が、何倍も実務がわかっている。川井は持田事務員に育てられて実務が出来るようになったようなものだ。

そして、今でも、持田とき子は折に触れて川井の指導者だ。そのとき子が「倫理的で明朗」なだけではご飯を食べていけないんですよ、とさとしているのだ。

「わかってるよ。でも先月は黒字だったんでしょう」

川井はお母さんにすねて見せる子どものように口を尖らせた。

川井倫明は一二歳で母をなくしている。

彼にとって女性は母親だ。六歳年上の持田とき子はもとより、大学の同級生で、だから同い年の妻も母親だ。

「弁護士ノ収入ハ不定期ナノデス。先月ハ偶然二件ノ事件ガ落チマシタ。成功報酬ガ重ナッタダケナノデス。今月ハマダ収入ゼロデス」

「ハイ、ワカリマシタ。民事事件モガンバリマスカラ」

刑事事件も多く受任してきた川井弁護士の刑事事件のやり方はこうだ。

それが一審事件なら、検察庁から開示される記録を読まないで、まず、被告人に直接面会して、言い分を聞く。

検察庁から開示される記録は、日本の場合、取調官である警察官や検察官が被告人を取調べてそれを取調官が自分の文章で書き表した「供述調書」(外国法曹からはインベスティゲーターズ・エッセイ＝捜査官の作文＝と呼ばれているもの)が主になっている。だから取調官の視点で見た事件像だ。

はじめにそれを読んでしまうと、どうしてもその見方に影響を受ける。

まずは、まっさらな心で被告人の言い分を聞く。そのあとで捜査官の言い分である開示記録を見て、いわば両側から光を当てて、事件を誤りなく見ようという、川井の方針だ。

しかし受任した事件がもし控訴事件や上告事件なら、まず裁判の記録を見る。

裁判記録の中には、三方向からの視点による事件像が含まれている。

① 警察・検察の側の事件像。これは一審での検察官の冒頭陳述や論告にまとめられているが、川井がそれよりも重視するのは、検察官から提出されている証拠の中に現されているその視点、特に被告人が取られている「供述調書」の中に現されている「取調官の視点から見た」事件像だ。
② 次に一審の弁護人が裁判の中で主張した「弁護人の視点から」の事件像。
③ そして判決によって示された「裁判官の視点から」の事件像だ。
たとえば被告人自身は無罪を主張していたとしても、この三つの事件像のすべてが、それを否定していて、そして川井自身が、事件のすべての証拠から、吟味してみても、それをおかしいと感じないならば、少なくとも、その事件を争うことは証拠上無理だ。

これが川井倫明の刑事事件記録の読み方だ。

この「山梨少女誘拐殺人事件」は控訴事件。だから引き受けたら、まず一審の記録を見ることからはじめる。

「持田さん。僕明日、午後の法廷が終ったら、弁護士会に寄って、場合によったら高裁の記録見に行くかもしれないから」

「ほら、リンメイ先生はもう、引き受けること決めました!」

「そう決まったわけじゃないけどさぁ」

「仕方ありません。リンメイ先生はそういう弁護士先生なんですから。四時に呼んでいる桝田さんを忘れないで下さいよ」

「わかりました。それまでには間違いなく帰りますから」

川井は母親に叱られた子どものように、下を向いて仕事を続けた。

持田とき子の観察のとおり、翌日、川井倫明は結局「山梨少女誘拐殺人事件」の控訴審の国選弁護人となることになるのだ。

22 誰かが指紋を拭いた

東京高等裁判所の記録閲覧室は、霞ヶ関の裁判所合同庁舎の一五階にある。

翌日の午後、弁護士川井倫明の姿が、閲覧室の中にあった。事務員の持田とき子が見抜いたとおり、川井は午後の民事事件を一件済ませ、弁護士会へ行って国選委嘱用の書類を見ると、事務職員の寄居に「しょうがない。やるよ」と言ってしまったのだ。すぐに裁判所に戻ってこの事件の係属部である第三刑事部の書記官室に行って国選弁護人の選任手続を済ませて、ここへ来たという次第だ。

事件の依頼人が裕福なら、弁護士はわざわざ閲覧室へ来て、裁判所から借り出した記録を見なくとも、この庁舎の一階にある共済組合の謄写係で「全記録謄写」を頼んで、出来上がったコピーを、自分の事務所で読めばいい。そうすれば、アンダーラインも引けるし、付箋も付けられる。不便を忍んで記録閲覧室へ来るのは、国選事件では、依頼人は国で、「全記録謄写」の費用は出してくれないからだ。「裁判所が必要と認める」書類のコピー代しか出してくれないから、まず、記録閲覧の手続をして記録を出してもらい、ざっと目を通して、裁判所に認められそうな範囲で、どの記録を謄写するかを決めなければならない。

川井はまず、一審判決から読み始めた。

判決が死刑判決の理由として書いていることは、ざっと次のような内容だ。

被告人は両親と同居して扶養を受け、生活費に困っていたわけではないのに、遊興費欲しさに身代金目的の誘拐を企て、かつてアルバイトとして働いていて裕福であることを知っていた渡辺家に眼をつけ、一人娘の美加を誘拐し、まず足手まといになる被害者を殺害したうえで、身代金を払えば娘を返すと偽って法外な金額の身代金を要求した。受け渡しに失敗したあとは、被害者の学生カバンから現金だけを盗んで、被害者の遺体を山林に遺棄した。自己中心的な非情な性格による犯行であり、犯行が発覚して逮捕された後も、被害者の遺族に対してなんらの謝罪もせず、当法廷でも弁護士に促されても謝罪の言葉すら述べない。被告人の態度からは、このような悪質な犯罪を犯したことについての罪悪感も、改悛《かいしゅん》の情も、全く感じられない。

被告人は少年時代から犯罪を重ね、成人して以後にも前科二犯を重ねた上、本件犯行に至っている。被告人に改善可能性はないと見るほかない。よって極刑以外に選択の余地はないと言わざるを得ない。

判決は、そのような説明をして、死刑を言い渡す理由としている。

「改悛の情」というのは「後悔して悔い改める気持ち」という意味。「改善可能性がない」というのは、「刑務所に入れて矯正してみても、この悪い性格が直る見込みはない」という意味だ。死刑を言い渡す時の判決文としては、まあ、こんなところだろう。

川井は次に、一審の弁護人のこの事件についての視点を見るために、その総まとめである「弁論要旨」というタイトルの文書を探したが、記録の目録の中には見つからなかった。

川井は首をかしげて、それから思いついて、公判の経過を書記官が記録した「公判調書」という文書を見た。案の定、第二回公判の公判調書の中に、弁護人の弁論の内容が書記官の手で要約筆記されていた。川井のような弁護士からすると、およそ信じられないことだが、この弁護人は、これだけの重大事件で、自分で弁論要旨を作って出すこともせず、ただ法廷で口頭で言い、そうすると書記官がまとめ書きするから、それだけで終らせたのだ。

そしてその内容は、もっと信じがたかった。被告人の犯罪を、検察官とほとんど同じ口調で非難した上で、ただ「このようなたぐい稀な犯罪と言える本件ではありますが、法にも情けというものがございますでしょう。このような犯罪を犯した被告人にも、どうか法の情けによって、死一等を減じてくださいますよう」というだけだった。

川井倫明は首を振ってから、カバンから小型のノート型パソコンを取り出した。

「小林昭二」として起こしたフォルダに「控訴趣意書メモ」という文書をつくってまず打ち込んだ。

［＊1　被告人は一審で弁護の名に値する弁護を受けなかった。アメリカ最高裁判例を探すこと］

アメリカでは、被告人が弁護の名に値する弁護を受けなかったということは、その裁判の判決を破棄する理由になる。日本ではたぶん裁判所はまだそれを認めないだろうが、あまりにもお粗末な一審の弁護は、多分この事件の裁判に大きく影響しているはずで、そのことを控訴事件を審理する裁判官たちにきちんと考えてもらうために、特別にタイトルを付けた章にして書こうと川井は考えたのだ。

この事件のように、一審の弁護人の弁護活動がまったく参考にならないとき、川井は自分は事件について、白紙の状態から出発するために、裁判記録のまず物証関係から見ていく。最も客観的な証拠から、事件の内容を検証していく手法だ。

はじめに「指紋等確認通知書」を開いた。県警本部の鑑識課が、現場に遺留されていた被害者の学生カバンから、採取した指紋を指名照会して、小林昭二の指紋であると確認された手続の一件書類だ。

頁をめくっていた川井の手がふっと止まって、カバンの絵が描かれている頁をじっと見つめた。パソコンに打ち込む。

［＊2　現場指紋等取扱書。カバンの指紋はなぜ、被告人の検出指紋三個だけなのか。被害者の指紋も、他の指紋もない。片鱗指紋すら一切ないということは？　被告人の指紋付着の前に、いったん何者かが拭き取った。それ以外にない。誰が？　なぜ？　被告人である可能性ゼロ。自分で拭き取って自分の指紋だけ残すわけがない。指紋を拭き取った者が殺害、と考えられるのでは？］

犯罪現場で指紋採取にあたった鑑識係が、どこに指紋がついていたかを、図で示しながら報告書の形にまとめる「現場指紋等取扱書」をじっと見ていた川井が、疑問に思ったのは、被害者のカバンに、被害者の指紋が全くついていないで、あとで小林の指紋と判定された指紋三個だけがついていたということだ。「現場指紋等取扱書」には片鱗指紋も含めてどんな指紋も正確に採取場所を記入して通し番号をつけ、その上で一覧表をつけて、「何番の指紋は協力者指紋」などと書き込む。指紋のかけらでも、すべて記入しなければならないのだ。なのにこのカバンについては被告人のものと鑑定された三個以外には一つの指紋もない。

被害者が毎日使っていたカバンに、被害者の指紋が全くついていないことはありえない。何ものかが拭き取らなければ。そして「小林が自分で拭き取って自分の指紋だけ残すわけがない。指紋を拭き取った者が殺害者だ」と考えた川井の、刑事弁護士としての経験と勘の冴えだ。

川井の手がパソコンを離れて、また記録の頁を繰ることに戻った。またその手が止まって、

［＊3　警察の死体見分調書の日付が、なぜ林解剖鑑定書の作成日の後なのか。要注意！］

パソコンに打ち込んだ。

警察の死体見分は、美加の死体が発見されたその日に行なわれ、死体見分をした鑑識班の沖田警部は、実はその日のうちに「死体見分調書」を書こうとしていた。川井はその事実は知らないし、沖田のように、その日のうちに書こうと努力する警察官がすべてではないが、ふつうは一週間から十日くらいの間に仕上げる。捜査本部の資料として、捜査の他の班の参考にしなければならない。一方、法医学者が書く解剖鑑定書は、二か月も、二か月もかかる。これは沖田が被害者の父である渡辺恒蔵に言ったとおりだ。警察の「死体見分調書」の作成日付が、「解剖鑑定書」の作成日付の後になることは異例だ。この間の事情に何があるのかは、全くわからないが、とにかくおかしい。ここでも川井の経験と、そこから来る勘に、何かがひらめいたのだ。

川井の目が、壁の掛時計を見た。三時四五分。

午後の民事事件を一件、順番一番をとって一時半までに終らせてから弁護士会へ行き、委嘱書類を見て事件を引き受けることにして、裁判所に入って、弁護人選任の手続をじりじりしながら待ってここへ来たのが二時半、記録が係属部から出てきたのが二時四五分。もう一時間経ってしまった。四時までに事務所へ帰らなければならない。もうここを出ないといけない時間だが、ポイントになる指紋と死体という物証関係をざっと見たので、次に被告人の供述調書をさっと覗くだけでも見たい。

滞留事件になっていたために、何しろ控訴趣意書提出期限まで、四か月しかない。

川井の手は、あわただしく記録の頁を繰った。

被告人の捜査段階での供述調書類は「乙号証」と呼ばれて、今まで川井が見ていた客観的な証拠である「甲号証」のあとに綴じられている。その頁を手早くめくっていた川井の手が止まった。

乙第3号証　五月二〇日付員面調書

［これまで何度も嘘を言ってお手数をかけて申し訳なかったと反省しています］

小林昭二が、被害者渡辺美加を殺害した日時を、いったんは五月一七日の早朝としていた自白を、取調主任の平井刑事に、一五日の誘拐直後、と変更させられたあの調書だ。

いまその全文を詳細に読み解いている時間はない。

ただ、川井の勘に響くものがあったのは、［これまで何度も嘘を言ってお手数をかけて］

という記述だ。

ということは、この供述調書をとられた時以前に、被疑者小林昭二は、この調書に書いてあることと違った供述をしていたことを示している。

川井は一審記録の目次を確認した。検察官が証拠申請書につけた「証拠関係カード」も確認した。乙号証＝被告人の自白調書は、この五月二〇日付員面調書以前には二通しかなく、二通とも五月一九日付で、乙第1号証が五月一九日付の弁解録取書で、それは、

「私はこれまで、死刑が怖くて、渡辺美加さんを殺したことを言えないでいましたが、刑事さんからさとされて、正直に申し上げることにしました。美加さんを殺したことは間違いありません。詳しいことは明日申し上げます」

と、漠然と美加殺しを認めているだけの内容だ。

乙第2号証は、殺人には全くふれず、四〇〇〇円あまりの現金の窃盗を認める簡単なものだ。

しかし、この乙第3号証員面調書が、「これまで何度も嘘を言ってお手数をかけて申し訳なかった」と謝った上で、殺害についてある程度詳しく書いていることからすると、この五月二〇日付員面調書以前に、殺人についての調書があり、被疑者は殺害について何らかの具体的な供述をしていて、それがこの調書の内容とは違うものだったことを物語っている。そして取調官が「これまで何度も嘘を言って……」という言葉を調書に書いていることは

の「嘘」が、ただ被疑者が口に出したというだけではなく、それを書き取った調書が存在していることを物語っている、ということを川井はこれまでの多くの刑事事件の経験から知っていた。

川井の手はパソコンのキイボードの上で躍った。

［＊4　乙3　5／20員面の前に何か別の員面がある！］

調書と調書の間の空隙に、取調べのいきさつを読み取る。こういう読み方ができるのも供述調書というものを無数に読み込んで、取調官が、どのように「調書を巻いていく」のかを知り尽くした弁護士の経験の賜物だ。

川井の胸はわくわくとして、彼は我を忘れた。

だが突然我に返った、川井の目が、壁の掛時計を見た。

（しまった！）

時計の針は四時半を指していた。依頼人を事務所に呼んでいたのは四時だ。

ほんの一目だけと思って乙号証を開いて、ついのめり込んでしまった。

急いで記録を閲覧室の事務官に返し、もどかしいエレベーターを走り出て裁判所の外へ出ると、ケイタイで事務所を呼んだ。

「持田さん。ごめん！　今裁判所を出た。タクシーで行く。桝田さん来てる？　そうだよね。悪い！　何とか上手く謝っておいて！　悪い！」

独立して日が浅い川井倫明の事務所は、銀座や新橋にではなく、賃借料の安い神田にある。

（こういうとき困るんだよな）

だが、持田とき子に言われるまでもなく、こんな手の掛かる国選事件などやっていたのでは、川井弁護士が一等地に事務所を構えられる日の見通しはない。

23　冤罪じゃないか！

弁護士川井倫明は、その後一週間、法廷の前後などの僅かな時間でも繰り合わせては東京高裁の刑事記録閲覧室へ通って記録を読み込んでいった。

彼のパソコンの「小林昭二」フォルダの「控訴趣意書メモ」文書の「＊」はそのたびに増えていった。

［＊5　死体の掌指からの採取物のうち、爪の内容物についての分析結果がないのはなぜ？　合致しなかった可能性！］

死体の掌や指にセロテープを貼り付けてははがし、付着物を採取し、爪の内容物も入念に採取する。

殺人の被害者の掌指には、犯人と争ったときに犯人の衣類の繊維などが付着し、爪の中には、犯人の皮膚の細胞が掻き取られて残っていることがあるからだ。

衣類の繊維は肉眼では見えない細かいものでも、鑑定によって犯人の衣類との同一性を調べる。小林昭二を逮捕した時に、刑事たちが昭二の衣類をほとんど根こそぎ押収したのはそのためだ。犯人の皮膚の細胞は、現在ではDNA鑑定で、決定的な犯人特定の証拠になる。

川井倫明は五月一七日に県警本部会議室で行なわれた死体見分を見てはいないが、死体の掌指からの付着物、爪の内容物採取が行なわれない死体見分はないから、その採取物の鑑定書が記録の中にないことに不審を抱いたのだ。

被告人のものと合致すれば決定的な証拠だから、検察官は有罪証拠として必ず証拠提出する。それがないということは、鑑定結果が小林昭二のものと合致しなかった可能性がある、と推論したのだ。

［＊6　繊維の鑑定

?①　白色木綿繊維がやけに多量。

?②　被疑者宅より押収の半そでTシャツと一致と言うが、こんなありふれた繊維は普通「特徴が少なく異同鑑定は困難」とするはず］

美加の死体の掌や指からセロテープに貼り付けて採取した付着物のうちの衣類の繊維と犯人の衣類の繊維とを比較した科学警察研究所の鑑定書が証拠の中にあるのだが、科学捜査に強い刑事弁護士の鋭い目は、その中から二つの「?」を見つけ出した。
川井のこの二点の疑問は、このときはまだ、何かおかしい、という漠然とした直感にすぎなかったが、あとになって＊5と一緒に解けることになる。殺人者は眠っている被害者の手に「ありふれた白い繊維」の軍手をはめさせてから扼殺した。それは被害者の掌や爪に犯人の着衣の繊維や皮膚片が残ることを知っている者であることを意味している。

［＊7　毛髪の鑑定　犯行現場についても、軽トラックについてもなし」

殺人の犯行現場には、人間と人間が格闘するのだから、その痕跡がさまざまな形で残る。扼殺で、被害者の身体のその他の部分にとくに大きな外傷がないこの事件では血痕が残ることはないが、被害者、加害者双方の衣類がこすれあって落ちる繊維や、両者の毛髪などが殺害場所に残るのが普通だ。鑑識班は、殺害現場に集塵機を持ち込んで入念に塵を集め、その中からこうした証拠品を採取し、その鑑定書が犯行の証拠として公判に出される。
しかし、小林昭二が被害者を殺害した犯行現場とされている「徳之助さんの古屋」についても、そこまで乗せて行ったという軽トラック・リアルタイムの中についても、繊維や毛髪の「採取報告書」も鑑定書も出ていない。採取しなかったということはありえないし、被疑者が毎日のように乗っていたリアルタイムから、被疑者の衣類の繊維や毛髪が出ないはずはない。だからこれらの鑑定書が証拠に出されていないということは、おそらく被害者の繊維や毛髪が出なかった、ということだ、と川井は推理したのだ。

美加は睡眠薬で眠らされていたということになっている。だから格闘はなかったということかもしれない（この点は一概に言えないということは、いくら眠らされているとはいってもいわゆる断末魔の時は無意識ではあっても暴れることはありうるからだ）。しかし、もし格闘がなかったとしても、殺害の犯行現場に毛髪も、繊維も一本も落ちないということはありえないのではないか。

ということは、犯行現場はここではない、そしてひいては自白調書の犯行そのものが疑わしいと考えられる可能性があると言えるのだ。

［＊8　そう言えば殺害場所に失禁の跡がない！］

死体見分調書には、美加のスカートや下着には、扼殺に伴う失禁の跡があることが書かれているのに、殺害場所とされる「徳之助さんの古屋」の現場検証の現場見取り図に書き込まれた殺害時の被害者の人型のその部分に失禁の跡は記入されていないのだ。

被害者の衣類の失禁の跡は、当然現場検証をする鑑識班員に伝達されるから、現場に白墨で描かれる死体の人型のその部分については、尿反応の検査は当然行なわれる。

それなのに、検証調書には、尿反応があったという記載がない。それは、ここが殺害現場ではなかったと考えてよい可能性がいよいよ強まったと見られる有力な事実だ。

そして、それは、犯罪の方法が自白とは違うこと、ということは、科学捜査の結果が、この被告人が犯人ではない可能性を示唆しているということだ。

川井倫明の「メモ」には「！」が並んでいった。川井の心のはずみが「！」になってパソコンの液晶画面で飛び跳ねている。

［＊9　犯人の「声色」証人の同一性確認がない！］

自白によれば、小林昭二は、被害者を誘拐して睡眠薬で眠らせた直後に、その母である渡辺美貴子に一億円の身代金を要求する脅迫電話を掛けた時と、翌日ホテル・ハイランド・リゾートの受付の女子従業員に「伝言」の電話をした時に、自己の犯行を隠蔽するために、中年の男の声色を使ったことになっている。しかし、この二人の女性が、その声色を聞いて、「そのときの声だ」少なくとも「似ている」と供述している供述調書が無いのだ。

こうした場合、警察が証人に被疑者の声を聞かせて意見を聞かないことはありえないし、このケースのように、被疑者が自白している場合には、捜査官は被疑者にその声色を使わせて、証人に聞かせるのが普通だ。しかし二人の女性が「声」を確認している調書が無い。ということは、二人は「似ていない」少なくとも「わからない」と答えたのではないかと考えられるのだ。

「＊」がここまで増えた時、川井倫明は、パソコンにこう打ち込んでシャットダウンさせた。

「冤罪じゃないか！」

川井はこの事件が冤罪事件であることを確信したのだ。

翌週、彼は時間をやりくりして、東京拘置所に身柄を移されている被疑者に面会に行った。七月の終る暑い日だった。

その日、川井倫明は東京拘置所の面会所の弁護士待合室で、もう四〇分も待たされていた。確かに今日の待合室は混んでいる。一五ある面会室がいっぱいになっているのはわかる。でもこの程度の混みで四〇分はないだろう。だって到着順に受け取る番号札の自分の番号より後の番号の弁護士がどんどん呼ばれて面会室に入っているのに、自分だけが取り残されているのだから。

係に聞きに行こうかと思って立ち上がったとき、スピーカーが呼んだ。

「25番の先生。25番の先生。3番窓口へお越しください」

(やっぱりな)

3番窓口は、何かの事情ですんなり面会させられない、というときに呼ばれる窓口だ。

窓口へ行って番号札を見せると、

「あ、25番の先生ですね。小林昭二がですね。面会したくないと言いまして。強く説得したのですが、どうしても房から出ませんのですよ。どうされますか? なお説得してみるように希望されるのなら、やってはみますが」

「なんで、面会したくないと言ってるんですか?」

「それを聞いたんですがね。弁護士なんかに会ってもしょうがない、とか言ってまして。

一審が死刑ですから、お前がそんなことを言っていると、死刑のまんまで高裁終ってしまうと説得したんですが」

「なんと言ってるんですか?」

「弁護士なんか役に立たないとか、なんか失礼ですが、勝手なことを」

一審の弁護士があまりにもひどいのは、川井にも記録を見ただけでわかる。

「今度は違う弁護士だ、一生懸命にやるから、と言ってみてください」

川井は熱心に言った。

「わかりました。そのように伝えてみます。じゃ、待合室でお待ちくださいますか」

三〇分待ったときまたスピーカーが呼んだ。

「25番の先生。25番の先生。3番窓口へお越しください」

(だめか)

そのとおり。被告人はどうしても会わないと言って、叱責しても応じないと言われた。

「わかりました。また来ます。叱らないで下さい」

川井はとりあえず自分の名刺だけを被告人に差し入れる手続をして、拘置所を出た。高い塀に沿った長い道を歩きながら、この事件の被告人の深い絶望を考えていた。二七歳になったばかり。自分が二七歳の時には何をしていたろうか。ちょうど弁護士になったばかり。失敗もしたし、でも一心に前に進んでいける立場だった。あのころ自分が、この塀の中に死刑を受けた被告人として入れられていたら、どんな気持ちだっただろうか。

三九歳の弁護士は、自分の気持ちの中に混じっている「安い国選の費用で、一心に仕事をしているのに、足りない時間をやりくりして面会に来てやったのに、無駄足をさせられて……」と思う気持ちを、そうして反省しようとしていた。

こういうときは被告人の親族に連絡を取り、被告人に話してもらうのがいい。川井は小菅の駅から東武線に乗って北千住で地下鉄日比谷線に乗り換えて、まっすぐに裁判所に行った。また記録を閲覧して、「乙号証」の中にある小林昭二の戸籍謄本を見て、両親と兄がいるが兄は結婚して独立したことを知り家族の名前をメモした。被告人の弁解録取書に記載されている自宅の住所と電話番号もメモして、事務所に帰るとすぐにその番号に電話をした。「お客様がおかけになった番号はただ今使われておりません」電話局のメッセージが流れた。

川井は事務員の持田に頼んで、住所と父親の名前で電話局に番号を問い合わせてもらったが、その名前での登録はない、と言われた。

大きな犯罪で逮捕された者の家族は、その土地にいられなくて転居することがままある。

そうだ、記録のこともあるし、一審の弁護人に聞いてみよう。

日弁連（日本弁護士連合会）の会員名簿をめくって山梨弁護士会の岡村勇の番号を押した。

「先生を」と言うとしばらく待たされて、「ハイ、岡村ですが」やけに大きな声が飛び込んできた。

「はじめてお電話します。私、小林昭二の控訴審を担当することになった東京弁護士会の川井倫明と申します」

「コバヤシですか？」

「はい、先生が一審の弁護をされた」

「コバヤシね……」

「あの、渡辺美加誘拐殺人事件の」

「ああ、ああわかりました」

やっと思い出したらしい。川井は事情を説明する気持ちがなくなった。用件だけを言おう。

「二つほどお願いでお電話しました。一つは本人の家族に連絡したいので電話したのですが通じないようなので、連絡方法をご存知なら教えていただきたいのです」

「ああ、あれは母親が死にましてね。父親は息子とは仲が悪いとかで、連絡はないんですよ」

「……死んだ？　そうなんですか。公判のあとでですか？」

「いや、あともなにも、母親以外、僕は会ったことがないんでね」

と相手は、相変わらず大きな声でとんちんかんな返事をした。仕方なく聞き返す。

「母親が亡くなったっていうのは、それは何時ですか」

「僕が事件を受けたすぐあとだね」

声からして、若い弁護士だとわかったのだろう。岡村弁護士の物言いは横柄になった。

「――今、父親はこの住所にいるんでしょうか」

「わからんね」

「控訴は弁護人の申立となっていましたが、では被告人の親族から頼まれて手続をされたのではなかったのですか」

「アア、控訴は僕の判断でして置いたんだよ。死刑判決だからね」

「わかりました。もう一つのお願いは先生がお持ちの一審の記録をいただけないでしょうか。

私は国選なので、ご承知のように全記録の謄写代が出ませんので」

「記録と言っても全部はないよ」

「ある分だけでも結構です。代金受取人払いの宅配便でお願いできますか?」

「ああ、いいですよ」

四日後、もう八月に入っていたが、川井は相変わらず昼も夜も働いていた。

岡村弁護士から代金受取人払いの宅配便が来た。しかし綴じられている記録は、起訴状と検察官の冒頭陳述要旨、証拠申請書、論告要旨、つまり一審弁護人が官庁からただでもらえたものだけだった。この弁護士は記録謄写すらしないで、一審を終ったのだ。

「私選弁護人だろう! いくら取ったのか知らないけど」

川井は事務員の持田とき子にぼやいた。

「そういう弁護士もいます。弁護士は皆『倫理的』だというわけではないのです」

川井の倍ほどもキャリアのある事務員は驚かなかった。

川井は翌日、裁判所へ行って、岡村弁護士から来たもの以外の記録全部の謄写を許可してほしいという申請書を出した。しかし、裁判所の許可を待っていては遅くなるので、その足で庁舎の一階にある弘済会へ行って、同じ部分の記録コピーを頼んでしまった。

裁判所が出してくれない分は、自分で負担するつもりだ。事務所に帰って、持田とき子に

そのことを話して、

「これ、僕の道楽だから、大目に見てね」

ぺこっと頭を下げた。

「コウナルコトハ、ワカッテオリマシタ」

ベテラン事務員は、（しょうがない子）という目をして年下のボスを見た。

川井弁護士は、念のために小林昭二の父親に速達で「電話をもらいたい」と手紙を出したが、「受取人宛所に尋ねあたりません」と付箋がついて返ってきた。

一家は離散してしまった、ということなのだろうか。親族に説得してもらうという方法は不可能のようだ。

「本人に手紙を書くほかないな」

24　面会拒否

夜中、書斎のドアをそっと開けて、妻の陽子が入ってきた。

「まだやってるの？　もう二時だよ。あれ、手書きで書いてるんだ！　何？」

「ラヴレター」

「私に？」

「残念でした。面会拒否された被告人に」

「面会拒否されたんだ。何でパソコン使わないの？」

「愛情が伝わらないから」

「書き損じばっかりじゃない」

「国選事件で、一審がひどい弁護士で、死刑なんだ。だけど冤罪だと思うんだ。助けてやりたいと思うんだけど、弁護士を信用できなくなって面会拒否してると思う。だから、うっかり冤罪だって書いて、控訴棄却になったりしたら、またまずいし、逆にある程度そのことを報せないと、また行っても面会拒否されるだろうし、書き方が難しいんだよ」

刑事被告人として、逮捕され、裁判に掛けられている者は、皆、なんらかの人生の失敗を背負っている。その屈折した気持ちを、拘置所に入っている今は社会とのほとんど唯一の接点である弁護士にすべて向けてくる被告人もいる。そういう被告人には、弁護士は、精神科の看護師のように接しなければならない。対応を誤るとよい弁護ができないだけではなく、場合によってはすべての恨みを向けられるなど大変なことになる。刑事弁護士は、本来の法廷活動のほかに、こういうところにも多大な神経を使わなければならない。接見拒否をしている被告人への手紙には、そういう難しさがある。

陽子もそういうことは知っている。川井が投げ捨てた書き損じを拾って、次々に読んだ。

「それだったら、これなんかいいんじゃない？　シンプルで当たり障りがないよ」

「こんにちは。この間面会に行った国選弁護人の川井倫明です。

差し入れた名刺は受け取りましたか？　私はあなたの一審の記録を読んで、どうしても判決がおかしいと思うことがたくさんあるのです。そのことを詳しく相談したくて会いに行ったのです」

「このあとにおかしいと思うことをどんどん書いていくんでしょう？」

「そうなんだけど、そうするとたくさんありすぎてさ。夜が明けちゃうよ。手書きだぞ。漢字は出てこないし、加除とかできないし。手書きはたいへんだな。だから要約して書こうと思うんだけど抽象的な書き方だと、向こうは会う気にならないと思うし」

「そうやって、いろいろ書き損じしてても夜が明けるんじゃない」

「それもそうだ」

「ねえ、またパソコンにメモ作ってるんでしょう。手紙のあとに、それをつければ？ちょっと手を加えてさ。愛情は手紙で書けば、『おかしいこと』はパソコンの字でも読むんじゃない？」

「賢い！」

「早く寝ないと明日午前中に裁判あるんでしょ」

「わかった。ありがとう」

陽子は熱いミルク紅茶を淹《い》れてきてくれた。

「ありがとう！　申し訳ない」

大学で法学部のクラスメイトだった陽子と川井は、三回生の時から一緒に司法試験を受けてきたが、翌年、川井が合格したのに、陽子は不合格で、その後も受験を続けたが、合格しないうちに陽子は妊娠し、その後は試験をあきらめてしまった。

二人の子どもの手が離れかけているこのごろ、川井は陽子を主婦で終らせることに忸怩《じくじ》たる思いを持っている。自分が家事を引き受けて陽子の勉強を助けて、合格させてやるべきだと思いながら、それとは全く逆の仕事漬けの日々。自分は結局陽子の犠牲の上に好きな仕事に専念している状態だ。

そんな川井の仕事をなにくれとなく助けてくれる陽子に、自分は甘えているのだと思い、同い年の妻に川井倫明は、母を感じている。

一週間後の八月一二日、あの手紙が拘置所に届いて、検閲を通って、被告人の手元に届いた頃。川井倫明の姿はまたあの東京拘置所弁護士待合室にあった。

「19番の先生。19番の先生。12号室へお入りください」

よかった！　手紙の効果。被告人が今度は面会する気になったのだ。

プラスティックの板の向こうに貧弱な男がいた。二七歳なのに、中年のように疲れた顔つきをしていた。その目には敵意となげやりしかなかった。

「はじめまして。弁護士の川井です」

相手は無言のままだった。

川井はそういう相手に、抵抗なく受け入れられるには、小さなことから入ったほうがいいと考えて来ていた。

「手紙見てくれたでしょう？

この事件、不思議に思うことがたくさんあるの、手紙に書いたとおりなんだけど。

一つ一つ聞くから教えてね。

まずね。渡辺美加のカバンのことなんだけど、普通はね、指紋がいっぱいついてるんだ。

本人の指紋は当たり前だけど、家族や友達とかも触るでしょう？　それなのにあなたの指紋が三つついていただけで、他には指紋がひとつもついてない。いや、ちゃんとした大きい指紋がないだけじゃなくって、指紋のかけら一つもついてないんだ。

そんな不思議なことがなぜあるのか？　誰かが、あなたが触る前に、あのカバンの指紋を拭いたとしか考えられないんだ。

その誰かはなぜそんなことをするのか。自分がつけた指紋を消したかったからなんだ。なぜ消したのか。もちろん、自分が渡辺美加のカバンに触ったことがわかると困るからなんだ。そういう人がいて、あなたが触る前にあのカバンをどこからか、あなたがカバンに触った場所に持ってきたってことなんだ」

相手の顔に、明らかな変化が現れた。

驚き。そしてわずかだが意欲。しかし口を開かなかった。

「それでね。あなたが一番初めにあのカバンに触ったのは、何時、どこでなのか教えて欲しいんだ」

「山ん中」

この国選事件の被告人が初めて発した声を川井倫明は聞いた。中年のような顔なのに、声はむしろ幼い感じがした。

「山ん中で……そのときカバンはどうなってたの」

「落ちてた」

「それで？」

「拾って……金を取った」

「そのとき……」

川井は慎重に言葉を選んだ。被告人は話し始めている。刺激しないで少しずつ近づいていかなければ。

「そのとき周りに誰かがいた？」

「いない」

「渡辺美加もいなかったの？」

うなずいた。

「美加に会ったのは何時？」

「会ったんじゃない」

「会ったんじゃなくて？」

「寝てた」

「どこで？」

「山ん中」

「そのカバンがあったところ？」

「ちょっと先だ」

ちょっと先、の意味はあまりよくわからなかったけれど、とりあえず相槌を打って先に進もう。

「ちょっと先ね。寝てたの？」

うなずく。

「それでどうしたの」

「足に触った」

「足に？　そしたら？」

「冷たかった」

「冷たいと感じたの？」

うなずく。

「それでどうしたの」

「頭に、服をかぶってたからはがしてみた」

「うん、はがしたのね？　それから？」

「逃げた」

「え？　逃げたの？」

唐突だったので思わず訊いたのが悪かった。

「嘘だって言うんだろう。おれが殺ったって言うんだろう。聞いて何にするんだよ。死刑にするんならおんなじだよ。聞くなよ。死刑にするんならもう聞くなよ。聞かないで殺せよ」

大声に看守が被告人の後ろのドアを開けて飛び込んできた。二人、三人。

「静かにしろ!」

怒鳴りつけると被告人はよけいに大声を出した。

「だからいやだって言ったんだよ。面会なんかしないって言ったろう。弁護士なんか、なんだよ。何にもわかってないんに、偉そうな口利くなよ。おれは帰るよ。房へ帰せよ。また懲罰にするんだろ。しろよ。早く殺せよ」

「静かにしろ! 小林、静かにしろ!」

看守たちは暴れる被収容者を羽交い絞めにして叱責しながら面会室から引きずり出した。

「待ってください。待って。今のは私が悪かったんです。怒るのはあたり前なんです。私があやまりますから、待って、連れて行かないでください」

川井も大声を出したが、プラスティックの板の向こうの部屋で行なわれていることをどうすることも出来なかった。

三人の看守が暴れている被収容者をドアの向こうへ引きずり出して行ってしまうと、入れ替わりに、階級が上らしい看守が入ってきて告げた。

「面会は終了しました。今日はお帰りいただきます」

「待ってください。私の言い方が悪くて、被告人を怒らせてしまったのです。謝りますからもう一度連れてきてください」

「面会のいきさつはこちらにはわかりません。弁護士の先生との面会にわれわれは無立会《むりつかい》ですから。しかし小林の様子では面会の継続は無理と判断いたしましたので、本日の面会は終了といたしました」

役人がこう言い出したら、何時まで交渉しても無駄だと川井は知っていた。

しかたなく面会室を出た。

また塀に沿った長い道を歩きながら考えた。

「え？　逃げたの？」

と思わず聞いた自分の言葉が、なぜあの男をあれほど激昂させたのかの意味を考えた。

そして、はっと思い至った。

ここがこの事件の事件像の分かれ目なのではないかと。

その夜、川井倫明は、また精神科の看護師になって、国選事件の被告人に手書きの手紙を書いた。

「今日はごめんなさい。

私の聞き方が悪くて、あなたの気を悪くさせてしまいました。

でも、私はあなたが逃げたということを疑ったとか、そういうことではないのです。

急に「逃げた」って言われたので、ちょっとよく事情が飲み込めなくて聞き返したたけなのです。

私は帰り道で、どうしてあなたが気を悪くしたのかを考えました。

あなたはもしかして、警察で「逃げた」と言ったけど信じてもらえなかったのではないだろうか。そしてここから、あなたが本当はしていないことを「しただろう」と言われて、取調べがあなたの本当にしたことと違う方へ行ってしまったのではないだろうか。

だからあなたは、弁護人までが同じことを言って自分を責めると思って、嫌になってしまったのではないだろうか。そんなことを考えたのです。

もしそうだとしたら、違います。私は警察ではありません。あなたにほんとうに起こったことをよく聞いて、あなたを弁護する弁護士です。

あれから、あなたがなぜ逃げたのか考えました。

もしかして、あなたが見たものが怖いものだったからではないだろうか。

だとすると、それは渡辺美加が死んでいたからではないだろうか。

それは、あなたが見た時、もう、渡辺美加は死んでいた。美加を殺したのは、あなたではない、別の誰かだ、ということではないだろうか。そう考えると、あの時私が話したように、カバンを誰かが拭いたあとで、あなたがカバンに触ったのではないかということも、それからそのほかにも、前の手紙に書いた、いろいろ納得できないことも、全部つながって謎が解けていきそうな気がする。

そう考えたのです。

そのことを、よく聞かせてください。

今度は来週の月曜日に面会に行きますから。

それまで元気で」

引き受けた事件が冤罪だと感じても、弁護士は、裁判所に対して責任を持って冤罪の主張ができるという確信を持つまでは、被告人に対して、自分がこの事件を冤罪だと思っていることを告げない。もし自分の見込みが違っていたら、被告人に誤った希望を持たせることになってしまうし、稀には、あとで弁護人に言いがかりをつけて「冤罪だと言っただろう。無罪に出来なかった責任を取れ」と脅してくる被告人もいる。

しかし、この時の川井倫明は、小林昭二にはこのくらい踏み込んで書かなければ、心を開かせることは難しいと判断した。被告人の命が掛かっている死刑事件の弁護は、こういう意味でも薄氷を踏む思いの仕事なのだ。

次の週、東京のオフィス街も旧盆休みで閑散としていたが、川井弁護士は休暇をとらなかった。事務員の持田とき子には休暇を取らせて、一人事務所で民事事件の書類を書き、小林昭二の事件の記録を読んだ。

八月一九日、川井は拘置所に行き、彼《か》の被告人から面会拒否に遭うことなく、面会室に入ることができた。

自分はあなたの味方なんだと何度も話して、この前のように下手に刺激しないように少しずつ聞いていくと、青年はこんなふうに話した。

「逃げたんはおっかなくなったからだ。死んでるとか、わかったわけじゃないけど、なんだかうんと変な感じで目エつぶって怖い顔してたんでおっかなくなって逃げた。

金は盗ったけど、殺したりしてない。アブラ採りに行ったら、山ん中にカバンがあったんだ。開けたら金があったんで、何の気なしに盗ったんだ。

あん時、金返しとけば、こんなことにならなかったのかもしんないけど、逃げるんに夢中で金のことは思い出さなかった。

徳之助さんの古屋に行ったことは何度もあるけど、最後に行ったのは、もうずっと前だ。中学の時かもしんない。小学校の時は何度も行ってたけど。

徳之助さんの古屋に美加を連れてったことなんかない。ほんとに連れて行ければいいとは思ったけどよ。

美加に口を利いたことはない。おれなんか口利けないよ。あっちはお嬢さんだ。

金御殿に電話を掛けたこともない。渡辺社長はおっかないよ。電話なんか掛けられるわけがないよ。

富士吉田の駅で美加を車に乗せたこともない。睡眠薬飲ませたなんて全然してない。睡眠薬、長崎屋の薬売り場から盗んだろうって言われたけど、睡眠薬なんてどこにあるかわかんない。ドリンクなら店の前に安売りで出てるから何度も盗ったけど。

金はほしかったけど、一億円とろうとか考えたこともない。もっと少しでいい。そんなにあっても使い方がわかんない」

小林昭二のこの事件への関わりは、川井倫明が読み込んだ一件記録の証拠から感じとっていたこととほぼ一致する内容だった。

「僕もそう思ってたんだ。あなたの言うことは、本当だとわかるよ。だっていろんな証拠から、それがわかるもの」

すると被告人は顔をくしゃくしゃにして、それからわっと泣き出した。

「そうだろ？　おれ、人殺しじゃないだろ？

先生、おれを助けてください。死刑なんて怖いよ。いやだよ。怖いよ」

「わかった。大きな声を出すな！　看守が来て、また連れて行かれちゃうぞ。一生懸命やる。なんとか助ける。だから大きな声出すな！」

言ってしまってから、川井は身震いした。本当に助けられるのか。そんな約束ができるのか。日本の裁判所は無実の者を本当に助けてくれるとは限らないことを、刑事事件をやればやるほど、弁護士は知ることになる。川井はそれを痛感している。

だから弁護士は、被告人には「一生懸命やる」だけしか言ってはいけないのだ。「助ける」と約束することはできないのだ。その禁を、死刑に怯えて泣く被告人を前に、思わず破ってしまった。しまった！

川井は一生懸命に言い直した。

「僕もできるだけのことをするから、君もしっかりして、裁判官に何とかわかってもらえるように、一緒にやっていかなきゃだめだよ。

わかったね。
まず、今僕に話してくれたことを、裁判官にわかってもらえるように詳しく書いてみて。
まず下書きして、郵便で僕に送ってほしいんだ。
はじめに、『陳述書』って書くんだ。それから名前と日付を。
あ、そういう書き方は間違ったらまた僕が教えるから直せばいい。
何度も書き直ししてもらうかもしれないけど、がんばってな。
まず一度書いてみて、僕に送って。僕の名刺この前差し入れたでしょう？」

被告人は泣きやんで聞いていたが、すると当惑の顔になって、もぞもぞと言った。

「紙がないから」

「この拘置所で買える便箋でいいんだ」

「買えない。領置金がないから」

川井ははっとした。

「領置金」は、拘置所に入っている被告人が逮捕のときから持っていたり、誰かから差し入れを受けたりした彼の所持金で、拘置所では現金を持てない制度になっているから、拘置所側に預けている形になっている、という意味の言葉だ。拘置所に入れられている被収容者たちは、その預けている金から差引く形で、日用品や食物を拘置所に買ってもらう。

小林昭二は、その領置金がないというのだ。そういえば、この被告人は、逮捕直後に母親が死に、父親には今電話も手紙も通じないことを思い出した。小林昭二に金を差し入れてくれる親族はないのだ。プラスティックの遮蔽板の向こうの青年が着ているのは、この前の面会の時とまったく同じ、汚れて袖口の擦り切れた赤いトレーナーであることに川井は気づいた。

「そうか、わかった。じゃ、少しだけど、僕がお金を差し入れていくから。便箋や切手はそこから買って」

そういわざるを得ない事態だ。

持田とき子がまた「あーあ」と言うだろう。

「リンメイ先生。弁護士業は慈善事業ではないのです」と言うだろう。

川井倫明は、面会事務の窓口に行って、小林昭二に五千円差し入れる手続をして、拘置所をあとにした。

25 鬼の部か

弁護士川井倫明が、その夜、また遅くまでパソコンに向かってつくったのは、今度は「ラヴレター」ではなかった。

彼はまず、東京高等検察庁を名宛人に「証拠開示請求書」という文書を打った。

この事件について、検察官が手元に持っているが、まだ裁判所に出していない証拠を出してほしい、という要求をする文書だ。

弁護士が検察庁や裁判所あてに出す書類は、必要以上に堅苦しい言葉を使うのがしきたりになっているが、わが川井倫明は、そういうのは嫌いだ。普通の市民が読んでも、まあ読めるような文章にするように心がけている。

前後の書式の部分を除くと、その内容は次のようなものだ。

彼はまず、こんな前書きを書いた。

本件の一審は、わずか三開廷の審理だけで終わり、第四回公判において簡単に死刑を言い渡しています。

これは一審の弁護人が検察官請求証拠をすべて同意し、罪体について全く争わず、ただ「死一等を減ずるようにお願いする」というだけの弁論をしたことにも原因があると思います。

しかし、一審で証拠調べされた証拠だけを見ても、本件には冤罪を疑わせる点があまりにも多数存在します。

検察官は訴追官であると同時に、公益の代表者であります。

この事件について正しい証拠に基づいて、正しい裁判が行なわれるために、以下の証拠を開示されたく請求します。


「罪体」というのは、この世界で使われるいわば業界用語で、その事件で裁かれる犯罪の行為そのもの、というほどの意味だ。

「訴追官」というのは、被告人を起訴して有罪にするように法廷活動をする公務員という意味で、川井が「検察官は訴追官であると同時に、公益の代表者であります」と書いたのは、しかし検察官にはもう一つ役割があって、それは世のために公共の利益を守る義務であり、それは、刑事事件の中では、真実を明らかにして、法律が正しく行なわれるようにする任務＝つまり本当の犯人を罰し、犯人でないものは罰しないことでしょう、という意味だ。

検察官は、自分の方から進んで提出しない証拠＝つまり被告人を有罪にするために役立つ証拠以外の証拠を出すことを非常に嫌がる。しかしそこに被告人が無罪であることを立証できる証拠が含まれていることがあるのだ。

普通の弁護士は検察庁に「証拠開示請求書」を出す時でも、こんな前書きなど書かない。だが川井倫明は、検察官に納得してもらうように、誠意を込めて、検察官の任務を思い出してほしい、と訴えたのだ。

ありのままの事実が明らかになって正しい裁判ができるようにするために、国の経費を使い、公務員である警察官、検察官が捜査をするのだから、被告人を有罪にするための証拠ばかりでなく、無罪になるかもしれない証拠があるなら、虚心坦懐にすべて出してください、この「山梨女子中学生誘拐殺人事件」には、どうも被告人が誘拐殺人については無罪かもしれないと思わせる次のような証拠があるはずなので、その証拠を出してくださいとうながしているのだ。

前書きに続けて、川井はキイボードをすばやく打っていった。

請求の理由は、各請求対象ごとに、そのあとに記載します。

記

1　被告人のすべての員面、及び検面調書

〈理由〉　たとえば、乙第3号証　五月二〇日付員面調書には、「これまで何度も嘘を言ってお手数をかけて申し訳なかったと反省しています」という記述があり、この調書以前に、この調書の内容とは異なる内容の供述を被告人がしていたことが窺われます。

本件では、捜査段階で作成された被告人の供述調書のうちの一部が、一審では証拠調べされていないようですが、それがすべて開示されなければ、本件の実体的真実は明らかにならないと考えます。

ぜひ、被告人のすべての員面、及び検面調書を開示されるようお願いします。

2　死体の掌指からの採取物のうち、爪の内容物についての採取、鑑定関係の一切の書類

〈理由〉 本件では、五月一七日に県警本部会議室で行なわれた死体見分にさいして爪の内容物の採取が行なわれていることは、死体見分調書添付写真で見れば明らかですが、一審では、なぜかその内容物についての採取、鑑定関係の一切の書類が提出されていません。

爪の内容物には、殺害行為の行為者を特定するために決定的な証拠である犯人の皮膚の細胞が含まれているはずです。これが提出されていないことは、その内容物のＤＮＡ鑑定において、被告人のＤＮＡと合致しなかったのではないかとの疑いすら抱かせます。ぜひ開示されたくお願いします。

3　毛髪の鑑定関係書類

〈理由〉 同様に、本件では、殺人の犯行現場とされる「徳之助さんの古屋」についても、被害者を乗せて犯行現場まで連れて行ったとされる軽トラックについても毛髪の採取と鑑定の書類が一審では提出されていません。

これもまた不思議なことで、殺人の犯行現場や軽トラックの中からは、被害者の毛髪が発見されていないのではないかと疑わせます。

正しい審理が行なわれるためには、その疑いを払拭されることが必要と考えますので、この鑑定に関するすべての書証を開示されたくお願いします。

4　被告人の声と犯人の声の同一性についての参考人の供述調書

〈理由〉　自白によれば、小林昭二は、被害者を誘拐して、その母である渡辺美貴子に身代金要求の脅迫電話を掛け、また、ホテル・ハイランド・リゾートの受付に「藤野パーキングエリアに来るように」との伝言の電話をしたとされていますが、その声を聞いた渡辺美貴子とホテル従業員の女性、この二人の参考人供述調書が、一審では出されていません。

被告人は、中年の男の声色を使ったことになっていて、被告人は、捜査段階で、取調官に声色を使って犯人の言ったことを言ってみろと言われて何度も言わされたと言っています。このような場合、捜査機関は、参考人に録音を聞かせるなり、直接その声を聞かせるなりして、同一性の証言を得ることは常識であります。

しかし、この二人の女性のこの点についての供述調書が提出されていません。

このことは二人の女性が被告人の声を犯人の声とは「似ていない」少なくとも「犯人の声と同じだとは言えない」と答えたのではないかと疑わせます。

いずれにしても、被告人が犯人ではないと疑わせる証拠ですから、開示されるようお願いします。

5　本件捜査本部の捜査計画書、身代金受け渡し日の捜査報告書

〈理由〉本件事件が発生した時、マスコミがこぞって報道した犯人像は、冷静で理性的な中年男性ということで一致していました。被害者を誘拐して、その母である渡辺美貴子に身代金要求の脅迫電話を掛け、また、ホテル・ハイランド・リゾートの受付係に電話の声を聞かれている犯人は中年男性であり、その犯行は非常によく計算された理知的な行動だったからであります。この点を立証する身代金受け渡し日の捜査報告書を開示されたい。

また、捜査は、結果的にカバンの指紋から逮捕された被告人が、誘拐殺人行為の犯人でもあるとして終了していますが、当初は上記のように中年男性が捜査の対象であったはずで、その犯人像に向けてどのような捜査計画がなされ、なぜその対象が結果的には捜査から外されたのか。弁護人は、上記のように、本件ではむしろ被告人が本当は犯人ではないと疑わせる証拠がいろいろとあると考えていますので、本件捜査本部の捜査計画書をぜひ開示されたいと思います。

「まあ、最初はこのくらいでいいだろう」

川井倫明は文書を保存してから、また新しい文書を開いて、今度は「鑑定申請書」とタイトルを打ち込んだ。あて先は「東京高等裁判所第三刑事部」。

これも書式の部分を省いてさわりだけを紹介するとこんな具合だ。

鑑定事項

一審証拠　甲3号証　学生カバンには、被告人の指紋付着以前に、カバンの表面全体を拭い取った跡があるか。

〈鑑定を求める理由〉

甲5号証　現場指紋等取扱書によれば、この学生カバンからは、被告人の指紋二個だけが検出され、他には被害者の指紋も、他の何人の指紋も、片鱗指紋すら検出されていません。このカバンは、事件当日まで被害者渡辺美加が、毎日通学に使っていたものでありあります。被害者の指紋すら一切付着していないということは通常ありえないことであります。この不自然な指紋の状況は、被告人の指紋が付着する前に、このカバンをいったん何者かが完全に拭き取ったと考える以外、説明できません。

もしそうだとすると、誰が、なぜ、そのようなことをしたのでしょうか。

その者は、自分がこのカバンに触れ、触れたことを知られては困ると思うからこそ指紋を拭き取ったのであります。なぜ、カバンに触れたことを知られたくないのか。それは、その者が被害者を誘拐して殺害した者であるからだとしか考えられないのであります。

この者は被告人ではありません。被告人が自ら、丁寧にカバンを拭いた上で、自分の指紋をつけるなどということはありえないからであります。

ということは、被告人はこのカバンに触れたことがあるが、被害者を殺害した者ではない可能性が高いということを示しています。

弁護人は後に提出する控訴趣意書で、この事実を詳細に述べますが、鑑定には多くの日数を要すると思いますので、事前に鑑定申請書を提出いたします。


川井倫明はこの文書を保存してから、また新しい文書を開いて、今度は「控訴趣意書提出最終日の延期願」とタイトルを打ち込んだ。あて先は同じ「東京高等裁判所第三刑事部」。

控訴事件では、控訴をした側が、まず「控訴趣意書」という書類を裁判所に出して、一審裁判所の判決のどこが、どのように不備であるかということを主張する。この事件は、被告・弁護側控訴だから、弁護人が控訴趣意書を出すのだが、その提出期限が予め決められている。

川井倫明が、国選弁護人を受任した時、その期限は一一月末日と決められていた。四か月足らずしかない。この大変な事件を、全部調べ上げて、しっかりした控訴趣意書を書くにはとても足りない。まず、事件を川井が受けたときまでに、二か月弁護人が決まらないために空費された期間がある。それにとても複雑な事件なのに、一審でほとんど審理らしい審理をしていないのだから、空費した二か月分を含めて、四か月、来年の三月末日まで期限を延期してください、と裁判所にお願いする文書だ。

川井倫明は、三つの文書を添付して、事務員の持田とき子のパソコンにEメールを送った。「すみません。朝一番で打ち出してコピーそろえて置いてください。裁判所に行く前に受け取ってその足で出したいので、九時半までに！　悪い！　お願い！　PS　コピーはどれも7」

検察庁や裁判所に書類を出すのは事務員の仕事だ。

でも「一人事務員」の川井法律事務所では、持田とき子が書類を出しに行くと事務所はカラになってしまう。こういう仕事まで弁護士が自分でしなければならない。

川井はその分早起きをして、民事の法廷に出るために裁判所に行く前に、事務所によってコピーを受け取り、それから検察庁に寄って書類を出し、高等裁判所の刑事部書記官室に寄って書類を出さなければならない。

時計を見るとまた午前三時だ。川井は書斎の明かりを消して短い眠りをむさぼるためにベッドに倒れ込んだ。

翌朝九時半、川井倫明が事務所に駆け込むと、三通の文書は、きちんと7通ずつコピーされ、入り口のカウンターに載っていた。

「ありがと！　帰りは三時ね！」

川井はそれをわしづかみにして飛び出した。

地下鉄で霞ヶ関に行き、日比谷公園側の階段を駆け上がり、道路を走って、検察庁合同庁舎に入り、ドアが閉まりかけているエレベーターに飛び込んで、高検（高等検察庁）の公判部受付へ前三つの書面を一部ずつ出した。「証拠開示請求書」以外は裁判所に出す書類だから、検察庁に出す義務はないのだが、こういうことをしていますよ、ということを知らせておく。

エレベーターで地階に下り、トンネル状の通路を走って裁判所の庁舎に入り、エレベーターに飛び乗って、高裁第三刑事部書記官室に行って「鑑定申請書」と「延期願」を五部ずつ、「ご参考」と手書きした「開示請求書」も五部出した。

まだ検察官に対してだけ請求の手続をしている「開示請求」は、本来裁判所には関係ないのだが、検察官が証拠を出してくれない時は、最後は裁判所に「検察官に開示を命令してください」と頼む「開示命令申請」をしなければならないので、やはり今の段階から「こういうことをしていますよ」と報せておく、というのが川井の方針だ。

高裁に出す書類は何でも五部出さなければならない。

記録に綴じて保管する一部、三人の裁判官に一人一部ずつの三部、そして書記官用の一部だ。本来一部だけ出せば、内部で必要な分は裁判所でコピーするべきところだが、職員の省エネのために、弁護士が出すようにされている。今日のような短い文書ならいいが、時には百ページを超える控訴趣意書や弁論要旨になると大変だ。

川井は担当の書記官を呼んで「控訴趣意書提出最終日の延期願」を一番上にのせて、三種類の書類を出した。

「この部の夏休みは？」書記官に尋ねる。

裁判所は全体が休んでしまわないように、部ごとに期間をずらせて夏休みをとる。

「済んでいます」

「よかった。この件で民事法廷が終ったらまた来ますから」と書記官に予告しておいて、またエレベーターに駆け込んで六階に下りて、民事628号法廷に駆け込んだ。

朝から走ってばかり！　こういうことはしょっちゅうだ。

弁護士たちは自嘲的に「弁護士の仕事は走ることだ」と言っている。川井は走るのは大好きだ。

民事の法廷は書類のやり取りだけだから、始まればすぐ済むのだが、順番待ちが長いから、終ったのは正午に近かった。

川井は高裁第三刑事部にまた走って行った。裁判官が昼食に行ってしまうと会えない。書記官に取次ぎを頼むと、打ち合わせなどに使う窓もない小さな小部屋に通された。五分ほどして、さきほどの書記官と、三人の背広姿の男が入ってきた。裁判官たちだ。川井は起立して迎えて礼をした。法廷と同じ儀礼を尽くしたのだ。

名刺を出して挨拶をする。

中央に座った年配の男が口を切った。裁判長の太田幸治であるとわかった。刑事では名が知れている裁判官だが、川井はこの人とははじめてだ。

「あ、川井先生ね。英文と日本語と同じ面に印刷されている名刺はめずらしいですな。事務所は……神田ですか」

裁判官という人種は、こんなどちらでもいい「世間話」なら、割合によくする人種なのだ。そして弁護士事務所には銀座や新橋が一等地だと知っていますよ、ということを言外に言っ

人たちなのだ。世情に疎いと思われたくないためだろうが、えてしてこういうものの言い方をする

「はい」

しかし、川井は従順に返事をする。いい判決をもらおうと思ったら、どんな時にも裁判官の感情を害しないことが大切だ。刑事弁護士はいつでも「被告人を人質に取られている」ことを忘れてはいけないのだ。

太田裁判長は、これからは雑談ではない、という感じを重々しい口調にして言った。

「趣意書の延期の件ですがね。三月末までは長すぎますな。この事件はすでに当部で最も古い事件のひとつになっているんですよ」

川井は心中身震いした。ということは、この裁判体（裁判官三人の合議体）では、他の事件はどんどん結審されて、つまりはどんどん「控訴棄却」で処理されているということではないか。高等裁判所が被告側の主張を容れる「原判決破棄」判決を出すのは、必ず長い審理のあとになる。

弁護士たちはよく「あの部は鬼の部」とか「仏の部」とか言う。どの部にかかるかによって、判決が違うと信じられている。

太田幸治裁判長はタカ派として知られている刑事専門の裁判官だ。そのことを知らないわけではなかったが、川井倫明は、このときそれをまざまざと実感した。

しかし川井は丁重に言った。

「はい、ですが、この事件は弁護士会で滞留しておりまして……」

「滞留は二か月ですよね。延期のご希望はそれを超えて四か月だ」

「はい。ただ、この事件は一審四開廷で終わっております。実質審理はほぼ二回で……」

「それは、争いのない事件だったからでしょう？　どんな事件でも一〇開廷も、一五開廷もかけなければならないということはない」

「今日、鑑定申請書と検察官にお出しした証拠開示請求書をこちらにお出ししました」

川井は書記官に視線を投げ、書記官はうなずいて受け取っていることを示した。

「私もまだ十分に記録を読み込めていないのですが、この事件には多くの問題があると思っております」

まだこれから、いろいろな書類を出すかもしれないと予告したのだ。

裁判長はややうるさそうな表情をした。

「ま、それはそれとして。……三月では異動期にもなりますから、二月いっぱいに出していただくことにしましょう。では今日のところはこれで」

三人の男たちは立ち上がり、書記官も立ち上がった。

川井はやむを得ず立ち上がってまた法廷の閉廷のときと同じに礼をした。

裁判官が部屋から出るまで立って見送り、それから小部屋を出た。

最終日を一か月カットされたこともだが、裁判長の印象に暗い予感がしてくるのを禁じえなかった。

26 鑑定証人

弁護士川井倫明は、暗い心を抱えながらも、ぐずぐずしてはいられなかった。

また地下の通路を通って検察庁に行った。

高検公判部受付に行って「今朝開示請求の書類を出した弁護士の川井ですが、菅原孝雄検事にお目に掛かりたいんですが」というと検察官は食事に出ている、と言われた。一二時五分過ぎなのだから仕方がない。

大急ぎでエレベーターで地下の職員食堂に下りてあわただしく昼食をすませて戻って少し待つと、検事室に案内された。

菅原検事とも初対面だが、こちらは物腰のやわらかい人だった。

名刺を出して挨拶し、

「書面でお願いした開示ですが。いかがでしょうか」

と丁寧に言う。

「ああ拝見しました。まず、ご要望のものがあるかどうか、警察に問い合わせてみますから」

弁護人が証拠開示請求をすると、検察官は必ずこう言う。

「はい、お願いいたします。何しろこの事件は……」

川井は裁判所で言ったことを繰り返した。

相手は黙って聞いていた。

高等検察庁、少なくとも東京高検の検事たちには、温和な紳士タイプが多い。地検レベルの検事には、闘争心むき出しのタイプが多いのとあまりにも対照的だと、川井はいつも感慨深い思いがする。そしてそれは、高検では、ほとんどの事件が、おっとりと裁判所に任せておけば、控訴棄却で被告人を負けにしてもらえるからだと、思っている。刑事控訴事件で、被告人の言い分を容れて「原判決破棄」の判決が出されることは稀なのだから。

それにしてもこの菅原検事は、好感がもてる人だと川井は思った。それで少しこぼすような口調になった。

「今、第三刑事部へ行って、さきほどご参考に置いていきましたように、趣意書期限の延期をお願いしたんですが、一か月削られました」

相手は少し笑顔になって、

「たいへんですね」

と言った。

「またほかにも開示をお願いするかもしれませんが、よろしくお願いします」

川井は頭を下げてその部屋を出た。

また裁判所庁舎に戻り、今度は五階の民事法廷で簡単な証人尋問を一件すませて地下鉄で事務所に戻ると、約束の三時の少し前。事務員の持田とき子はお茶を淹れてくれながら言った。

「よかった。三時に吉田さんを呼んでいます」

弁護士川井倫明の毎日はこんな具合なのだ。

この日から、翌年の二月末日まで、彼は二十数件の民事事件を判決と和解成立で終らせ、新しく約四〇件の民事事件を受任し、そのうち半数を訴訟外の示談で片付けた。残りはこちらから訴状提出して裁判に入った事件と、すでに相手から訴えられている状態で依頼を受けた事件だ。刑事事件も国選を含めて三件受任した。

弁護士が受け取る報酬は、民事では事件の対象となる経済的利益の額にスライドしている。独立して日が浅い川井倫明が依頼される事件は、さほど高額の事件ではない。だから数でこなさなければならないのだが、この期間、川井は事務所経営に必要な収入をこうしてまああ確保して、持田とき子に給料を払えないという事態にはならないですんだ。

刑事事件も汚職事件などは、一件で事務所維持が出来るほど高額の弁護料が支払われるというが、川井のところに来る刑事事件は、国選事件はもとより、ほとんど経済的には持ち出しに近い事件だ。それでも川井は一心に事件に取り組む。

そうした仕事の中で、川井は東京拘置所に何度も通って、小林昭二と長時間の面会をし、記録を何度も読み返して、控訴趣意書を書き進めて行った。

川井倫明がまず最初に、彼の被告人に尋ねたことは、「乙第3号証　五月二〇日付員面調書」つまり小林昭二が逮捕された次の日に取調主任である平井刑事から取られた調書の中に、小林の供述として、

「これまで何度も嘘を言ってお手数をかけて申し訳なかったと反省しています」

となっているのはなぜか、ということだった。

小林昭二は、息せき切って喋った。警察に連れてこられた次の日、平井刑事が自分で、被害者渡辺美加を殺したのは、五月一七日の朝早く、マウントフジ・ゴルフ倶楽部の上の速水林道から入った山の中だ、死体を見ればおれたちにはわかるんだ、と決め付けて、おれに認めさせておいてやっと調書巻いて、やっと夕飯食べられたと思ったら、また取調室に連れて行かれて、平井刑事がいきなり「嘘を言った」と怒鳴りつけた。それで、本当は殺したのは五月一五日で、誘拐してすぐに「徳之助さんの古屋」へ連れて行って殺したということにさ

れた。

被告人が訴えるのを聞いていた川井倫明は胸が高鳴った。

犯行の中核にあたる殺害の日時や場所が全く変わる、ということは、その自白調書が嘘であるということを意味する。そのことを川井はこれまで読んだたくさんの冤罪事件の判例で知っている。そういう嘘の自白がされていたことがわかって、冤罪が認められるのは、被疑者の供述調書が証拠の中でもっとも重要視されることによって起こる日本の冤罪事件裁判の特徴だ。

はじめてこの事件の記録を読んだ日に、検察官の証拠の中で、被告人の供述調書として最初に出てくる「乙第3号証　五月二〇日付員面調書」に、

「これまで何度も嘘を言ってお手数をかけて申し訳なかったと反省しています」

と書かれているのを見つけて、ピンと来たのは、やはり当たっていた。

そして小林の話を聞いて、川井が最も興味を引かれたのは、自白調書を作った平井刑事が
「死体を見ればおれたちにはわかるんだ」

と言ったということだ。

「死体を見ればって言ったの？」

「言った。科学とかなんか言った」

「科学ね」

これまでにも何件か殺人事件を扱っている川井弁護士は、殺人事件の取調べをする警察官は、少なくともその主なメンバーは、死体見分に立ち会うことを知っていた。そして問題の「乙第3号証　五月二〇日付員面調書」の作成者である平井敏一が、この事件の取調主任であることは、調書を作っている複数の警察官の中で、彼だけが警部という階級であることからわかっていた。

その平井警部が「死体を見ればおれたちにはわかるんだ」と言い、「科学とかなんか」言ったということは、死体見分の結果から、推定された死亡時刻が五月一七日の早朝ということだった可能性がある。

それなのに、小林の話によれば、被疑者に暴行をふるうことまでして無理に取ったその「五月一七日早朝の殺害」という自白調書の内容を、平井はその日のうちに「嘘を言った」として、日付にして二日も遡る五月一五日に変えさせている。

何かある！　もう一度記録にあたらなければ。

そして彼は被疑者にも新しい仕事を与えた。

「よし、また裁判官に書く手紙の下書きだ。いいかい。よく聞いてね。

まず捕まった時のことから、何日の何時に、あ、正確な時間はわからなければ、大体でいいから。どういうことがあって、刑事の誰にどういうことを言われて、どんなことをされて、もし調書をとられた時には、その調書にどういうことが書かれていたのかを思い出して書くんだ。

大変な仕事だけど、君の取られた調書が嘘だってことを、裁判官にわかってもらわなくちゃ、一審判決を変えてもらえないんだよ」

プラスティックの遮蔽板の向こうで、彼の被疑者はこくんとうなずいた。

小林昭二はこの自分より少し年上の弁護士を今は完全に信頼していた。

彼が今日着ているトレーナーは、川井倫明が差し入れてやったものだ。

小林昭二には、逮捕直後に母親が差し入れてくれた三着の着替えしかない、それだけを交互に着続けてきて、もう擦り切れている。見かねた川井が「安いのでいいから」と妻に頼んでスーパーで一着買ってきてもらい、差し入れをしたのだ。これは持田とき子には内緒だが。だって仕方がない。この被告人は、事実上誰も身内がいないのと同じなのだから。

川井倫明は事務所に帰ると、記録のコピーを出して、死体見分調書を隅々まで見直した。そして調書に付けられている写真ページのいくつかに付箋をつけた。

次の日、川井の姿は、またあの高等裁判所刑事記録閲覧室にあった。

複写された写真では不鮮明なので、もとの写真に当たって詳しく見るためだ。

メモ用紙と照らし合わせながら、記録のページをめくってある写真に見入っていた彼が、また愛用のパソコンを開いて打ち込んだ。

［＊10　死体見分調書写真13　これは死斑ではないか！］

五月一七日、渡辺美加の死体が発見された日の午後、山梨県警で死体見分をした鑑識班の沖田警部が（そして平井警部も）死体の死斑を見たこと、そしてその死斑は、この死体についての死亡推定時刻が、ほぼその日の早朝であったということを示していたことを川井は知らない。そして沖田が、見分の直後に県警本部長に呼ばれて、死亡推定時刻はその後に行なわれる林教授の解剖鑑定書に合わせるようにと暗に指示されたこと。そのために沖田は、当日中にもつくるつもりだった死体見分調書をつくることができなくなり、結局起訴間際に出てきた林鑑定書を見ながら見分調書を徹夜でつくったのが、起訴の前日だったことも、もちろん知るよしもない。

だが、この事件の国選弁護を受けた当日、川井弁護士が、パソコンに打ち込んだ疑問点のうち、

［＊3　警察の死体見分調書の日付が、なぜ林解剖鑑定書の作成日の後なのか。要注意！］

川井の刑事弁護士としての勘に何か響くものがあったあの［＊3］は、ここで［＊10］と

響き合った。そして後日の証人沖田正利に対する尋問へと結びついていくのだ。

川井の勘はすぐれていた。彼はすぐに同じ死体について出されている法医学者林教授の解剖鑑定書をめくって、その添付写真を見た。同じように死体の写真を背面から写している写真。その背中には黒っぽい部分はなかった。

川井はそれぞれ記入されている沖田の死体見分の時刻と、林の解剖鑑定の時刻とを比べてみた。開始時刻で四時間のずれがある。だが、沖田の見分調書の写真13の死斑の濃さから考えて、解剖前に死斑が全く消失してしまうとは思えない。

[＊11　林鑑定書の写真6は修整された?]

また記録に戻ってページをめくった川井が、思わず声に出した。

「やっぱり。内藤隆興!」

川井は、渡辺美加の死体を取り巻いている数人の姿が映っている写真の隅のほうに横顔を見せている人物、昨日事務所でコピーを見ていて、どこかで見た顔と思い、もとの写真に当たって確かめたかったのだが、やはり思い出すことが出来た。法医学者の内藤隆興、中山大学教授だった。

川井は彼を知っている。以前に川井が担当した殺人事件で検察側の証拠である解剖鑑定をした鑑定人として法廷に出てきて、反対尋問をした川井の質問ぶりに感心して、いわば敵味方の立場だった二人の間に、信頼関係が生まれた。

川井倫明は、その後、死体解剖についてわからないことがあると、内藤隆興教授に教えを請う間柄になっていた。

内藤教授が、この事件の被害者の死体見分に呼ばれて事実上警察の鑑識班を指導していたことを川井はこのときはじめて知ったのだ。

事務所に帰ると、川井は名刺箱から内藤教授の名刺を出して中山大学の研究室に電話をした。

「弁護士の川井倫明です。ご無沙汰してます。先生に是非教えていただきたいことがあるんです。お時間をいただけないでしょうか」

「ああ、川井さん。いいですよ」

「こんど上京されるおついででいいんですが」

一〇月半ば、有楽町の居酒屋で落ち合った内藤教授に、死体見分調書と解剖鑑定書のコピーを見せて、山梨少女誘拐殺人事件のことを話すと、内藤は良く覚えていた。

「あ、あの事件の控訴審をあなたがね。奇遇ですな。あれは印象深い事件だったからね」

「印象深い、といわれる点はなんですか？」

「鑑識班長の男が実に立派でね。僕は『警察官の鑑』っていう言葉を実感しましたよ」

「沖田正利ですか？　階級は警部でしたね」

「そう、いい奴だよ。実に立派だった。被害者の父親っていうのが、大変な男なんだが」

「政商と組んでのし上がった大金持ちなんですってね」

「そう、たくさん人を泣かせてるそうだが、この男も沖田君だけは信頼したね」

そうして川井は聞くことが出来た。

被害者の父親の渡辺恒蔵が、溺愛していたらしい娘の死体を離しそうにない様子だったこと。沖田の礼を尽くした態度で無事に死体見分にこぎつけられたこと。そして――

渡辺恒蔵が娘が殺された時刻にひどくこだわっていて、帰り際に沖田警部に、

「あんたに頼みたい。何時殺されたのか、きちんと調べてくれ。わかったらすぐに、教えてくれ。それだけを頼む」

と言ったということ。

これは何か重大なことだと、弁護士川井倫明は直感し、心の中のメモに強く書き付けた。

「それで、その死亡推定時刻は、――先生はどう見られたんですか」

なるべくさりげなく聞いた。

「その日の朝早くぐらいだと思ったね」

「死斑が相当濃く出ている写真が見分調書についてます」

「そう、だからね」

「直腸体温なんかは」

「あったね。数字は忘れたが。それも入れての判断をしたからね。あのとき」

「まだ体温が残っているくらいだったんですか」

「そう」

「すると、死体が見つかったのは五月一七日のたしか午前中でしたが……死亡時刻は……」

「その日の朝早くじゃないかと見たね」

「死後硬直なんかも、それで間違いない感じだったんですか」

「そう、そうだよ。硬直が確かまだ、手足には来てないようなところだったね。思い出した。きれいな手足をした女の子だったね」

「先生。鑑定証人になっていただけませんか。実は――」

川井はこの事件の被告人が殺人はしていないと思うことを、そのたくさんの根拠をあげて丁寧に説明した。

そして特に、いったんした自白を、死亡推定時刻の点で変えさせられていることも。

解剖鑑定をした林教授の死亡推定時刻は、その五月一七日早朝よりもほぼ一日半遡る五月一五日の夕刻となっていること。小林昭二が自白を変更させられているのは、このことと何か関係があるのではないかと思うこと。

内藤教授には「死亡推定時刻」という著書がある。川井の座右の書だ。

多数の死体解剖を行なった経験から、死亡推定時刻の正確な判定が、真犯人を突き止めるためにも、冤罪者を救うためにも、不可決であることが書かれている。

その著書のとおりに、この事件の死亡推定時刻を判断して欲しい、弁護士川井倫明は心からそう願ったのだ。

「うーん」

内藤教授は唸った。

「川井さん。僕はあの事件では見分立会いをやってる。第三者としての鑑定証人は適格でないよ」

「では事実についての証人と、見分書、鑑定書の添付写真なども含めた読み方についての鑑定証人を兼ねて」

「………」

「先生。被告人は死刑判決を受けているんです。私は国選弁護人です。事務員に叱られながら、この事件にのめりこんでいます」

考え込んでいた内藤が尋ねた。

「裁判官は誰?」

「太田幸治です」

「厳しい人だね」

「そうなんです。だから心配で」

「検察官は？」

「菅原孝雄です」

「あ、彼ならいい」

法医学者は、ほとんど常に、警察、検察と組んで仕事をする実情にある。多くの検事と仕事上の関係があり、多くの裁判官の訴訟指揮ぶりを知っている。

「先生。お願いできませんか」

「ま、いいでしょう。川井さんの頼みだ」

「ありがとうございます。これで無実の人間が死刑にならないですみます。ありがとうございます」

川井は何度も頭を下げた。

それから川井はカバンを開けて小型の茶封筒を取り出した。

「先生。鑑定料なんですが。被告人は逮捕された直後に母親が死んで、父親には連絡がつかない状態です。一審は母親が頼んで行った私選弁護人なんですが、ほとんど弁護活動をしていません。そういう事情で、被告人には資力がないので、申しにくいのですが負けていただけないでしょうか」

「ああ、いいですよ。あなたは国選だ」

「ここに五〇万だけあります。基準より少ないことはわかっているんですが、これで許していただけないでしょうか」

「ああいいですとも、でもそれはあなたが自腹を切るんでしょう？　もらっては悪いんじゃないか」

「いいえ。これだけはぜひ！　これは私の――なんというか、意地みたいなもんです」

「意地？」

「はい。なんというか、こんな理不尽なことで一人のチンピラの命を消してしまって、それで平気な、人たち、世の中と言っていいか、司法制度というのか。そういうものへの私の意地です」

「川井さんは――本当の弁護士なんだな。僕は感動したよ」

あとでこの時のことを振り返って、川井倫明は、内藤教授が良い気持ちで酔っていたと思う。内藤は酒が好きだし、川井倫明には深く心を許していた。

川井倫明にとって、この夜の、この居酒屋の情景は生涯忘れられないことになる。

27　控訴趣意書

　これより少し前の九月半ばに、東京高検の菅原検事から川井弁護士に電話があった。

「ご要望のありました開示証拠ですが、甲府の県警に問い合わせていたんですが、まず、被告人の員面、検面はあれだけでほかには無いそうです。死体の掌指からの爪の内容物についての採取、鑑定関係の書類はありましたので、開示いたします。毛髪についても同様です。被告人の声と犯人の声の同一性についての参考人の供述調書は無いそうです。

　捜査本部の捜査計画書は、外に出した前例が無いそうで、今回も出すことはできない、身代金受け渡し日の捜査報告書も外部には出せない、という回答です。あまりご要望に沿えない内容ですが、お見せできるものは揃えてありますので、どうぞご覧になってください」

「ありがとうございました。見せていただきに行きます」

　警察が「無い」と回答しているのは嘘だ。小林昭二はちゃんと調書を巻かれたと言っているし、誘拐犯罪で犯人の声を聞いた証人から供述調書を取らないことなどありえない。

　しかし、警察が無いと言っている以上、今、何を言っても証拠は出てこないことを川井は知っている。少なくともいくらかの証拠を出してくれた菅原検事に礼を言って、川井は検察庁の記録閲覧室でその鑑定書などを見た。

川井が予想したとおり、死体の爪からは被告人の皮膚片などは発見されていなかったし、犯行現場からは被告人の毛髪も被害者の毛髪も発見されていず、軽トラックからは被告人とその両親の毛髪しか発見されていなかった。

川井が菅原検事に好感をもっているのは、はじめて会った時からだが、菅原は川井が裁判所に出した例の「被害者のカバンに小林昭二の指紋だけがついているのは不自然で、小林が触る前に誰かが自分の指紋を消すために拭いたのではないか。拭いた跡があるかどうか鑑定して欲しい」という「公判開始前の鑑定申請」についても、裁判所から立会い検察官として意見を聞かれて同意の返事をしてくれたのだ。

反対しても当然の検察官が同意の回答をしたので裁判所も鑑定に出してくれたのだが、カバンは犯人の指紋採取が終った後は、指紋が消えないように注意する扱いをされていなかったため、拭いた後もはっきりしなくなってしまっている、という結果しか出なかった。

警察・検察がする証拠集めは、犯人を見つけて、有罪判決を取るためにしているのであって、逮捕した被疑者が、無罪だった場合に、その無罪を立証するためにしているのではない、ということをまざまざと示す結果だと、刑事弁護士川井は、今さらながら痛感するほかないのだった。

　こうして、検察庁や裁判所とのやりとりをしながら、川井が拘置所に通い続けした被告人との打ち合わせも、数回を重ねて、小林昭二は、プラスティックの遮蔽板で隔てられた向こう側の小部屋に入ってくるとき、にこっと笑うようになった。

　一〇月の終わりに、川井は、被告人に書かせている「陳述書」に書くべきことを忘れないように記入しておくノートを買うように指示した。すると被告人は下を向いた。

「わかったね。『裁判準備のため』って、『願箋』に書くんだ」

「願箋」とは、このように「領置金」の中からノートを買うということも含めて、被収容者が拘置所側に何かを頼む時には、それを「お願いごと」として書いて出さなければならない、その書式の用紙だ。

「すいません」と小林は下を向いたまま言った。

「おれ、腹が減って、捕まってからずっと食べてなかったんで、アンパンとか食べたくって、りんごも食べたくなっちゃって――先生に差し入れてもらった領置金――もうなくなっちゃった」

　まず瞬間的には腹立ちを感じた。

　国選弁護費用として、国から支払われる金額は、非常に安い。この事件は控訴事件だし開廷数も多くなるはずだが、それでも全部で二〇万前後だろう。記録謄写代も裁判がはじまれば、さらに嵩《かさ》んでいくし、ここへくる交通費、調査のための費用など実費だけでも大変で、裁判所から出る報酬では足が出る。その上に、川井は五〇万の自腹を切って、内藤教授に法医学上の鑑定料として払っている。膨大な時間を費やしているこの事件の弁護士報酬をただにしてしまって、なお大幅な赤字になることは眼に見えている。

領置金ゼロで身内がいないのも同然な被告人に、筆記具と切手を買わせるために仕方なく差し入れた金を、飲食に使うなんて、この男はどういう了見してるんだ！

しかし、川井は知っている。ここに入っている男たちは、拘置所の「官食」だけでは空腹なのだ。そして「官食」では、正月以外には出てこない菓子類や果物は、夢に見るほど欲しいのだ。それらの品物が領置金を使えば差し入れ業者から買うことができる。

「仕方がない奴だな」

と、言った時、まだ若い弁護士の声は暖かかった。彼の被告人は上目遣いになって、

「すいません。ごめんなさい」

小さい声で謝った。

「しょうがない。また差し入れてあげるから、それでノートを買いなさい。今度面会の時はそのノートとボールペンを持ってくるんだ。それも願箋に書いて出さないとできないかもしれない。担当さん（看守）に聞いてそのとおりにしなさい」

次の面会の時に、彼の被告人はノートとボールペンを持って嬉しそうに入ってきた。

そして川井に命じられてメモをしようとする小林昭二の手を見て川井は叫んだ。

「君は左利きか！」

小林はちょっと嫌な顔をした。子どものころ「ヒダリギッチョ」とからかわれた記憶が強い。

「これは大事なことなんだ。どうなんだ。左利きか？」

弁護士の真剣な表情は、からかっているのではない。小林は素直にうなずいた。

「お箸はどっちの手で持つの？」

小林は左手をあげて見せた。

「そうか！　よかった！」

きょとんとしている彼の被告人に川井は言った。

「君ね。平井刑事に取られた自白調書に、被害者の首をこうやって絞めましたって、写真を撮られて、その写真がついてる調書があるんだけど、それだと、右利きの人の絞め方になってるんだ。覚えてる？　待って、今調書のそこのところを出すから。ほらここだ。

「今日は、美加さんの首を絞めた時のことを正直に申し上げます。このように、左手を上にして、親指と人差し指で半分輪みたいにして、美加さんの首をすもうの喉輪みたいに前から押さえ、右手はその下側に、同じように押さえて両手で力いっぱい絞めました」

「覚えてる。平井主任にうんと怒られたから。怖かった。おれがこう（と小林は両手を前に出して見せた）やったら、違うって怒るんだ。それで、安東刑事がして見せたとおりにした」

「右手と左手を逆にしたんだな！　それは被害者の首についている指の跡が、右利きの人がやった絞め方になってるからなんだ。

人がこうやって首を絞める時は、自分の利き腕が下に来るようにしてしまうんだよ。

その方が、力が入るんだ」

「へえー。そうなんか」

「よかった！　君が犯人じゃないって証拠がもう一つ増えた！　待ってね」

川井倫明は重たいカバンから、もう一つの綴りを探し出した。

「ほら、そうだ、ここだよ。君が五月二一日に『徳之助さんの古屋』に連れて行かれて現場でマネキンを相手に殺した格好をさせられたことがあったでしょう」

「あった」

「そのとき写真写されたでしょう。その写真、ほらこれ見てご覧！　君は左手を下にして絞める格好している。このときは、刑事から、どっちの手をどうしろって言われなかったんでしょう？」

「そう。あんときは、ほかのことで怒られてたから」

「平井刑事は、君の手のところに気が回らなかったんだきっと。そうだ、それにこのときは平井刑事は死体の首のところの写真を見ながら君に指図していたんじゃなかったんだろう？　だから、君は思わず、自分がやるように、自然にやったんだ。だからこの写真と、こっちの写真で、手の位置が上下逆になってるんだ」
川井倫明は、その日事務所に帰るとすぐにパソコンを開いて「小林昭二」フォルダの「控訴趣意書メモ」文書に書き込んだ。

［＊12　小林昭二は左利き。死体頸部の扼頸の痕は右利きの犯行」

このように彼の被告人と打ち合わせを重ねながら、そして他の業務をこなしながら、川井倫明が、裁判所に「控訴趣意書提出最終日の延期願」を出した八月二〇日から翌二〇〇三年二月までの六か月の間心血を注いで書き上げた控訴趣意書は、Ａ４判の打ち出しで二〇〇ページを超えた。
要点だけを以下にあげる。

第一点　被告人は一審で弁護の名に値する弁護を受けなかった。

（アメリカ最高裁の判例を引用して。だからこの裁判はやりなおさなければならない）

第二点　事実誤認

原判決には、以下のような事実誤認があり、その事実誤認は、判決に影響を及ぼすものであることは明らかであるから、破棄されるべきである。

一　カバンからの検出指紋が、被告人指紋だけなのは、何者かが拭き取ったという理由以外にない。殺害犯人が被告人以外にいる証拠だ。

二　被害者を乗せたはずの軽トラックからは被告人とその両親の毛髪しか発見されておらず、犯行現場とされた「徳之助さんの古屋」からは被告人の毛髪も被害者の毛髪も発見されていないこと、死体の爪から被告人の皮膚片などが発見されていないことは、被告人が被害者を軽トラックで「徳之助さんの古屋」に連れて行って殺したという一審の認定が誤りだったことを示している。殺害現場の検証調書には殺害場所とされる位置に扼頸につきものの失禁の跡が描かれていない。これも、ここで殺害したという一審の認定が誤りである証拠だ。

三　小林昭二は左利きで、死体頸部の扼頸の痕は右利きの犯行であることを示している。

四　小林が殺害したという一審の認定は誤り。

小林は捜査段階で自白したとして供述調書が出されているが、この自白（乙35／20員面）調書は、その前に何か別の員面があることを示す文面になっている。小林は、陳述書で「その前にも調書を巻かれて、それは被害者を殺したのは誘拐した五月一五日ではなく一七日の夜明けだったということになっていたが、取調官がなぜか一五日の夕方だと言い出して、調書を巻きなおされた」と書いている。このようにストーリーが全く違ってしまうのは、本人が体験したことを自白している場合には起こらないことで、このことは、小林が犯人ではないことを示している。

（警察が出してこない小林の供述調書が、どうも犯行時刻にからんでいるらしいことはわかるのだが、そして死体見分調書につけられている死体の写真に写っている死斑らしいものと死亡推定時刻のズレに関係がありそうだとは思うのだが、それは公判が始まって証人を呼んで結果を出してから、最終弁論ではっきり言おうと川井は戦略を立てている）

五　犯人の声を聞いた証人の「小林の声と同じだ」という確認がない。当時の報道は中年の男の声だとしている。犯人を小林だと断定した一審判決は誤りだ。

(川井はたくさんの新聞雑誌の切抜きのコピーをつけた)

六　捜査本部の捜査計画書、身代金受け渡し日の捜査報告書が開示されないので、当日の犯人の行動は報道によるしかないが、殺害にかかわる鑑識関係の証拠によると、その鮮やかな手口から、犯人は警察捜査、特に鑑識の知識にも精通しており、小林昭二の犯罪歴とは全く異質で、小林は犯人ではない。

第三点　訴訟手続の法令違反

一審の判決には、取調官の強制によってされた被告人の自白調書等を証拠として被告人について身代金目的誘拐、殺人行為を認定した訴訟手続の法令違反があり、この法令違反は、判決に影響を及ぼすことが明らかであるから、破棄されるべきである。

(川井は、あとで正式に証拠申請することをことわって、小林昭二に書かせた「陳述書」の

うち、取調べの様子を書いた部分のコピーをつけた)

第四点　審理不尽
一審の判決には、事件の重大性に見合った充分な審理を尽くさずに、被告人に有罪・死刑の判決をした法令違反があり、判決に影響を及ぼすことが明らかであるから、破棄されるべきである。

二〇〇三年二月二八日、小林昭二に対する身代金目的誘拐・殺人等控訴事件の控訴趣意書提出最終日。弁護士川井倫明は、ここ二日間、昼も夜もパソコンに向かってキイボードを叩き続けていた。

民事事件も含めた多数の事件を抱え、早く仕上げなければと思いながら、とうとう提出最終日になってしまった。

事務員の持田とき子は、この趣意書は打ち出したものを九部コピーするように川井から言われていた。裁判所に提出する五部、検事に渡す一部のほかに、弁護士用に二部、被告人と鑑定証言を頼む内藤教授にも送るためだ。もう半月ほど前から、川井の原稿が出来るはしから、持田とき子はコピーにして袋とじに折り、一部ずつにしわけして積み重ねている。提出日ぎりぎりになって書面が出来上がるのは、どこの弁護士事務所でも同じだ。

その最後の原稿を打ち終わったのが午後一一時一〇分。コピーをして、全体を重ねて綴じ、正本には割り印をして、

「先生　出来ました！」

「ありがとう。ごめん遅くまで！」

持田が風呂敷に包んでくれた。一部が二〇〇ページを超えているから重い。ビルの階段を駆け下りてタクシーを拾い、時計を見ると一一時四〇分だ。

「運転手さん。悪い。急いで。一二時になる前に裁判所に入らなければならないんだ」

深夜の裁判所の南門（裏門）につけてもらって、守衛に、

「趣意書提出です」

弁護士バッジを見せて通してもらう。

高裁の宿直室に走って行き、

「趣意書提出です。お願いします」

書記官の前で風呂敷を解き、分厚い紙の山を渡して壁の時計をみると一二時五分前だ。間に合った！　一二時までに渡せば、あとの手続きは何時になってもいいのだ。

部数を確認してもらい、受付票をもらって、がくんと気が抜ける。

のろのろと歩いて南門を出て、地下鉄はまだ動いていると、その階段を下りていく。
こうして弁護士川井倫明の心血を注いだ控訴趣意書は期限内に提出された。

28　悪運に見舞われた

控訴趣意書を出すとすぐに、川井事務所では小林昭二が便箋に書き溜めた分厚い「陳述書」をコピーして、裁判所と検察官に出した。控訴趣意書と一緒に出せばいいのだが、一人事務員の持田とき子は、控訴趣意書のコピー作りで手いっぱいだったのだ。

川井は小林の「陳述書」を見て、感無量だった。

書き始めの方は、字も下手で、表現も中学生並みだが、しだいに字もしっかりして、漢字も多くなる。川井が小さい国語辞典を差し入れてやって、それを使いこなせるようになってきている。文章もずいぶん上達した。

人間は必要に迫られると、能力が開発される。自堕落に暮らしていた一人のチンピラが、理不尽な運命の中で成長して、ようやく社会人の仲間入りをしようとしている。

弁護人が控訴趣意書を出すと、検察官がそれに対して答弁する「答弁書」を出す。

三月末に、川井弁護士事務所に、裁判所から「答弁書が出たのでついでのときに取りに来てください」と連絡があった。

それを受け取って川井は「これはいける！」と喜んだ。

菅原検事の署名の入ったその答弁書は、ごくあっさりしていて、形の上では弁護人の控訴趣意書に反論はしているが、暗に「それでもいい」といった感じの書きぶりだった。

（菅原さんはわかってくれてる）

川井が喜んだのは、答弁書が菅原の名で出されていることは、彼がこの三月で異動にならず、引き続いてこの事件の公判立会い検事であると考えられたからでもある。

しかしこれはぬか喜びだった。

四月下旬、裁判所から公判の打ち合わせをするからと連絡を受けて、高裁第三刑事部のあの窓のない小部屋に通された時、川井ははっとした。

裁判官三人のほかにそこにいたのは菅原検事ではなく、太って浅黒い顔をした別な男だった。検事が替わったのだ。

自分が年下だと思うので、川井は名刺を出して丁寧に挨拶した。

「弁護人の川井と申します。よろしくお願いします」

相手はじろっと川井を見て黙って名刺を出した。

［東京高等検察庁　検察官検事　才口政治］

どこかで見た名前だと思ったがそのときは考える暇もなく、裁判長が口を切って打ち合わせが始まった。

「弁護人から申請があった証拠調べですが、検察官のご意見を伺いましょう」

控訴趣意書に引き続いて、川井は大部の「証拠調べ請求書」を出しておいた。

申請した証人は九人。それぞれに、「立証趣旨」として、その証人の喚問が、この事件の真相解明にぜひとも必要だという理由を詳しく書いてある（以下のカッコ内は川井がその証人から引き出したい本音のところだ）。

1　この事件の捜査主任官である捜査本部長警視　押田郁夫

（脅迫電話の主である中年の男の捜査はどうしたのか。捜査全体はどのように進んで小林が犯人だということになってしまったのか）

2　死体見分調書を書いている鑑識班長警部　沖田正利

（見分時の死体の状況からは、小林がはじめにさせられた自白のとおり死亡推定時刻は死体が発見された五月一七日の早朝ではないのか。それがなぜ変えられたのか）

3　犯行現場の検証調書を書いている鑑識班警部補　長尾満

（ミニトラックからは被害者の毛髪や繊維が発見されず、犯行現場とされた「徳之助さんの古屋」には、被害者・被疑者の毛髪も、着衣の繊維も出ていないし、扼頸によって起こる失禁の跡もないことを確認させて、長年の現場鑑識の経験から、小林の自

白は鑑識結果と合わないと言わせたい）

4　被疑者の供述調書をつくっている取調班長警部　平井敏一

5　同じく　取調班警部補　長谷川徳夫

（どういう取調べをして被疑者からこういう自白を取ったのかを詳しく尋問して、自白が暴行や脅迫でつくられたことを言わせたい。犯行の中心である殺害の日時や場所をそうして変えさせたことも）

6　解剖鑑定書を書いている大洋大学教授　林喬一

（解剖した時の死体の状況を詳しく詰めて、裁判官に鑑定書の死亡推定時刻の誤りがわかるようにしたい）

7　身代金要求の電話を受けた被害者の母　渡辺美貴子

8　犯人の声を聞いたホテル・ハイランド・リゾート従業員　氏名不詳の女子

（誘拐犯人の声は小林昭二の声ではなかった）

9　鑑定証人　中山大学教授　内藤隆興

（実際に死体見分に立ち会った時に見た死体の様子を証言してもらい、解剖鑑定書の法医学的な解釈という名目で、その死亡推定時刻がおかしいことを言ってもらう）

川井が出した証拠申請書は検事の分も含めて六通裁判所に出し、それは才口検事の前の机の上に置かれていた。しかし才口はそれをめくることもしないで言った。

「全部必要なし、ですな」

川井は才口検事の声をはじめて聞いた。太い、冷徹な声だった。

こういうときにかっとなってはいけない。川井はつとめて穏やかに言った。

「裁判長、一応口頭で立証趣旨を説明させていただいていいでしょうか」

「ま、では手短に。時間のこともありますから、せいぜい四〜五分で」

川井は熱心に説明した。この事件の記録を初めて見た日から彼がパソコンに打ち込んできたあの［＊1から＊12］までの疑問点にはじまり、雨の日も風の日も拘置所に通って被告人から聞いたこと、記録を何十回も見なおしたことから得た洞察、それを今、ほんの短い時間にこの四人の男に理解させせなければならない。はしょりにはしょったつもりでも一〇分はかかった。さすがに裁判長も途中でカットさせることはなかった。

聞き終わると裁判長が言った。

「折角ですから、検察官どうでしょうか、捜査本部長は別として、鑑識関係と取調べ関係から一人ずつ、あと鑑定医の尋問ということで」

川井はこみ上げる怒りを見せないようにするのに精一杯だった。

「裁判長、お聞きください。趣意書にも書きましたように、この事件の一審は、被告人が弁護らしい弁護も受けられずに、審理らしい審理もされないで終っているんです。御庁（裁判所のことを言う敬語）に来て、はじめて実質的な審理ができるかどうかという事件なんです。正しい裁判が機能するためにも、ぜひ、この申請書に書きました程度の証人喚問が必要だと思います」

裁判長は熱する弁護人を「ものを知らないな」という目で見て言った。

「弁護人、お忘れにならないように。わが国の控訴審は、続審ではなく事後審です。つまりですな、控訴裁判所は、一審判決が妥当であるかどうか、を見るのに必要な限度での審理をすることしかできないのですよ」

「知っておりますが、しかし一審で何も審理らしい審理をしていないのですから……」

「それは一審の弁護人の方針で、本件を争うべき事件とは見られなかったからでしょうな。原審（前の裁判所＝ここでは甲府地裁）が、弁論を制限したわけではないんだから」

あなたは争うべきでない事件を無理に争っている、とでも言いたげな口調でいなしておいて、裁判長は検察官に顔を向けた。

「検察官、さきほどの三人でいかがでしょうか」

「致し方ないでしょうな」

検察官は、本当は一人も必要ないのだが、せっかく裁判所が言うことなんだから仕方がないです、と言外に匂わせる。これでその三人だけの証言で終ってしまったら大変だ。最低限内藤教授を入れてがんばってもらうしかない。

「鑑定関係でしたら、見分に立ち会って死体の状況も見ておられる内藤先生の方をお願いします」川井が言うと、そのときなぜか才口検事の目が笑ったように川井には感じられた。

検事は言った。

「しかるべく」

裁判所にお任せします、という業界用語だ。

裁判長「では、それで決定しましょう。

2番の　沖田正利、4番の　平井敏一　9番の　内藤隆興

この三人ですな」

川井「待ってください。この事件はあまりにもおかしい形で捜査の幕引きがされているんです。身代金要求の電話を受けて、犯人の声を聞いている渡辺美貴子さんに、被告人との声の同一性を確認させている調書がないんです。こんなことはありえないじゃないですか。

どうしても渡辺美貴子さんに確認するべきじゃないでしょうか」

裁判長「検察官、ご意見は」

検察官「一審の証拠に、被害者の父親の『極刑を望む』という調書が出ていますよ。母親が声の同一性に異議を述べなかったから、被告人を犯人として捜査を終結していると見られますよ」

川井「そういう証拠は記録のどこにもありません」

裁判長「まあまあ、弁護人、冷静に物を言って下さい。検察官の言われることもですが、裁判所は、被害者側の事情も尊重しなければならないと考えますな。被害者の母親の調書がないのは、そのご本人が調書にするのを嫌がった、ないしは出廷を断ったということも考えられますからな。遺族に出廷を強制することはできないでしょう」

（このままではこの裁判はもう見込みがない）

これがそのとき川井の感じた先行きだった。

そしてこのような場合弁護士はこんな妥協をする。

「では、どうでしょうか。検察官から、あるいは警察を介して渡辺美貴子さんに、意向を打診していただく」

「聞くだけなら聞きますがね」

才口検事はめんどうくさそうに言った。だめだ、という返事をするつもりだとわかる言い方だ。しかし、今日のところはこうしてでもつないでおくほかない。

「じゃ、検察官、お願いします」

裁判長はそう言うと、川井に向かって、

「弁護人、情状証人はどうされますか」

川井は嫌な気持ちがした。

情状証人とは、被告人の有罪を前提として、刑を軽くしてもらうための有利な情状を証言してもらうための証人だ。これまで、弁護側の証人を切り捨てることに終始し、そしてまだ審理が始まらない今の段階で、情状証人なら調べてやろうといった口ぶりの裁判長の姿勢に、この事件の先行きに容易ならないものを感じざるを得なかった。

しかし被告人のために、この状況の中で最善を尽くすほかない。

川井は丁寧に、小林の母親は急死したこと、父親は連絡が取れないことを話し、そして言った。

「情状証人の件は、もうすこしあとにしていただけないでしょうか」

とにかくここで「情状証人」という枠であっても証人申請できる枠を捨ててしまわない方がいいと思ったのだ。そしてこのとっさの判断が、あとで貴重なものだったことがわかることになる。

「では、あとは被告人質問ですな」

「はい」

控訴裁判所は、なぜか被告人質問だけはするものと相場が決まっている。

「被告人質問は聞くことがいっぱいあります。時間を一日はいただきたいのですが」

「一日ですか」

裁判長は露骨に嫌な顔をした。

「被告人からは長い陳述書が出ていますから、あれで足りないところだけにしていただかないとね。一五分と言いたいところだが」

「なるべく要点を絞っていたしますが、一五分では……」

「では、絞った尋問にしていただくことで。三〇分は取っておきますが、その範囲でなるべく短くしていただくことで。では期日を入れましょう。

連休明けの五月一三日はいかがですか」

裁判長は弁護人だけに聞く。検察官はこの部の立会いだけしているので、裁判所のこの部で空いている日は担当検察官も空いているのだ。

え！　それでは二〇日もないじゃないか！　東京高裁刑事部はなんと暇なんだろう。そんなに早く期日が取れるとは。そして川井はあわてた。

「あ、その日は差支えです」

「では翌週の二〇日」

「あ、その日も」

「二七日」

「すみませんが……」

裁判長は川井をにらんだ。

「弁護人、一体何時ならご都合がいいんですか」

「は、はい、こちらは開廷日は火曜でしょうか？」

「火曜と金曜です」

と書記官が答えた。

「午後ですよね」

証人尋問だから、と思ったのだが、書記官は、

「午前午後どちらでも」

という
「六月一〇日なら」

これが通せる限度だろう。

川井が言うと、裁判長が不機嫌をあらわにして、

「弁護人、この事件はなにしろ当部で最も古い事件なのだということをお忘れなく」

「申し訳ありません。なにしろ一人事務所だもんですから」

川井は卑屈だと思ういいわけを言った。

「仕方がないですな。ではその日に午前午後通してさっきの三人の証人を調べます」

有無を言わせない裁判所の決定だった。

「それから、弁護人がたいそうお忙しいようですから、次の期日を入れておきましょう。

この期日で被告人質問と、もしあれば情状証人の尋問で、次の期日に弁論をなさりたければ弁論で結審ということで。弁護人六月一七日と、弁論は少し空けましょうか、七月八日」

「六月一七日は塞がっております。七月八日は、なんとか」

川井は手帳を覗き込まれないようにしながら言った。被告人尋問の後、そんなに早く弁論要旨を仕上げられるはずがない。被告人質問を七月八日にして、弁論をなんとか夏休み過ぎに持っていかなければ。

「あの、この部の夏休みは何時でしょうか」

書記官に向かって聞く。

「前のほうで決まると思います」

書記官が答えると同時に、

「その夏休み明けに弁論にさせていただけませんか」

必死に頼んだ。

裁判長は嫌な顔をしながら、

「では被告人質問は七月八日でいいですね。なるべく簡潔に済ませてください。もし情状証人があればその日の冒頭に入れますから。弁論は……そうですね。八月では……弁護人がお忙しいようだから九月二日に入れましょう。ただこの日に検察官の弁論もお願いしますから、弁護人は遅くとも二週間前までに弁論要旨を出してください」

何度も皮肉を言われて、それでこの日の打ち合わせは終った。

裁判官は、なぜ、ただ早く済ますことだけに精力を傾けるのだろう。

東京高裁の刑事部は暇なのだ。少しは、事件を十分に解明する審理をしてくれてもいいじゃないか。

暗い気持ちで裁判所を出ながら、川井倫明は、囚われの身である彼の依頼人に心の中で話しかけた。

(どうやら悪運に見舞われちゃったようだよ。裁判官も、検察官も。前の検事だけでも転勤がなければよかったんだが。でもしかたない。がんばろうな)

そして歩きながら考えた。

菅原検事が転勤間際に答弁書を出して行ったのはなぜだろうか。

たんに任期内の仕事を形だけでも片付けるために、気が入らない文章を書いたのだろうか。違うと思いたい。川井の控訴趣意書を読んで、この事件の真相解明に協力するために、弁護人の言い分に真っ向から逆らわない答弁書を書いて、置き土産にしてくれたと、せめてそう思いたい。

川井は重たいカバンを提げて、地下鉄の駅に入って行った。

29　証言者たち

二〇〇三年六月一〇日、午前一〇時半、今日喚問されている三人の証人のうち、最初に証言するのは死体見分調書を書いた鑑識班長の沖田正利で、尋問は反対尋問も含めて午前いっぱいがあてられている。

証人台に進み出て裁判長の人定質問に答え、宣誓する男を川井倫明はじっと見つめた。法医学者内藤隆興が「警察官の鑑」と褒めていた男。今日は背広の私服姿だが、警察官らしいきりっとした雰囲気をただよわせていて、誠実そうな好感の持てる人物だと思った。

しかし、弁護人からの主尋問が始まると、沖田正利は硬い表情で、警察組織の一員としての模範回答に終始した。頭がいい人物で、非常に注意深く神経を使い、警戒しながら答えていることがありありとわかる答え方だ。

尋問事項として提出している順序に従って、川井はまず、この死体見分調書の作成日付が起訴の前日であることの不自然さを突いた。

「死体見分調書は、被害者の死亡推定時刻、つまりは犯行の日時の特定の問題ですから、当然取調べやその他の捜査の基本的な枠組みを設定する大きな要素になります。ですから、死体見分後なるべく早く作成して、捜査本部に提出すると思うのですが、あなたの作成されたこの見分書は、見分の日からほぼ一と月半たって、六月二八日、これは本件起訴の前の日に作成されたことになっています。どうしてそのように遅れたのですか」

実際には沖田は林鑑定書の死亡推定時刻関係の記述に合わせるために、鑑定書の仕上り前には書けなかったのだ。しかし沖田警部は、背筋をきちんと伸ばし、両手の中指をズボンの脇の縫い目に沿ってまっすぐに伸ばした警察官の「気をつけ」の姿勢を続けながら、はっきりと答えを発音した。

「はい、まことに申し訳ないことでありましたが、自分が忙しくて遅れたのであります」

「でも、それでは死体見分の結果を本件の捜査に役立てられないことになりませんか」

「はい。それですから、捜査本部に呼ばれて口頭でご報告させていただきました」

「ですからそのために文書にして、提出するべきで、その方がいいのではありませんか」

「はい、そう言われればそうでありますが、何分にも、自分の怠慢であります」

「林教授の解剖鑑定書が出たのが、この見分調書の作成日付の前の日の二七日です。あなたの見分調書は、この鑑定書を待っていて、内容を合わせたのではありませんか」

「いいえ、自分はその鑑定書を、拝見して書くいとまはありませんでした。見分書の内容は、自分が見分当時に作成したメモに基づくものであります。自分としても、繰り返しになりますが、忙しくて遅れていたものでありますから、起訴に間に合わないといけないと本部長からご注意を受けまして、あわてて起訴に間に合わせるべく、作成したものであります」

忠実な警察官は、すべてを自分の怠慢ということで答弁を一貫した。

質問が見分の中身に入っても、沖田証人は、同じ調子で、死体見分調書から、見事なまでに一歩も外れない答えを繰り返した。

「直腸体温は見分調書に書いたとおりで、外気温と同じ一八度でありました」

「死後硬直は緩解しておりました。その点からも、死亡推定時刻は五月一五日の夕刻と考えられました」

その答え方は川井に、この証人は賢いし、検察官と想定問答のリハーサルを入念に繰り返して、この法廷にやって来ていると感じさせた。

(だが、見ていろよ)川井は心中で叫んだ。

死体見分調書の添付写真13のことは、意識して尋問事項に特別の項目で書かなかった。林鑑定書に合わせて急いでつくった見分書だから、写真を精密に点検しなおす暇がなかったのだろう。死斑の写っている写真を、一枚そのまま入れてしまっているのだ。

不意打ちは卑怯かもしれないと悩んだのだが、この男の今日の答え方を見ていると、真実を言わせるためには不意打ちでなければならなかった。この男は誠実な性格なのだろう。だが、組織の一員として、どのように振る舞うべきかを知っていて、そこからはみ出すことは絶対にしない男であることがわかった。それは警察官として長年その組織の中で生きてきて、そしてこの年齢で警部に昇ってきた人間としては、当然のことなのだろうが。

(でも、さあ、この質問を受けてごらん)

川井は勇み立ってその質問に入った。

「裁判長。証人に甲12号証死体見分調書の添付写真13を示したいのですが」

弁護人が裁判長に向かって言うと、裁判長は、記録のその部分を開いて左右の陪席裁判官に見せてからうなずき、すると廷吏が裁判官席の机の上から、差し出された記録の綴りを受け取って、証人が見られるように証言台の上に載せる。

「その写真を見てください」

「はい」

「被害者の死体見分時の写真のうち、背面を撮った写真ですね」

「はい」

「その被害者の背面には死斑が見えますね?」

「――――」

証人沖田正利は言葉が出せなかった。この写真のことは、検察官とのリハーサルに入っていなかった。それがはっきりわかる絶句ぶりだった。検察官も気がつかなかったのだと川井にはよく理解できる。

「見えますね?」

「――」

「返事をしてください」

「はい、あの、これは――」

「なんですか、これは」

「――これは、あの……これが死斑だ……とは、わかりません。わからないと思います」

これまでの明快な回答ぶりとは打って変わった、しどろもどろな口調だった。

「わからないと思いますとは、誰がわからないのですか」

「はい、はい、あの自分であります」

「どうしてわからないのですか」

「――」

冷静で沈着な鑑識班長が乱れ、答えに詰まった。手ごたえがあった。川井は心中で、次の一撃のためのてぐすねを引いた。

だがそのとき裁判長が尋問に介入した。

「弁護人、『議論にわたる尋問』は規則(刑事訴訟規則)で禁じられていることはご存知でしょう」

「知っておりますが、これは議論ではありません。証人が死斑だとはわからないと意味不明のことを言われるので、その意味を聞いております」

「では、そのように聞いてください」

(何が「そのように」だ)川井は内心、裁判長の介入に腹を立てていたが、我慢して、「はい」と答えた。

「では質問を変えます。証人は今『死斑とは、わからないと思います』と言われたのですが、私には死斑に見えます。それが証人には『わからない』と言われる意味を言ってください」

なんとか、裁判長に阻止されないようにと思うために、持って回った変な形の質問になった。

そしてこの介入の間に、沖田正利は態勢を立て直した。

「自分が言いました意味は、それは死斑ではない。死斑だと言われてもそれは自分にはわからない、という意味であります」

「そうですか。あなたはそう思うというのですね。では死斑でないならなぜ、この、被害者の背面にこのように黒っぽい色がついているのですか」

「それは、それは、もしかしたら影かもしれない、そう思います」

「影って――こんなところにどうして影があるんですか」

裁判長「弁護人、議論にわたる尋問です」

（これは議論ではありません。どうしてこんなところに影があるのかと聞いているのです）

と裁判長に抗議したいのだが、裁判長と敵対的になることは、被告人の不利益につながる。弁護人としては我慢しなければならない。やむを得ず、

「――では、質問を変えます。

死体見分をして、その一環として写真を撮る時は、鑑識の写真班の人が、きちんとライトを当てて、その、写すべき部分をカメラ担当の鑑識課員の人がきちんと明瞭に写せるようにしますね」

「はい」

「このときは、ライトは当てていましたか」

「――それは――自分はライトの係ではないので……」

「あなたは鑑識班の班長ですよね」

「はい」

「死体見分が正確に行なわれるように、もし、これが死斑でなく、影であるというならですよ、死斑と見えるような影など写らないように、ライトの具合などを指揮して撮影させるはずではありませんか」

裁判長「弁護人、証人はライトの係ではないので、そのときのライトの当て方はわからないと答えているのですから、議論にわたる尋問はやめて、次の尋問に移ってください」

「では、やむをえません。質問を変えます。

ですが裁判長。この証人は知らないと言いますので、この見分時のライト係を証人として申請します」

裁判長「証拠申請は文書で出してください。裁判所はそれが出された時点で判断します」

（出したらこれは必ず却下する）川井は唇を嚙んだ。

「では、質問を変えます。

もしこれが影なら、なぜ、この死体の背面の、背中のですね、この範囲にだけ写っていて、体の他の分とか、床とか、にはないのですか。一体何の影だって言うんですか」

「それは、影の大きさが、その大きさしかなかったのではないかと、考えます。何の影かは、自分は、担当ではないのでわかりません」

裁判長「弁護人。影のことはもういいでしょう。次の質問に移ってください」

川井はいっそう強く唇を嚙んだ。彼はここで自分が敗れたことを感じた。

もし、同じ質問をして、証人が同じ答えをしても、そこから心証を受け取る裁判官次第では、この沖田尋問の結果から、死体の背中の黒っぽい色は「影」であると考えることは不自然で、死斑であるとしか考えられない、という判断もありうるだろう。

しかし、この太田幸治を裁判長とする裁判体では、そういう判断がされることは起こりえない。そのことが今の、裁判長の尋問への介入ぶりからわかったのだ。裁判長の左右に控えている陪席裁判官たちが、タカ派と言われているこの太田部総括（高裁刑事第三部の長）に逆らうことはありえないことは、これまでの法廷での態度をみれば明らかだった。

沖田正利は、弁護人のその後の尋問で、二度と詰まったりよどんだりすることは無かった。優秀な警察官。しかしその優秀さは、組織を守るために捧げられている。

（正義を守るためにではなく）

川井は心中で天を仰いだ。

弁護人の主尋問が終わると、裁判長がうながす。

「検察官、反対尋問をどうぞ」

「ございません」

そうだろう。弁護人の主尋問で沖田が崩れた部分を、反対尋問でなんとか固めようとしてあらを出すことをしない方が賢明だ。

だが、闘争的な才口検事が、反対尋問権を放棄するのは、沖田証人の証言を、この裁判体は被告人に有利な証言と取らないはずだという、ゆるぎない信頼でもあることを川井倫明は感じた。

賢い警察官は、一時危なかった尋問をその程度までには切り抜けたということになる。

「証人はご苦労様でした。これで終わりです」

裁判長に告げられると、沖田証人は九〇度に腰を折って裁判長に礼をし、弁護人にも目礼をして法廷を出て行った。

検察官が反対尋問権を放棄したので、午前の法廷は早く終った。

午後の尋問は証人平井敏一からはじまった。

被疑者小林昭二の取調べ主任だった警部。

取調べをする刑事の多くは、「自白の任意性立証」つまり、被疑者に強制自白をさせたのではない、ということを検察官が立証するために法廷に呼ばれた経験がある。被疑者に自白をさせることに長けている、と警察内部で評価されている刑事ほど、そういう証人尋問を多数回経験している。もちろん、彼等は「自白を強要しました」とは、口が裂けても言えない。言ったら自分は特別公務員暴行陵虐罪に問われるおそれもあるし、それ以上に警察という組織に傷を負わせることになる。だから誰一人として「はい自白を強要しました」というようなことは言わない。しかし、その答え方で、それが口先だけの否定であると物語ってしまう「素人」もいれば、場数を踏んで、そんな風情を感じさせないベテランもいる。

法廷に入って来る余裕のある足取り、裁判長の人定尋問に何の緊張も見せずに答える平井の表情を観察して、川井は（これは場数を踏んでいるな）と感じた。

それは予測していたことだった。この事件の記録から、川井が読み取ったたくさんの、しかもそれぞれが重大な問題点（彼のパソコンに入っている「＊1から＊12」まで）をもつこの難事件を、ともかくも辻褄の合う自白に作り上げるには、生易しい取調べをしていては、間に合わない。小林昭二が涙ながらに訴えた自白強要のすごさを、なるほど、この男なら――と思わせる面構え。

こういう男は弁護人がどんなに材料を突きつけて尋問しても、平然とシラを切る。だから川井は、この証人から「自白を強要しました」と言外にでも感じさせる証言を引き出すのは難しい。川井はそれを見越した作戦を立てていた。

被告人本人に尋問させるのだ。証人の答えを裁判官たちに聞かせるのではなく、被告人本人の訴えをそういう形で聞かせるのだ。

裁判長から「弁護人どうぞ」と促された時、川井は立って言った。

「裁判長、取調べの時にどういうことがあったか、その具体的な事実を被告人自身から質問させることをお許しください」

しかし太田裁判長は、左右の陪席裁判官と一瞬だけ目配せを交わして、弁護人の申し出を言下に却下した。

「それは適当ではないと裁判所は判断します。弁護人が尋問してください」

この裁判官がそう言い出したら、テコでも動かない。川井は、

「では弁護人の尋問のあとで、ポイントのところだけ、そうさせていただきます」

一方的に言っておいて尋問にかかった。

「弁護人の川井です。裁判長、証人に乙第3号証を示します。
　まず伺いたいのは、あなたが取られたこの被告人の五月二〇日付員面調書ですが、ここには、
［これまで何度も嘘を言ってお手数をかけて申し訳なかったと反省しています］
　と書かれています。
　被告人がそれまでにこの調書の内容と違うことを言っていた、と書かれているのですが、その、違うこと、とは何ですか」
「自分は殺していない、という嘘です」
「その前の日の乙第一号証五月一九日付弁解録取書で、すでに、
［私はこれまで、死刑が怖くて、渡辺美加さんを殺したことを言えないでいましたが、刑事さんからさとされて、正直に申し上げることにしました。美加さんを殺したことは間違いありません。詳しいことは明日申し上げます］
　として、殺害の自白は調書になっているではありませんか」
　平井刑事はほんの一瞬ひるんだが、すぐに平然と言った。
「そのとおりで、殺害を否認していた、被疑者はそのことを詫びたのです」
「証人がこの乙3号証員面調書を取られたのは五月二〇日の何時ですか」
「さあ、何時ですかね。もう一年以上前のことなので、忘れましたわ」

「五月二〇日とは事実に反していて、もう一二時をとっくに回っていた、二一日の午前一時から二時ではないのですか」

「今言ったように、そのときのことは忘れましたが、そんなことはありませんな。そんな遅くまで取調べをすることは禁じられていますから」

「その禁じられている深夜の取調べをあなたはしたのではありませんか」

「するわけがありません。警察官は正しい取調べをしなければ、自白の任意性を否定されますからな」

「その……」

裁判長「弁護人、押し問答はやめて先へ進んでください」

また裁判長の介入だ。一つ一つ詰めていく尋問がこれでできなくなった。川井は仕方なく、自分から事実を言ってしまう尋問方法に切り替えた。

「では質問を変えます。

被告人はこの調書を取られたのは二一日の午前一時から二時だったと言っているのですが、すると五月二〇日には調書が一通もないことになります。しかし実際はもう一通長い調書があって、それは、殺害は認めさせられたが、殺害の日時を、あなたに言われて五月一七日の早朝としていたでしょう。それがあるから、殺害の否認もふくめて［何度も嘘を言って］という記述になったのでしょう！」

「全く違いますな」

「どう違うんですか！」

裁判長「弁護人、違うという答えなんですから、先へ進んでください」

この男の嘘を裁判長の介入が守ってしまう。その繰り返しだった。たとえば、

「あなたは、この小林を、張り倒して、馬乗りになって『こうやってお前は美加を絞めたんだ。こうやってな』と言って首を絞めたでしょう！」

「弁護士さん、先ほども言ったでしょう。そんなことするわけがありませんよ。警察官は正しい取調べをしなければ、自白の任意性を否定されますからな」

「そのするはずがない取調べを、あなたはしてるんだ！

裁判長、一度だけ、一度だけ、被告人から証人に尋ねさせてください。この点だけ！」

川井の怒りはものすごい迫力になって裁判長に迫った。裁判長は左右の陪席裁判官と小声で相談してから言った。

「じゃ、一度に限って許します。被告人、質問したいことがあれば証人に質問しなさい」

小林昭二は立ち上がり、怒りに震えながら言った。

「平井主任は、おれを殴り倒して、おれの上に乗って、首、絞めたじゃないですか。俺、殺されると思った。首、こうやって（と自分の首を絞め上げた）絞めたじゃないですか！」

証人はどこ吹く風といった面持ちでゆっくりと言った。

「そんな、ことは、して、おりません」

「うそだ、うそつくな、おれ、おれ、殺されるかと思って、だから『そうだ』って言ったんだ。殺してなんかいないのに、金取っただけなのに……」

裁判長「被告人、黙りなさい。弁護人、これは質問じゃないでしょう。打ち切ります。弁護人の質問に戻ってください」

こういうことの繰り返し。平井に対する川井弁護人からの尋問は二時間に及んだが、平井は少しも乱れを見せることなく、冷静そのものの証言に終始した。

殺害日時も場所も、一方的に押し付けておいて、また一方的に変えたこと。全く知らない「脅迫電話」の言葉を教えられ暗誦させられたこと、五月一六日の身代金受け渡しの一部始終もすべて教えられたことを調書に取られたこと、身代金投下の時刻を教えられ、そのときいたという場所を高速道路下の川原に連れて行かれ、指差しさせられて写真に撮られ、調書にもされたこと、犯行に使ったプリペイドのケイタイは、その直後に笹子川の一番流れの強いところに投げ込んだと言わされたこと。

それらのすべてを、小林がどのように押し付けられて認めて行ったか。

糾そうとする弁護人のすべての質問に、取調べ刑事はたんたんと答えた。

全く強制などしていない。本人がなかなか思い出せないときは辛抱強く待っていた。しかし本人も、自分の犯罪を後悔して、次第に正直に話すようになった。

平井証人は、裁判長から、証人尋問の終わりを告げられると、裁判長にだけ礼をして法廷を出て行った。

一〇分の休憩が入った。あとで川井は、このとき証人待合室で待たされていた鑑定証人内藤隆興に、敢えて面会をしておけばよかったと、後悔することになる。

休憩が終り、検察官と弁護人が法廷に入り、裁判官が入廷して、裁判長の指示で廷吏が案内してきた内藤証人は、法廷に入るなり蒼白になった。証言台に立って鑑定人尋問としての宣誓をしたとき、川井は内藤の手が細かく震えているのを見た。この人は病気なのだろうか、それとも二日酔いなのか、川井は危ぶんだ。

内藤の証言振りは冒頭から全く精彩を欠いていた。川井との打ち合わせの時にはっきり言っていた林鑑定書の不自然さや矛盾についての指摘は、まったく影を潜めてしまった。川井の繰り返す質問への答えは、漠然として意味をなさなかった。

死体見分時に見た死体の状況を聞いたが、直腸体温や死斑、死後硬直の状態は、すべて「覚えていない」になってしまう。

一体どうしたのか。川井は内藤教授のあまりの変わりようにただ唖然とするほかなかった。

裁判長が「検察官、反対尋問をどうぞ」と言うと、才口検事はまたも「ございません」と勝ち誇ったように言った。

証人が先に退廷し、手続を終って、川井は急いで法廷を出たが、廊下にはもう内藤教授の姿はなかった。

三人に限られた証人の、貴重なチャンスであったはずの尋問は惨憺たる結果で終った。川井は重いカバンを提げて裁判所を出た。このカバンの中に入っているこの日のために何日もかけて記録をひっくり返しては作った一問ごとの尋問内容、調書のコピーにつけた無数の付箋、それらはみんな無駄なものになって終った。

そのカバンはひとしお重かった。

30 心当たり

翌日、川井は我慢できず、内藤教授に電話をした。

「ああ、川井さんね」

内藤教授はうっとうしそうに電話に出てきた。

「昨日はどうも」

とは言ったものの、川井は、怒りを爆発させないで何を言えるのかがわからずに、沈黙してしまった。

「あなたねぇ」

と電話の向こうの声は不機嫌だった。

「どうして、言ってくれないの？」

「は？」

「才口政治さんじゃないの。あなたが菅原さんだって言うから、僕は承知したんだよ」

「あ、立会い検察官ですね。四月から才口さんに替わったんでした」

「それを言ってくれたら、僕は証言を断ったんだよ」

「は？」

「才口さんには、名古屋地検の検事正時代に世話になってねえ」

このとき川井は思いだした。才口政治は、名古屋地検の検事正時代に、ある冤罪事件にからんで、弁護人を非難する声明を出したことがある。内藤教授は、その才口と、多分仕事を通じて「世話になる」間柄だったのだ。

だが、世話になると、どうして本当のことが言えないのか。嘘を証言してくれと言っているのではない。法医学者は警察、検察から死体を見せてもらい、鑑定を依頼してもらえなければ仕事ができない。そのことはわかっているつもりだったが、内藤が法廷で蒼白になって震え、言うはずだったことを全く言えなかった理由が、世話になった検事を恐れていたのだったとは。

川井は自分の怒りがより深くなっただけなのを感じた。

電話を切って、沈む心を奮い立たせて、川井はしなければならないことに取り掛かった。こうなったら、渡辺美貴子だけが最後の頼みの綱だ。この人が、小林の声は犯人の声と違うとはっきり証言してくれる以外に、この裁判体が、小林の無実を認める可能性はないだろうと川井は感じ取っていた。

警察に問い合わせることになっていた検察官からの回答がまだないことが幸いだ。だめだと言われないうちに、自分からアタックするほかない。検察官を差し置いたと非難されるかもしれないが、待っていて、だめだと回答が来てしまえば、なおやりにくくなる。

一審記録の中の被害者の父の「極刑を望む」という短い供述調書に書かれている住所と電話番号をメモして、まず電話を掛けた。

呼び出し音が数回鳴って、女の声が出た。

「私は弁護士の川井倫明と申します。渡辺美貴子さんでしょうか」

「いいえ、違います」

「美貴子さんはいらっしゃいますか」

「いません」

「お帰りは何時ごろでしょうか」

戸惑ったような沈黙があって、声は言った。

「あの、わたし、手伝いに来てるもんで、わからないです」

仕方ない。川井は夜もう一度電話を掛けたが、同じ声が出て同じ答えをした。

何度か同じ電話を繰り返して、川井はどうやら美貴子はこの家にいないようだと覚った。

何か異変があったのかもしれない。

川井は決断して、夜電話して、ご主人にお話ししたい、と言った。留守だと言われ、何度目かに、その男、渡辺恒蔵が電話に出た。

「私は弁護士の川井倫明と申します。お嬢様の美加さんの事件の被告人の控訴審での弁護人をしております」

怒鳴りつけられることを覚悟していたが、相手はただ横柄に何の用だと訊いた。

川井は一心に説明した。被告人の小林昭二は犯人ではない。彼を犯人とすることのできないこんなにたくさんの事実がある。

そして被害者の死亡推定時刻がなぜか変えられ、それに合わせて自白が変えられたことを話したとき、それまで全く反応しなかった相手が押し殺した声で言った。

「それは本当だな。いい加減なことを言ったら承知しない」

「本当です。書類を全部持って、ご説明に行きます」

「よし、来い」

翌六月一五日、日曜日、川井倫明は渡辺の家を訪ねた。この家が付近の人から「金御殿」と呼ばれていることは知らないが、ここに来る前に、川井はこの家の主人の人となりを調べていた。その経歴をそのままの成金趣味の家。広大な応接間に通された。そして黒いうわさの多い主人公は着流し姿でどっかりとソファーに座り、鋭い眼光で川井を見ながら言った。

「ほかのことはいい、美加が殺されたのは何時かを知りたい」

川井が死体見分調書と解剖鑑定書を取り出して説明していくと、疑い深そうに川井の話を聞いていた相手の顔に、次第に変化が現れた。

川井が驚いたのは、この警察から出た二つの書類を、渡辺恒蔵がすでに見ているらしいことだった。

死斑の出ている背面写真を説明した時、相手は立ち上がって部屋から出て行き、しばらくして手に持ってきたのは同じ死体見分調書と解剖鑑定書のコピーだった。

渡辺恒蔵は、川井の教えた「添付写真13」に赤いマーカーでぐるぐると囲みをつけた。それから次第に口を利くようになり、川井の説明に「うん、うん」とうなずくようになった。それから、一つ尋ねたい、と言った。

解剖鑑定書を開いて、死体の胃の内容物のところを見せた。やはり赤いマーカーで何本も線が引いてあった。

「ここにピーマンって書いてある。美加はピーマンは絶対に食べない。これは美加がピーマンを食べたってことか」

「そうです。亡くなる数時間前、だからその日の昼でしょう。食べられた物のなかにピーマンもあったってことです」

「嘘だ！」

渡辺恒蔵は大声でわめいた。

「これを作った奴は嘘を書いてる」

「私もそう思うんです！」

二人の男は目を見つめ合い、そして信頼が生まれた。

「なぜでしょうか。警察は美加さんの死亡時刻をずらしたかったんじゃないかという気がします」

「そうだ、それは……」

相手は一気に喋ろうとして、そして突然口を閉じた。

「どうしてなんですか！」

相手は口を閉じたまま、川井を見つめていた。

それから川井の問いは無視して、にらみつけるように言った。

「美加が殺されたのは何時だ」

「遺体が発見された日の朝早くだと思います」

「間違いないか」

「ないです」

内藤教授の意見でもあるというのは控えた。この男の悪名高いやり方を川井は調べてきている。内藤にどんな迷惑がかかるかわからない。

「それを聞けばいい」

発作が去った患者のように、目の前で大柄な男の姿が、不意にぐったりした。

両手で顔を覆った相手が、泣いているのかと、川井は思った。

数分経っただろうか。

相手は顔を覆った手を離して、ぼそっと言った。

「じゃ、帰ってくれ」

それはないでしょう、と川井は思った。自分が山梨県まで来たのは、小林昭二を冤罪から助けたいためだ。

「警察はこうやって、なぜか死亡推定時刻を変えて、小林に自白させたんです。小林は林の中に落ちていたお嬢さんのカバンから四千いくらかのお金を盗んだだけで、殺人をしたのは別の男なんです」

夢中で訴えると、相手は声を落として聞いた。

「その、小林ってやつが無罪になると、殺った奴が捕まるのか」

被害者の親が聞くのだから、捕まると言ってあげなければいけない、と川井は思った。

「はい。そうなると思います。ですから奥さんに、美加さんのお母さんに、脅迫電話の声が、どういう声だったか教えていただきたいんです。そうしたら、真犯人が見つかるかもしれないんです。奥さんにお目にかかれないでしょうか」

「今、もう、ここにいない」

「………」

お手伝いの言ったことと同じようなことだが「もう」というところだけが違っていた。

この家を出て行った、ということのようだ。

「どこに、いらっしゃるのでしょうか」

相手はうるさそうに手を振った。

「もう、帰ってもらおうか」

これ以上粘ったら、相手を怒らせてしまう。なんとかしてまた来よう。

川井は立ってお辞儀をした。


帰りの車中、川井はこれからどうすればよいかを一心に考えた。

一つは美貴子の行方で、もしかして離婚したのかもしれない。やむを得ないから、戸籍謄本と住民票から突き止めよう。弁護士は職務用にそれらをとることができる。

もう一つは、渡辺恒蔵には、最低限してもらいたいことがある。一審で出している「極刑を望む」という供述を変えてほしいことだ。どうすればそれができるだろうかということだが、これは即座に思いつかなかった。

川井は翌日さっそく、自分が事務所でパソコンを打ちながら留守番をして、事務の持田とき子に渡辺美貴子の戸籍謄本を取りに行ってもらった。やはり美貴子は離婚していて、旧姓の「室田」に戻り、東京に自分だけの新戸籍を編纂していた。次の日、持田とき子はその新戸籍簿と住民票をとってきてくれた。

川井が室田美貴子の住所の近くの喫茶店で美貴子に会うことができたのは、さらに二日後だった。

目立たないが感じのいい服装をしていて、物静かな女性だと感じた。

川井が、山梨まで尋ねて行ったこと、渡辺恒蔵に会ってあなたに連絡したいと頼んだがだめだった、と話し、用件を話すと、美貴子は予測どおり、小林昭二の声を聞かされたと答えてくれた。控え目だが、人を疑うことなく、率直に話す人だと、川井は好感を持った。

「あの、取調室っていうんですか、そのドアの外で。その……その人からは見えないようにしてですけど」

「小林が取調べを受けているところを聞かされたんですね」

「はい」

「長い時間ですか」

「三〇分くらいでしょうか」

「それで、声は、声はどうでしたか。あの電話の声と」

一番聞きたいことだ。

「ぜんぜん違いました。あんな若い声じゃありませんって、刑事さんに言ったんです」

「小林は、中年らしい声色を使って言ってみろって言われて、言わされたっていってますけど」

「ああ、そうだったんですね。二度警察に呼ばれて、聞かされたんですけど、二度目の時は、美加が帰らなかった日に、電話がかかってきて、言われたことを、そのとき言われたことを変な声で言ってました。警察の人が『電話でどう言ったんか言って見ろ』とか言って、その人が言うんですけど、変な声だとは思いましたけど、電話で聞いた人の声とは全然違うって、そのときも、私、警察の人に言いました」

「それは、調書、わかりますか、あなたの言われたことを、警察官が書いたという形の書類ですが、その調書にとりましたか？」

せき込んで聞いた。

「はい。最後に名前を書かされました」

やはりそうだった。被害者の母の調書はあったのだ。

「そのことを、裁判所で証言していただけないでしょうか」

室田美貴子は膝においた手を見つめて黙っていた。しばらくして、言いにくそうに言った。

「私、無理を言って、離婚してもらいました」

「――それは、この事件のせいですか」

「離婚しようとはっきり考えたのは、美加が帰らないで、電話があったあの日です。でも、きっとずっと自分ではわかっていたんです。本当は、結婚したのが間違いだったたんです。だから……美加は、美加は、ああいうことになってしまった。あの夜、そう考えたんです。間違った結婚から生まれたからって。でも、そんなことを言っても、あの人は、離婚してくれないと思いました。だけど、四十九日が終った時、頼んだら、聞いてくれたんです。お前が出て行きたいんならしたいようにしろって。だから、あの人が許さないことは、しないようにと、思ってます」

娘がこんな犯罪の犠牲になったことの原因を「間違った結婚から生まれたから」と思うなんて、なぜそんな考え方をするのだろう、とひっかかりながら、聞いた。

「恒蔵さんは、あなたが証人になるのを許さないんですか」

「わかりません。わかりませんけど、そんな気がするんです」

何か奥歯に物が挟まったような話だ、と川井は思った。今日は初対面だし、これから何度も会って説得していくほかかない。

この人にはまだまだ聴きたいことがある。話題を変えて、恒蔵との会見の模様を詳しく話し、美加の胃の内容物にピーマンがあったという解剖鑑定書のことを話した。

「美加さんはピーマンを食べないんですか」

「そうです。わがままは言わない子でしたけど、ピーマンだけは絶対に食べない子でした」

「あの、美加さんがいなくなった日のお昼はどこで食べられたんでしょう」

「給食です。あの学校は中学も給食がありますから」

川井の頭脳にピンと来るものがあった。その私立中学の名前と場所を聞いた。これは、その日の給食の献立を調べる価値があるぞ、と思ったのだ。

それから川井は、新聞で読んだ身代金受け渡し日のことを尋ねた。捜査本部長の証人喚問が裁判所に許されなかったので、美貴子はこの事件の、裁判記録には出てこない膨大な隠された部分についての貴重な情報源になる。

美貴子は少しずつその様子を話してくれた。

美貴子の話はたどたどしかったが、それなりに正確で、よく状況が理解できた。

そして川井は、美貴子が、あの日、身代金を投下できなかったのは、自分があの時、運転手の姿をして同行していた警察官に、何としてでも投下をさせるべきだったのに、それをできなかった自分のせいだと思い、ひいては美加を死なせたのは自分のせいだと、現在でも深く罪悪感に浸されていることを知った。

「私、あのメールは、美加が打ったんだと思うんです」

「あの、さっきのお話の、車の中で、高速を走っている時にかかってきたメールですね」

「ええ、[花咲トンネルを抜けたら、笹子川の上で停めて、川原にバッグを落としてください。美加」って」

「どうして美加さんが打ったと？『美加』って書いてあったからですか」

「それもあるかもしれないけれど、あれは美加の私への頼みだったと思うんです」

「お金の入ったゴルフバッグを川へ落としてほしいと、美加さんがあなたに頼んだと？」

「そんな気がするんです」

「美加さんがお金がほしいということじゃないですよね」

「美加じゃなくって、その……その人なんですけど……その人に、美加がお金をあげたいと思ったんじゃないかと思うんです」

「金をあげたい？」

「ええ……あげたい、と言うと言いすぎになるかもしれないんですけど」

「あげてもいいんじゃないか、くらいですか」

「あ、でもそうですね。やっぱり『あげたい』って言う方が近いかもしれません。そういう気がするんです」

川井倫明は、美貴子は「その人」に心当たりがあるのではないかと感じた。

これは渡辺恒蔵についても感じたことだった。恒蔵と美貴子、この二人は何か犯人の心当たりをもっている、それがこの女に「恒蔵が証人になるのを許さない」と思っていることと関係があるのではないか。

川井はまた山梨へ行かなければならないと感じた。

31 嘆願書

川井が他の仕事に追われて山梨へ行けないでいるうちに、とうとう検察官から回答が来てしまった。予想通り「渡辺美貴子は出頭したくないと言っている」という内容だった。被害者の母の名が「室田美貴子」になっていない。それだけで、この回答のいいかげんさがわかるというものだが、これで、身代金要求の声と小林昭二の声は違うということを、室田美貴子を証人として立証するという川井の証人申請は却下されることになる。

山梨まで行っての川井の奮闘も、時間的に間に合わなかったということだ。徒手空拳、たった一人の弁護人の、無資力の依頼人の事件は何としても不利だ。

しかし川井は、残しておいた「情状証人」という枠で、室田美貴子の証人喚問をかちとって、その証言の中で、事実上「声」のことを言わせてしまう、という戦略に切り替えて、なんとかそれを実現しようと思っている。

次の週、一日取るのは惜しいウイークデイだが、彼は朝から、また中央高速バスに乗って、都留市にある美加の通っていた私立の中学に行った。

給食の責任者である教諭に会って、美加の誘拐された日の給食の献立を尋ねたのだ。

二年前のことだ。忘れていると思ったが、相手の反応は意外だった。

「警察の方でしょう。そのときに献立表をあげているんですよ。なくされたんですか」

川井は二度手間になって申し訳ないと詫びを言ってもう一度コピーを頂きたいと頼み、長時間待って、出してもらうことに成功した。この人は、警察と弁護士の役割の違いをあまりわかっていないようだ。そのことが幸いして、川井は重大な情報を得た。

事件直後に警察が献立表を取りに来たという情報だ。それは、通常なら、死体の胃の内容物との異同を確認するためだが、この場合は違う意味を持っていた。

献立は中華丼とアサリのスープにデザートのりんご。中華丼の食材リストには、美加がけっして食べないピーマンが入っていた。

川井は給食責任者の教諭に丁重に礼を言って、渡辺美加の担任だった教諭の名前を教えてもらい、面会した。

担任の教諭は、二年以上前になる事件当日のことを良く覚えていた。衝撃的な事件だったし、そのあとで、警察から何度も事情聴取されたからだ。

警察がその日の給食の献立を調べに来たことも知っていた。

「美加さんはピーマンを食べないとお母さんは言っているのですが?」

と訊くと、

「そうです、給食はきちんと食べる生徒でしたけど、ピーマンは残してましたね」

「この、事件のあった日はどうだったんでしょうか」

「残してましたよ。中華丼の中からピーマンだけ拾い出して残してたので、私が『また！』って言ったら『大人になるまでに食べられるようにしますから』って言ったんです。それが美加ちゃんと口を利いた最後の会話になったので、覚えているんですよ」

と答えてくれた。

警察はここまで調べなかったのだ。母親の美貴子から「ピーマンを食べない子だ」ということを聞く機会がなかったのだろう。その結果、林教授は、解剖鑑定書に、胃の内容物として、中学の献立表のすべての食材を書いたのだ。被害者が食べていなかったものまでを。死亡推定時刻を五月一五日、つまり「誘拐してすぐに殺害」のシナリオに合わせるために。

川井は丁寧に礼を言って学校を出ると、その場からケイタイで渡辺土建に電話をして、社長を呼び出してもらい、中学に来た目的を手短に言って、その報告をしたいと言うと、夜八時、自宅でと指定された。まだ昼前、半日以上のアキができてしまった。しかし東京に戻っても往復の時間で終ってしまう。思いついてこの犯罪の現場を歩いてみた。

身代金受け渡しの高速道路は、来るときに見て来ている。最近ちょうど笹子川の上に新たにジャンクションが作られて、高速道路の状況は大きく変わってしまっている。美加が消息を絶った富士吉田駅。そこからバスに乗って、美貴子が呼び出しを待っていたホテル・ハイランド・リゾートの前を通り、美加がその日も降りるはずだった自宅のそばのバス停を通り、「マウントフジ・ゴルフ倶楽部へ行くのはどこで降りればいいんですか」と運転手に尋ねて「ずいぶん歩きますよ」と呆れ顔で言われたが降ろしてもらったバス停から歩いて、被害者の父が所有し、小林昭二が芝刈りをしていたゴルフ場を見ながらその上へと速水林道を登った。川井は大学ではワンゲル部員、久しぶりに歩く山道は快かった。

死体発見現場がどこなのか、見分調書の地図を見ても、何の目じるしもなくどこまでも続いている林は、どこも同じように、まばらに陽影を落として静まり返っている。ここで少女の遺体が、と思ってみると、やさしげな林がもの悲しく見えた。

林道を下って、やはり検証調書の地図を見ながら「徳之助さんの古屋」を探し当てた時には、一番日が長いこの季節の太陽も傾いて、赤い夕陽の中で、朽ちかけている古屋へ、川井は入ってみた。その後誰も入らなかったのだろう。薄く土ぼこりをかぶった「上がりかまち」には、検証のときに白墨で描かれた人型がそのまま残っていた。

インターネットの地図で調べていた小林昭二の実家は、渡辺家と遠くない。探し当てると貧しい作りの二階家は、さびれて人気なく閉ざされていた。

一つの家族が崩壊してしまった。母親は死に、父親の行方はわからない。

小林昭二がここに来ることができるのは何時だろうか。そういう日が来るとしても、その家庭はもうない。

山里に流しのタクシーはない。川井は長時間バスを待って、渡辺の家に向かった。

八時、約束の時刻ちょうどに渡辺家の玄関に立つと、またあの応接間に通された。

渡辺恒蔵に今日の中学での様子を話し、解剖鑑定書の胃の内容物の記載は、献立表を丸写しにしたと思う、と話して、鑑定書の死亡推定時刻はおかしいと確信したと話すと、渡辺は言った。

「やっぱり、金を落とさなかったから、そのあとでやったんだな？」

「そういうことになると思います」

「わかった。いや、ありがとう。礼を言うよ」

それから、渡辺は自分に言うようにつぶやいた。

「それなら……それなら……」

そしてしばらく黙りこんでいたが、急にはしゃぐように言った。

「飯はまだだろう。一緒に食わないか」

「いえ」

遠慮している川井を無視して大声を上げて手伝いの女を呼び、

「すしをとってくれ。一番いい奴を二人前だ」

食事をして打ち解けることは、川井がするべき頼みごとのためにいいことだ。川井は礼を言って上着を脱いだ。

相手が機嫌がいいので、川井は美貴子と会ったことを打ち明けた。

美貴子から「身代金受け渡しの失敗」のことについても詳しく聞き、美貴子が娘を助けられなかったことについて深い罪悪感を持っていることに打たれたと話し、でも美貴子のせいではない、何よりも逮捕を優先させる警察のやり方のせいだ、と話すと、渡辺の表情が歪《ゆが》んだ。ほとばしるように叫んだ。

「おれは一億、くれてやる気だった。くれてやりさえすれば、あいつは必ず美加を返したんだ。おれの金だ。おれがくれてやるんだ。警察が邪魔するなっておれは本部長を怒鳴りつけたんだ。おれにも覚悟があるってな」

「そうでしたか」

「だが、あとだったんだ。車が帰って来たあとだったんだ。あいつは二度と金を寄越せと言って来なかった。そうだとおれは思ってた。だからゲンナマで持たせたんだ。一億。耳をそろえてゲンナマだ」

本部長というのは、捜査本部長か？　県警本部長か？　そしてこの男は「あいつ」と呼んでいるその犯人に心当たりがある。確信して川井は緊張した。彼の頭脳はめまぐるしく回転した。

相手は突然話題を変えた。

「センセイは子どもはいるんか？」

「ええ、男ばかり二人です」

「女の子は可愛い。美加はほんとに可愛かったんだ」

渡辺恒蔵は下を向いて涙をぽと、ぽと、とじゅうたんの上にこぼした。

簡単な返事をしながら、川井の中で、さまざまな疑問が一つに結びついた。

「警察は、それで美加さんが殺された時刻を、誘拐された直後にしたかったんですね！」

「そうだ。そうじゃないかと思ってたが、おれは学が無い。調べられない。本部長はこいつ（と、死体見分調書と解剖鑑定書を目で指した）を持ってきて、おれを言いくるめたんだ。今度、あんたに聞いて、よくわかった。あんたは頭がいい」

川井の緊張は極度に達した。

その思い付きを相手にぶつける間合いを計っていた。しかし言葉の方が先に出てしまった。

「渡辺さん。警察と犯人をこのままにするんですか！」

相手の表情がまたガラッと変わった。強い警戒の目だった。

「あんたは、何をしに来たんだ」

「私は事件の本当の姿を明らかにして、無実の者を助けたいんです」

川井も毅然と言った。

「そうだ。あんたはあの、小僧っ子のために動いてる」

一瞬みずからの激情をたためるために間をおいて、渡辺は低く言った。

「おれのことに口を出すな」

「私は、渡辺さんのお気持ちを、そうではないかと思って言いました」

「センセイよ」

と渡辺は言い、それは「お若いの」という言い方だった。

「人には、人の事情ってものがあるんだ。ひとのことに口を出すな」

強い拒絶の意思表示だった。言葉を失ったはるかに年下の弁護士に向かって、男は言った。

「おれは、わかれば、いいんだ。連れてってすぐじゃないことがわかれば……」

「その、その人を許すんですか。ゴルフバッグを落とさせなかった警察を許すんですか」

すると相手は部屋が震えるほど怒鳴った。

「余計なことを言うな！　子どもを殺されたんはおれなんだ。許すなんてもんじゃない。誰が許すか！」

「じゃ、なんで！」

川井も大声になった。

相手はまた一瞬沈黙して、それから声の調子ががくんと変わった。

「いまさら、な、どうにもなんない。やれば全部がぶちこわしだ。いまさら……死んだもんは生き返らない、死んだもんは……ぶちこわしても……」

あとは言葉にならなかった。

渡辺恒蔵は、瘧《おこり》が落ちた老人のようになった。

部屋が静かになったのを待っていたのか、手伝いの女がすしを運んできた。

「食ってくれ」

二人は黙って箸を取った。

川井はこの男の孤独をまざまざと感じた。

不意に相手が言った。

「センセイ。おれの会社の顧問にならないか。弁護士にもいろんなのがいる。あんたはよく動く。頭もいい。今の弁護士なんか、何にもできないで金ばっかり取る。顧問料だけで月百万も取って、事件が起こればまた別だ。おれはもう、億も使ってる」

「私は、刑事専門なんです」

と川井は少し嘘を言った。

この男の黒い仕事にまき込まれたくはない。「よく動く」というのも気に食わなかった。弁護士を使い勝手のいい駒だと思ってもらっては困る。自分は自分の意思で、乏しい時間と、自腹を切ってここに来ている。誰からも命じられていない。

「そうか。でもあんたなら、やれば民事でも、なんでもやれるだろうな」

「ありがとうございます」

挨拶だけにした。

立つ前に改めて頼んだ。

「小林昭二は犯人ではありません。一審で警察から裁判所に出された渡辺さんの供述調書に『極刑を望む』とありました。あれだけでも、変えていただけませんか」

「どうすればいいんだ」

「ここに……」

と言って弁護士はカバンから一枚の紙を出した。「嘆願書」とパソコンで打ち出してあった。

「小林昭二を宥恕《ゆうじょ》します。小林が死刑になることを望まず、減刑されるよう嘆願します。

東京高等裁判所第三刑事部御中」

川井はこの裁判体は、誘拐殺人について無罪判決を出すことを期待できないと感じている。渡辺恒蔵が、警察と真犯人に向けてアクションを起こす気になってくれるなら、川井にはいろいろなアイデアが出せる。最近良く使われるのは、被害者側が真犯人と思う相手に民事賠償を求める裁判を起こす方法だ。

だが、渡辺にその意思が無く、その方法がとれないとなれば、あまりにも理不尽なことだが、小林を犯人と認める前提にしてでも、最低限あの若者の命だけは救わなければならない。死刑だけは免れさせることを考えてやらなければならない。

「つまり、宥《ゆる》してやるってことです」

「宥恕」という言葉の意味を説明したのだが「無学だ」と言っている相手の劣等感に触らないように漠然と言った。

「名前を書けばいいのか」

「ご住所と、日付もお願いします。それからミトメでいいので印鑑を」

渡辺が目で筆記具を探したので、そばにおいていた背広の胸ポケットからボールペンを取って渡した。

手が触れ合ったとき、川井はなぜか目頭が熱くなった。

渡辺は立って印鑑を持ってきた。

「実印を押してやる」

それがこの男の好意の表し方だとわかった。

高速バスはとっくに終っていた。渡辺が自家用車で大月まで送らせてくれた。

夜行列車のシートにもたれて、川井は眠ろうとしたが眠れなかった。

32　被害者の母

二日後、川井倫明はまたあの喫茶店で室田美貴子と向かい合っていた。

まず、中学でもらった給食の献立表を見せて、解剖鑑定書の胃の内容物の記載は、美加の死亡推定時刻を誘拐直後とするために、献立表の食材リストをそのまま書いた疑いが強いと話すと、美貴子は苦痛で顔を歪めた。

「やっぱり……そうだったんですね。あの時なら、間に合ったんですね。あのときお金を落としていれば……私が……悪いんです。あの時、お巡りさんに噛み付いてでも、車を停めさせていれば、美加は助かったのに……助かったのに」

激しく嗚咽する女を見ながら、川井は、物静かに見える室田美貴子の、強い情念に圧倒されていた。

相手の激情が少し静まるのを待って、川井は、美加の父親の渡辺恒蔵も、同じことを言っていたと、そのときの様子を話し、恒蔵にサインをもらった「嘆願書」を見せた。

「私もサインを？」

「ええ、ですが、それよりも、この前お願いしたように、証人になっていただきたいのです」

「――――」

「この前あなたは、恒蔵さんが、あなたが証人になるのを許さないような気がするとおっしゃってました。でも今回伺って、嘆願書のサインもくださったことですし、いいんじゃないかと思うんですけど」

室田美貴子は下を向いて答えなかった。

「だめでしょうか。このままだと、判決は控訴棄却、つまり一審どおり死刑ということになるおそれが大きいと私は思っています。人を殺してもいない一人の人間が死刑にされるんです。助けてあげていただけないでしょうか」

室田美貴子は顔を上げて川井をまっすぐに見た。

「私、甲府の裁判所に行ったんです」

「あ、一審のときですか？」

「そうです。私……あの人が犯人だとは思えなくて……私、あのとき、美加があなっているのに、助けることができないで……そうして、また、この人にも、おんなじことをしているんじゃないかって、何にもできなくて、って、そういう気がして、座っているのが辛かったんです」

「そうだったんですか……それだったら、今からでも間に合うんです。お願いします」

「ただ……」

「ただ？」

「この間言われたことなんですけど……あの、もし、……私が、『この人の声じゃなかった』って言ったら、誰の声だったかって、訊かれるんでしょうか」

「それは、訊かれても、わからなければ、わからないって、答えられればいいんです。週刊誌で読んだんですけど、あなたは電話で聞いた声は、なんとかいうパーソナリティの人の声に似てるって言われたんですか？　そうだったら、そう言えばいいんです」

「――――」

「言っていただきたいことは、この人の声を警察で聞かされたけれど、電話で聞いた声じゃなかった、ということと、そして、もしこの人だとしても、死刑にしないでくださいって、そう言ってほしいんです」

女はややあいまいにうなずいた。

「お願いします。命だけでも助けてやりたいんです」

「――――わかりました。します」

「ありがとうございます」

川井は深く頭を下げた。

「証言していただきたい日は、次の裁判の日で、七月八日なんですけど、ご都合悪いでしょうか」

「いいえ、今からなら、大丈夫のようにします。あの私、ホスピスのようなことに力を入れている病院で、介護のお仕事をしているんです。一年かかってやっと介護福祉士の資格を取りました」

「偉いですね」

川井は心から言った。

「いえ、これは自分のためなんです。美加にできなかったことを、誰かにしていれば、少しは気が楽になるかと思ってなんです」

「美加にできなかったこと」とはなんだろうか。それを口に出した時の美貴子の苦しげな表情から、それはただ「身の回りの世話をする」という意味ではなく「死に直面している人を介護する」という意味だとわかった。

自分の子どもがどこかで無残な最期を迎えたとき、何もしてやることができなかった。助けてやることはおろか、そばにいてやることもできなかったという痛恨の思いを言っているのだ。

川井は言葉も無く室田美貴子を見つめていた。この人は今も深い苦しみを続けている。

気を取り直して、証言する日が近くなったら、リハーサルをしましょうと言って、改めて礼を言い、伝票を取って立ち上がると、美貴子が言った。

「あの、お時間――ないでしょうか。お忙しいですよね」

「は？」

「もし、お忙しくなかったら、私……ずっと誰かに聞いてほしかったんです。でも、人に言えることではないから。母にも言えませんし……」

川井はまた事務所に人を呼んでいた。しかし、美貴子の思いつめた顔を見ると、そう言えなかった。せめて事務員の持田とき子に電話しておきたかったが、そうしたらこの人は遠慮するだろうと思うと、それもできないで座りなおした。

こういうことをうまく処理できないのが自分の欠点だ。妻の陽子にいつも言われている。

「トモ（陽子は川井をこう呼ぶ）は、いつでも、目の前にいる人に一二〇パーセント尽くしちゃうから、視界に入っていない人にしわ寄せが行っちゃうのよ」

そう思いながらも、川井は言ってしまう。

「私でよければお話しください」

「すみません。ご無理言って」

それでも、まだためらっていたようだが、美貴子は話し始めた。

「私、ずっと考えていたんです」

「――」

「あのあと、ずっと。わからなくて。誰が、どうして、美加にあんなひどいことをしたのかって。……どこかで聞いた声だと思ったんですけど、思い出せませんでした。

ずっと考えていて……でもわからなくて。渡辺の家を出る前になってお手伝いさんに、実家に帰ります、お世話になりましたって言ったんです。そうしたらその人が、本当は今まで私のことを悪く思っていた、って話してくれたんです。前の奥さんを追い出してって思ってたって。でも奥さん（私のことです）が悪いんじゃないって言ってくれて、それから……渡辺の家のことをいろいろ話してくれたんです。

その人、昔から渡辺の実家のすぐそばに住んでいる人で、渡辺より少し年上なんです。子どもの時からあのうちのこと、よく知ってるんだよって。昔はとっても貧乏だったんだよって。コウちゃん、恒蔵のことです、コウちゃんのお母さんや、りいっちゃん（あ、恒蔵の上のお兄さん、利一っていうんです）が、うちへいつも、米とか醤油とか借りに来てたんだよって。それが、コウちゃんが、あこぎなことして、人をたくさん泣かせて金持ちになって、今はあんなに威張ってる、って」

渡辺恒蔵の金銭への執着と他人への冷酷さは、幼時の貧しさと屈辱の消すことのできない烙印なのだということが川井にはよくわかった。

「前の奥さんもかわいそうだったとか、女の人のこともいろいろ話してくれて。言いました。奥さんには悪いけれど、末はいいことないと思ってた。こんなに人泣かして、いいことあるはずないって。

恒蔵は兄弟とも、前からとっても仲が悪かったんだって教えてくれて。お父さんの遺産のことで、けんかをして。もう一人お兄さんがいるんですけど、その二番目のお兄さんとも、お葬式の時に、恒蔵は殴り合いになって、仏様のお棺の前で兄弟が取っ組み合いしたって、村ではみんな知ってるんだよって。それで兄さんたちも、このうちへ来ない、一度も来ないだろって」

「あなたと結婚したためではなかったんですね」

「私は、ずっと私のせいだと思ってました」

「りいっちゃんは頭のいい子で、おとなしい子で、うちに米借りに来るのも、恥ずかしいだろうに、一番上だからって、弟たちのために、りいっちゃんがいつも、いやなことはみんなしてたんだ。お母さんと二人で苦労を背負ってたんだ。それなのに、コウちゃんは、こんなに身代大きくなっても、兄弟の面倒も見ないで、ひどい男だよって。

それで、はっとなって、思い出したんです」

「思い出したって、何を？」

室田美貴子は、ためらった。

「言ってはいけないことかもしれないんです」

「――」

でも、言わずにいられないようだった。

「私、一度だけ、そのお兄さんにお会いしたんです」

「いつですか」

「美加が中学一年の暮れでした」

「すると、この事件より半年も前でない？」

「はい。富士吉田の長崎屋で、声をかけられて」

「あ、美加さんが……いなくなった駅の改札につながっているスーパーですね。この前、見てきました。その長崎屋で？

どうして、わかったんですか。その……初めて会ったんでしょう？」

「どうしてか……わかりません。美加と長崎屋から出てきたら、声をかけられて『美貴子さんですね。利一です。恒蔵の兄です』って」

「向こうから？　それで」

「私、はじめましてって、ご挨拶もしないですみませんって言いました」

「それから何を話したんですか」

「美加に声をかけてくださって『美加ちゃんだね。良い子ですね』って。そして『うちの娘に似てる。同い年なんですよ。由紀っていうんですよ。そっくりだ。ほんとによく似ているから、一目でわかった』って」

「美加さんとも会ったことがなかったんですね」

「それで、その娘さんが、心臓の病気で、アメリカに行って移植手術をしないと助からない。それでお金が要るって」

「お金の要求だったんですか?」

「要求というような……私は、そんな感じではなくて……ただ、その、どうしても由紀の命を助けたい。だから恒蔵にお金を頼んでるんだけど、何度頼んでも返事がない。奥さんからも頼んでくれませんか、もう、早くしないと間に合わないからって」

「承知したんですか」

「ええ、子どもの命が懸かってるって聞いて。これが美加だったらって思いましたから」

「それで、恒蔵さんに頼んであげたんですか」

「はい」

「恒蔵さんは聞いてあげたんですか」

「いいえ、ひどく怒られました」

「あなたが?」

「ええ、親戚のことに口を出すなって」

「お金を出してあげたんでしょうか」

「わかりません。わかりませんけれど、出していないと思います」

川井には、室田美貴子がごく遠まわしに言おうとしていることがわかった。

思わず、単刀直入に聞いてしまった。

「電話の声は、その人の声だったんですね」

「……はっきりは言えません。言えませんけど、……電話を聞いた時どこかで聞いた声たと思って」

「その、利一さんの娘さんは……」

「亡くなったんです」

「手術できなかったから」

「そうじゃないかと思います。お葬式の通知が来て。でも、恒蔵は行きませんでした。あの人、ほんとは気が弱いところがあって、行けなかったんじゃないかと、私は思ってます。

あのとき、私だけでも……美加も連れて、行けばよかったんじゃないかと、今は思います。行けば……違っていたかもしれないとか、夜中にずっと考えてしまうんです。でも、親戚のことに口を出すなって言われそうで」

「行けば違っていたかもしれない」とは、この事件は起こらなかったかもしれない、という意味だと、川井は聞いた。

そして、恒蔵が叫んだあの言葉の意味がわかったと思った。

(おれは一億、くれてやる気だった。くれてやりさえすれば、あいつは必ず美加を返したん

だ。おれの金だ。おれがくれてやるんだ。警察が邪魔するなっておれは本部長を怒鳴りつけたんだ)

そしてこの室田美貴子がこの前言った「本当は、結婚したのが間違いだったんです。だから……美加は、美加は、ああいうことになってしまった。間違った結婚から生まれたから」という、川井には思いすぎではないかと思われた言葉は、そういう意味だったのかとわかる気がした。

ある、どうしようもない暗部を抱えた家族の確執から、この犯罪が生まれ、その家族の子として自分の娘を産んでしまったために、娘を死なせてしまった、と美貴子は深く思い込んでいるのだ。

「でも、どうして、もしその人だったらですよ……どうして、美加さんを」

(殺したりできるんでしょう)という言葉を口に出して言えなかった。

「この前、あなたは、車の中にかかってきたメールは、美加さんが打ったと思う、と言われました。美加さんが……その人にお金をあげたいと思ったたって。それは脅されてという意味ですか」

「違います。——美加は、その由紀ちゃんって従姉妹《いとこ》に会いたがってました。美加は親戚の縁の薄い子で、私は一人っ子で、もう、母しかいませんし、美加もきょうだいがいなくて。あ、本当は前の奥さんに男の子がいて、ゴルフ場で働いているんですけど、美加には教えていなかったんです。由紀ちゃん病気どうなったの、ってよく私にきいてました。お見舞いに行っちゃだめ？　って。亡くなったことは教えませんでした。だから、……お金をあげたかったと思います」

「そんな美加さんを、どうして……お金を落とさなかったからって、どうして」

「私だってそう思います、それを何度も、何度も思います。どうしてって、どうしてって」

途中から美貴子は涙声になり、そして号泣した。ここが人目もある喫茶店だということを忘れたように泣いた。

「今でも私、夜中に飛び起きて大きな声を出しちゃうんです。『どうして』って何十ぺんも言って泣いてしまうんです。それから『美加ごめんね』って。『助けられなくって、ごめんね』って」

「――――」

「街を歩いていて、同じ年頃で、背格好とか、髪型が似ている子がいると、美加じゃないか、って思って、走って追い越して顔を見ると違う子なんです。いるはずないのに、こんなところ歩いているはずはないのに。美加じゃないかって思ってばかりいるんです。どっかにいる、って思って。探しに行かなきゃ、って思ってるんです」

「――――」

「もう、死んじゃった、って、思いたくないんでしょうね。きっと。思いたくないです。もう、こうやって、歩いたり、服を着たり、おしゃべりしたり、できないんだ。

そう思うと、わっと泣いてしまうんです」

「――」

「夜中に目が覚めて、いいえ、昼間でも、すぐ行かなきゃ、今すぐ行かなきゃ、美加を助けなきゃ、って思って居ても立ってもいられないんです。

でも、どこへ行けばいいかわからない。どこに行っても、もうどうにもならないんです。

ほんとは」

「――」

「取り返しがつかないんです。ほんとに取り返しがつかないことをしてしまったんです」

「あなたがしたんじゃない」

「でも、でも、美加は私が助けなければ誰も助けてくれないんです。それなのに、私は助けられなかったんです。さっき、美加があの時はまだ生きていたって、わかって、今は余計にそう思います。あの時、私が助けなかったんだ、って。助けられたのに、助けなかったんだ、って。美加ごめん。ごめんね」

美貴子は身をよじって泣いた。

この人は、これまで、誰にも言うことができず、一人で苦しんできたのだ、と川井は胸が苦しくなった。

職業柄冷静でなければならないはずだが、その男への憎悪がこみ上げた。

「その人を、罰したくないですか!」

女は泣きながら、子どもが見境もなく駄々をこねる時のようにかぶりを振った。

「わからないんです。わかりません。死刑になってほしいと思ったこともあります。何度も、あります。

そういう時、美加ならばなんて言うだろうか、って考えたりもしました。美加はきっと『もうやめてよ』って泣き出すだろうと思ったり。あの子、やさしいし、人にきついことなんか、できない子でしたから。『やめて、そんなことイや』って言うんじゃないかと。

それに、あの……あの人がまさかそんなことをしないと思ったり、だから、別な人じゃないかと思ったり。せめて別の人であってほしいんです。美加とは血がつながった人じゃない別の。……長崎屋で会ったとき、やさしい人だと思いました。だから違うんじゃないか、私の思い過ごしじゃないかとも思うんです。どう考えたらいいか、わからなくて、どうしたらいいか、わからなくて。

でも誰にも相談できなかったんです」

川井はふと思うところがあって尋ねた。

「その、利一さんは、どんな仕事をしていた人なんですか」

「甲府の警察に勤めているって、お手伝いさんは言ってました」

川井はあっと心の中で叫んだ。

川井が集めた新聞や週刊誌の識者コメントで、身代金要求の鮮やかな手口は、警察捜査に詳しい、知能にすぐれた犯人だという推理がいくつもあった。思い出し、そして川井は、ほとんど衝動的に話しはじめていた。

「僕は、割と刑事事件が多いんです。殺人事件も、一〇件くらいやっています。美加さんが亡くなった時のことですが……聞きにくい話かもしれません。聞くのがいやだったらそう言ってください」

相手は、はっと顔を上げて、川井を見つめた。表情が聞きたいと言っていた。

「美加さんは、苦しまないで、亡くなったと思うんです。それは……それは死ぬんだから、苦しいです。いやですかこんな話」

室田美貴子は川井を見つめたまま、ごくわずかにかぶりを振った。辛いけれど聞きます、という答えだった。

「美加さんは、大量の睡眠薬を飲んでいました。眠ったままでした。美加さんに手を掛けた人は、美加さんが怖いと思わないようにしたのではないか。そういう気がするんです」

そう言うと、相手の瞳の中にある種の救いが点ったように感じた。

「それから、もっと聞きにくいことです。……」

室田美貴子の顔が意思的に引き締まった。聞こうとしている。

「つまり……」

と言ったが、やはり具体的には言えなかった。

「一番短くてすむようにしています。それは誰にでもできることではありません」

（もし小林昭二のようなチンピラが殺人をするはめになったなら、怖くて、動転して、うまく息の根を止めるなどということはできなくて、もっと無残な殺人になったでしょう。犯人が警察官なら、わかる気がします）

そう言いたかったのだが、美加が殺された状態の話は、当然室田美貴子には衝撃的すぎた。

美貴子は両掌で顔を覆い、呻《うめ》き声のような咽《むせ》び泣きをした。

「すみません。言ってはいけないことを言いました」

相手は咽び泣きながら、かぶりを振った。

何度もかぶりを振りながら泣き続けた。それを見て、川井は自分が言ってしまったことには、二つの意味が含まれているのだと、みずから覚《さと》った。

美加が苦しまないで死んだと知らせるのは、今は聞くのが辛くとも、あとになれば、聞いておく方が辛さを軽くすることに役立つはずだ、と思って告げたことで、それは間違いではない。

だが自分はもう一つ、それは、その犯人は美加を苦しませないように配慮し、それができる人だと告げたのだ。犯人が利　であるのかどうかと思いあぐねていた美貴子に、苦《にが》い解答を告げたのだ。

川井は泣き続ける室田美貴子を見ながら、一時の興奮から我に返って自責を感じていた。自分は苦しんでいるこの人を、より苦しめることをしたのではないか。

犯罪被害者が皆そうであるように、この人は事件の苦しみから逃れて心の安らぎを得たい、そのためにはこの事件をどう考えたらいいのかを、あの日以来、七転八倒の中で探し求めて来た。誰かにその助けをしてもらいたいと思っていたところへ、事件のことで会いに来た弁護士がいた。仕方なく少しずつ話し始めてしまったし、その弁護士をそれなりに信頼したから、ためらっていたことまで話す気になった。

その美貴子に自分は、彼女が思い決めかねていた犯人をはっきりさせ、そうして憎しみを固定させ、苦しみを固定させたのではないか。小林昭二を救うために、真犯人に向かって被害者の母がはっきりとアクションを起こしてくれるように仕向けたいために。

泣き続ける室田美貴子を、川井は何時までも呆然と見つめていた。

33　この人の声じゃない

七月八日、午後一時一五分、証人室田美貴子は、証言台に進み出た。

人定質問に続いて裁判長に促されると、緊張のためやや低いがはっきりした声で宣誓した。

「では弁護人」

裁判長に言われて弁護人席の川井が立ち上がり限られた数の質問の口を切った。

裁判所から美貴子の喚問が許可されたのは「情状証人」の枠で、つまり、被害者の母親として、加害者である小林昭二を宥してやるということしか尋問できないという条件だ。

この事件の被害者・渡辺美加の母親であることを確認する質問のあと、尋ねた。

「この小林昭二が、あなたのお嬢さんの美加さんを殺害した犯人だとしても、あなたは小林を宥してくださいますか」

「はい」

「小林昭二が死刑になることを望まないお考えですか」

「はい。死刑にしないでください。お願いします」

美貴子は裁判長をまっすぐに見て言った。

「死刑ではない、懲役刑だとしたら、どのくらいの刑を?」

美貴子は裁判長を見つめて心を込めて言った。

「ほんとうは、懲役刑にもしてほしくありません……あの、この人を犯人だとは思っていませんから」

「一つだけ、美加さんはピーマンを食べましたか」

「絶対に食べません。ピーマンだけはいつでも取り出して残します」

この問答は、「情状だけ」という約束に反する、しかしこれだけは、裁判所がさえぎる暇もなく答えてくれるように、美貴子と打ち合わせしていた。

「終わります」

川井が座ると、裁判長は弁護人に不快のまなざしを投げてから、形式的に聞いた。

「検察官、何かありますか?」

才口検事はこれまでの三人の証人に反対尋問をしなかった。高検の検事は、反対尋問をほとんどしない者が多い。それは検事が何もしなくとも、裁判所は被告人側の控訴棄却の判決をしてくれると、信頼しきっているからで、まして情状証人には反対尋問をしないことがほとんど決まっているようなものだから、一応形だけ促したのだ。

しかし才口検事は、ぐっと立ち上がり、強い調子で尋問を始めた。犯人を宥すなどと言う被害者の母を咎める口調だった。

「あなたは、ほんとうに娘さんの被害を悲しんでおられるのかな？」

予期しない挑発的な質問だった。美貴子とのリハーサルの中で、こんな尋問に、どう答えるべきかを、川井は全く教えていなかった。しかし美貴子は一瞬驚いた表情になったが、それから検察官をしっかり見返して、あの喫茶店で川井に言ったと同じことをはっきりと言った。

「毎日、悲しまない日はありません。あの……ことを、いつもいつも思い出してしまいます。今でも、夜中に飛び起きて大きな声を出しちゃうんです。『どうして』って何十ぺんも言って泣いてしまうんです。それから『美加ごめんね』って。『助けられなくって、ごめんね』って。

道を歩いていて、同じ年頃で、背格好とか、髪型が似ている子がいると、美加じゃないか、って思って、走って追い越して顔を見ると違う子なんです。

私……わっと泣いてしまうんです。泣いて……」

美貴子は耐え切れずに泣き出した。

壇上の三人の黒い法服姿の男たちは美貴子の悲痛な言葉に我にもなく打たれてそわそわするのが、川井にもわかった。

才口検事は、そういう裁判官たちをたしなめるように、より大きな声を出した。

「私が聞きたいのはだね、そんなに悲しいのなら、犯人を宥せる筈がないんじゃないかってことなんだがね」

美貴子はきっとなって大声を出す男を見つめた。

「犯人は宥せないです。犯人は——でもこの人は犯人じゃないんです」

才口の顔が怒りで赤黒くなった。

「弁護人がそう言ったのか！」

「私……」

美貴子は、ちらっと裁判長を見た。そのことは証言できないことになったと、昨日のリハーサルで、予め川井から告げられていたのだ。しかし裁判官たちがとっさに何も言おうとしないことを見て取ると、決心して早口ではっきりと言い切った。

「私、犯人の声を聞いてるんです。この人の声じゃありません」

そして堰を切ったように言い続けた。

「警察で二回この人の声を聞かされました。三〇分くらいずつです。二度目は違う声をわざと出して、私が犯人から電話で言われたことをまねして言ってました。でも、全然違います。あの……電話は、もっと年をとった人の声です。全然違うから、わかります」

「もういい。訊かれないことを答えないように」

検事はあわてて、証人の証言をさえぎった。

「裁判長、尋問を終ります」

裁判長「証人は終りました。お帰りください」

美貴子はお辞儀をして、証言台を離れたが、川井に目で訊いて、仕切りで区切られた傍聴席に入った。裁判官たちは意外そうな顔をし、検察官は嫌な顔をした。

しかし、証言を終った証人の傍聴は自由だし、まして美貴子は被害者の遺族だ。

川井はその成り行きに心を躍らせていた。美貴子は検察官の予想しない詰問に、本能的に上手く乗ってくれた。あのまま行けば、警察が、美貴子から調書を取りながら、証拠に出していないことまで言ったかもしれない。才口検事は、それであわてて、尋問を打ち切ったとも考えられる。しかしお蔭で、犯人と小林昭二の声が違うことだけは、裁判官たちに報せることができた。

川井が嬉しい以上に、小林昭二は嬉しいだろう。その喜びは、これから始まる被告人の本人尋問のはずみになるはずだ。

「では弁護人、被告人質問ですね」

「はい」

川井は勇んで立ち上がり、川井の前の長イスに座っていた小林は、廷吏に促されて証言台に進み出た。三〇分しかないんだよ。心を込めて、自分は誘拐や殺人なんかやっていないって裁判官にわからせるんだ。今日のために何度も言い聞かせてきた。自分のことを「おれ」

と言ってはいけない「わたし」と言いなさい。裁判官の方を向いてはっきりと答えるんだよ。

「まず、細かいことから。あなた、利き腕はどっちですか！」

「ぎっちょです。ヒダリギッチョ」

「字はどっちの手で書きますか」

「左で」

「お箸はどっちの手で持ちますか」

「左」

「あなたは、二〇〇一年五月一五日に渡辺美加さんを誘拐して、その日のうちに美加さんを殺害したあと、身代金要求の電話を掛けたとして起訴されて、一審で死刑の判決を受けて、今この法廷に立っています。

あなたは、そういうことをしたのですか」

「していません。わたしがしたのは、速水林道の林の中へアブラ採りに行って、カバンが落ちてたから中をあけて見て、財布の中から四千円とちょっと、盗んじゃっただけです」

「その詳しい内容は、あなたが裁判所に出したこの陳述書に書きましたか」

「はい。一生懸命書きました」

「一審の裁判のとき、あなたがやってないということを、裁判所に話すことができましたか」

「できません。何にも言えないうちに、お辞儀をしろって言われて、あの、被害者のお父さんとお母さんの方を向いてお辞儀をしただけです」

「あなたは警察に捕まったあと、渡辺美加さんを誘拐して殺したと自白しましたか」

「わたしが言ったんじゃないです。平井主任が、お前が殺したんだ、指紋が残ってるって言って、わたしの上に馬乗りになって、そいで、殺されると思って、認めるって言っただけです」

「その詳しいいきさつも、この陳述書に書いたとおりですか」

「そうです。おれ、それ書きながら、泣きました。思い出して、怖くって、悔しくって、おれ、やってない、殺したりしてない。ただ、金盗っただけなんだ。それは悪いと思ってます。働いてきっと返します。でも殺人なんかしない。してない。してないよー」

小林昭二は涙で顔をくちゃくちゃにしながら、涙をぬぐうことも忘れて、裁判長を見つめて訴えた。その裁判長が言った。

「弁護人、大体いいですか」

「待ってください。もう一点だけ、検証のことを。

あなたは、美加さんを殺したのは、『徳之助さんの古屋』だって自分から言った、そんな場所を警察は知らない、だからあなたは犯人だ、と言われています。どうしてその場所を言ったんですか」

「はじめ、女の子を誘拐して、一晩一緒に居ただろうって言われてて、誰にも見られない場所を考えなきゃいけなくって、だから、子どもの時遊んでたとこしか、なくって、そう言いました」

『徳之助さんの古屋』に連れて行かれて、殺した場所を言えって言われましたか」

「はい、でも全然わからなくって、いい加減に指差したら怒られて、また違うところ指差したら、それでいいことになったです」

裁判長「弁護人、もういいでしょう」

川井は必死で最後の質問をはさみこんだ。

「あなたの自白調書はみんなそうやってつくられたんですね」

「そうです。おれが自分で言ったことじゃないです。嘘です。みんな嘘だ。嘘だよー」

「やむを得ません。これで終わります」

川井は自分のポケットからハンカチを出して小林に渡してやった。

法廷で被告人に何かを渡すことは禁止されている。しかし誰も何も言わなかった。

「検察官、反対尋問をどうぞ」

才口検事は涙を拭いている被告人を軽蔑した目で見て言った。

「きみは、この事件の前に三件前科があるね。そのときも、こうやって泣いて見せたのか」

「違いますよ。そんときは、本当にやったことだった。全部認めて……」

「執行猶予とかになったんだな。でも今度は死刑だ。それじゃ認められないよな」

弁護人「裁判長、異議があります」

裁判長「異議の理由を言ってください」

川井は一瞬詰まった、ただ腹が立って異議を言ってしまった。だが頭をフル回転させて思い出した。

「刑訴規則一九九条の一三の『侮辱的な尋問』であります」

検察官「その条文には、正当な理由がある場合には許される、と書いてありますな」

弁護人「どこに正当な理由があるんですか」

裁判官「まあ、いいでしょう。異議は却下します。検察官他にご質問は」

検察官「ありません」

こうして小林昭二が二年余り待っていた「本当のことを裁判所に聞いてもらえる」機会は終わった。

廊下に出ると、場違いなところに遠慮がちに立っている室田美貴子の姿が目に入った。

「ありがとうございました！」

心から礼を言った。

「私、上手く言えなくて」

「いいえ、最高でした。さっと声のことを言っていただいて。助かりました」

「叱られるかと思ったけど、でも、本当のことが言えないなんて、裁判じゃないと思って」

そのとおりだ。庶民の感覚の方が、ずっと正しい。

エレベーターに向かいながら、美貴子は言った。

「あの人。かわいそうです。かわいそう……」

小林昭二のことを言っている。

「そうです。金を盗んだから、と本人は言っていますが、盗んだ罪だけの責任を負えばいいのです」

二人とも法廷での鬱屈した思いをまだ鎮められていなかった。

川井はうながして、日比谷公園の中の松本楼に誘った。

お茶を頼んで、座ると、美貴子が心配そうに言った。

「あの人、死刑にならないように……なるんでしょうか」

「——わかりません……どんなに悪くても、死刑だけは——無いように、願っているのですが」

そして川井は、この前美貴子に会った時の終わり際にした、あの反省を、忘れ去ったかのように、被害者の母に、改めて頼んでいた。

「あいつを救う方法があるんです。真犯人に対して、被害者のお母さんであるあなたが、真犯人に対して、民事事件を起こして、子どもを殺された損害賠償を求める、という方法なんです。

お願いできないでしょうか。弁護士費用はいりません。ただ、無実の人間を殺さないためにしていただくのですから——。

お願いできないでしょうか。私からのお願いです」

室田美貴子は下を向いた。

しばらくして顔を上げて言った。

「私、あの、この間、あのことをうかがうまでは、そうしたかもしれない気持ちでした」

ということは、今はちがうというのか。

「あの、こと、ですか？——何の？」

「はい、あの、美加が……あの、お金を渡せなかった、そのあとだった、ってうかがって」

死亡推定時刻のことを言っているのだとわかった。

誘拐してすぐに殺害したのではなく、金の受け渡しを拒否されたと感じての殺害だったとわかったからだと言っているのだ。

「私、あのあと、あれをうかがってから、何度も、何度も、このことを考えました。もし、言われたとおりに、ゴルフバッグを落としていれば、きっと美加を返してくださったと、どうしても、そう思えるんです」

「もし、もし、そうだとしてもですよ。そうでなかったからといって、どうして——。美加さんは、その人の姪にあたるんでしょう。その由紀さんでしたっけ？　自分の娘さんに良く似てるって言ってたんでしょう。その美加さんを、どうして！　私は宥せない気がします」

室田美貴子は、下を向いて言った。

「似てるからだと思います」

「え、どうして、似ていると——」

「悲しかったんじゃないでしょうか」

「——」

「由紀さんは、手術ができないで亡くなってしまった。自分の子どもを死なせてしまった。それなのに、とってもよく似た美加は、恒蔵の娘は、平気で生きている」

「平気で、なんて」

「わかりませんよ。わかりません。——でも、そういう気持ちになることもあるんじゃないかって、思ったんです」

「それは無理ないと？」

「無理ないとは思いません。思いませんけど、その……悲しかった気持ちは、今の、美加をなくした、私の気持ちと、もしかして、同じかもしれないと」

「——だから、だから、あなたは我慢するんですか」

「我慢なんて」

美貴子は叫ぶように言った。

「できません。できるはずがありません」

「じゃ、なぜ」

「そういうことをして——しても、ただ、もっと悲しいだけじゃないかと」

長い沈黙が流れた。美貴子がつぶやくように言った。

「それから」

「——?」

「あの、声ですけれど、そうだとは、私、はっきり言えるわけではないと、考えたんです。ただ、一度聞いただけで、なんとなく、似てる、と思っただけで、そうじゃないと言われたら、それ以上、なんにも言えないいんじゃないかと。だんだんに、時間がたって、ほんとうに覚えているのかどうか、わからなくなりました」

この人は、姪に手をかけた「その人」の気持ちを、自分の気持ちと思い合わせ、その一方でまた、それはやはり他人だったと思いたい気持ちがある。そのために、川井が望んでいる、犯人を明らかにするアクションをする気にはなれない、と言っているのだ。

あの、山梨の事件現場を歩いた夜、美加の父である渡辺恒蔵も、同じように、川井の提案を拒否したことを、川井は考えていた。

その後に、美貴子から渡辺の家族の過去を聞いて、渡辺恒蔵が肉親の間に起こったこの事件をこのまま時の流れの中に埋めてしまおうとする心情が理解できるような気もしていたのだが。

ただ、被害者の父と母に共通のこの気持ちは、美加が殺害されたのは、身代金を投下しなかったからだと思うことから来ていることに、小林昭二の弁護人としての川井はショックを受けていた。

もし、川井が彼等にほんとうの死亡推定時刻を告げなければ、彼等の犯人への憎しみはより強く、それが彼等を、小林を救うアクションに踏み切らせたかもしれない。

(おれは間違いを犯したのか？　だが、真実を言ったのだ)

冷えてしまったお茶を前に、また長い沈黙が続いた。

「わかりました」

と川井は言った。

「無理なお願いをして、すみませんでした」

「いいえ、私の方こそ。すみません。自分の気持ちが、よくわからないのです。自分で

「判決が出たら、お知らせします」

気を取り直して、川井は伝票を取って立ち上がった。

34　判決　あざなえる縄

七月八日の被告人質問を終って、八月一九日の弁論要旨提出、裁判官たちの夏休みを口実に、やっと延ばしたその期日まで、川井が得た時間は一と月もない。

川井はもちろん夏休みをとることはできない。

子どもの相手をしてやれない落第パパは、妻の陽子に頼んで、陽子の祖父母の家のある関西へ二人の子どもを連れて行ってもらった。

一八日の明け方までかかって最後の部分のパソコンを打ち、翌朝事務員の持田とき子が綴じて用意してくれたコピー七部を持って、裁判所に提出に行った。今度は三〇〇百近い。重たい。

持田とき子は、今回も余分に取ったコピーの一部を「東京拘置所内　小林昭二様」あてに郵送した。

九月二日、控訴審の弁論の日。

弁論は本来、その全文を朗読するのだが、今の東京高裁では、要旨の朗読という形が普通になってしまっている。「三〇分ですますように」川井は予め太田裁判長から言い渡されている。

弁論では、一審から控訴審までの裁判で取調べたすべての証拠にもとづいて、一審判決をこう改めるべきだという弁護側の主張をする。

控訴趣意書で指摘したことと同じこともあるが、川井がその中から三〇分の制限の中で特に口頭で訴えたのは次の三点だ。

1　身代金目的誘拐をした犯人の声は小林昭二の声とは違う。犯人は別に居る。（室田美貴子の証言を証拠に）

2　小林昭二の自白は虚偽——死体見分調書・解剖鑑定書の死亡推定時刻はおかしい。その時刻に殺したという小林の自白は崩れ、強制による自白を捜査官の都合のままに変えさせられたことは、彼の自白が虚偽であることを示している。（死体見分調書の写真13をめぐる沖田証言の不自然さ。平井取調べ主任と小林本人の問答、そして鑑定書の死体の胃の内容物のピーマンは死者が「いつでも取り出して残します」という美貴子証言から虚偽であることも）

3　小林は左利きで、犯人が右利きであることを示している死体の扼頸の痕から、小林が犯人でないことが物的に証明されている。（被告人尋問の結果から）

三点とも、弁論要旨の中では、二〇頁以上使って詳しく説明している。これを、ほんのざっとかいつまんで言うだけで三〇分はあっという間に経ってしまった。

次には検察官の弁論で、川井弁護人の弁論要旨のすべての点を頭ごなしに否定する結論だけのほんの八頁だったから、才口検事はそれをそのまま朗読した。

あとで、その内容が、そのまま裁判所の判決文となって出てきたことに、川井は気づくことになる。

「では、判決は一〇月一七日。本日はこれで終ります」

一〇月一七日までの一か月半。川井倫明には、小林事件の判決も気になりはしたが、実のところ、小林事件でしわ寄せを受けていた他の事件の処理に追いまくられてあっという間に過ぎた日々だった。面会に行けない小林からは、はがきが来た。

[弁論要旨　読みました。むずかしいけど、よくわかりました。先生、おれ無罪だよね。無罪のことがぜんぶ書いてあってうれしかったです。おれは無罪です」

そしてその日が来た。

ヒナ壇（裁判官席のある一段高い場所）の後ろの扉がさっと開いて、太田裁判長を先頭に、三人の裁判官が黒衣を翻す黒鳥のように入ってきた。

その男たちの表情を見て、川井は一瞬にして覚った。

判決は良くない。

経験を積んだ弁護士には、裁判官が判決を言い渡すために法廷に入ってくる瞬間の表情で判決の内容がわかる。

被告人に無罪や執行猶予判決を言い渡す時には、裁判官たちは柔和な顔でおだやかに入ってくるが、厳しい判決を言い渡す時には、硬い、嫌な表情でさっと入ってくる。

（やっぱりか！）川井が心中つぶやくまもなく太田幸治裁判長が宣言した。

「では、判決を言い渡します。

被告人前へ」

うながされた小林昭二が立って発言台の前に行くと、裁判長は声を張り上げて言った。

「主文　原判決を破棄する」

川井ははっとした。もしかして「被告人は身代金目的誘拐罪及び殺人罪については無罪」か、「本件を甲府地方裁判所に差し戻す」という言葉が続くのであれば、と一瞬、幻想のように願ったのだ。

しかし次に太田幸治の口から出た言葉は、この裁判体の事件に対する態度から、川井が予想していたとおりの現実だった。

「被告人を無期懲役に処する」

破棄自判、一審判決を破棄するが、渡辺美加を身代金目的で誘拐して殺したのは小林昭二だとした一審の判断は間違っていない。ただし一審判決後に被害者の両親が死刑を望まないとして嘆願書を出すなどしているので、その意向を汲んで量刑だけを変えて、無期懲役にする、という判決だった。

太田裁判長は、型どおり被告人に促した。

「理由を言い渡すから、そこに座って聞きなさい」

判決は、被告人が一審で弁護らしい弁護を受けなかったという川井の主張「第一点」は完全に無視して、「第二点　事実誤認」をそれぞれほんの一言ずつで退けた。

・カバンから出たのが被告人の指紋だけだからといって、ただちに何者かが拭き取ったということにはならない。

・被害者を乗せたはずの軽トラック、「徳之助さんの古屋」から被害者の毛髪や衣類の繊維が発見されず、死体の爪から被告人の皮膚片などが発見されていないからといって、被告人の犯行ではないとはいえない。毛髪や繊維が落ちないこと、爪の中に加害者の皮膚が入らないこともある。

・殺害現場に失禁の跡がないことも、失禁がすべて衣類にしみこんでしまったとも考えられる。

・被告人は左利きで、死体頸部の扼頸の痕は右利きの犯行であるというが、被告人が左利きだという証拠は被告人供述以外にない。被告人が嘘を言っているとも考えられる。

・身代金要求の電話の声は小林昭二の声とは違うという室田美貴子の証言は、根拠があるわけではなく、たんなる印象にすぎないから、それで犯人は別にいる、と判断することはできない。

・弁護人は小林昭二の自白は虚偽だというが、

①証人平井敏一は自白強要など全くなかったと証言している。

②死体見分調書・解剖鑑定書の死亡推定時刻はおかしいという弁護人の主張は採ることができない。沖田証言に不自然さはない。死体見分調書写真13の弁護人が黒く見えるという部分が死斑だという証拠はない。

③鑑定書の死体の胃の内容物にピーマンがあることをとらえて、弁護人は鑑定書の死亡推定時刻の判断を論難（理屈を言って非難するという意味の業界用語）するが、被害者がピーマンをうっかり食べたかもしれない。

④被告人の自白が、犯行日時の点で変わったという証拠もないが、もし変わっていたとしても、そのことで直ちに自白が強制によると判断することはできない。被告人が嘘を言っていたということもありうる。

・弁護人は、事件当時の報道を根拠に、その犯人像と被告人の人物像があまりにも違うなどと言うが、報道が正しいということはできず、当公判廷の証拠ではない。

「第三点　訴訟手続の法令違反」「第四点　審理不尽」も同じように一言ずつで退けた。

・被告人の自白調書は取調官の強制によってされたとは認めないから、原審判決に訴訟手続の法令違反はない。

・原判決に、弁護人が言うような充分な審理をしなかったという審理不尽はない。

裁判長は被告人を立たせて言った。

「被告人、前へ出なさい」

「これで判決の言い渡しを終るが、この判決に不服がある場合には、一四日以内に最高裁判所宛に上告状をしたためて、当裁判所に差し出すように」

三人の黒鳥はまた、法衣を翻して後ろの扉に消えた。

手錠と腰縄を付けられて引かれて法廷から出て行く小林は、一度も川井の方を見なかった。

川井は法廷を出るとエレベーターで地階に下り、仮監（裁判所に来た被告人が仮に入れられている場所）に行って、面会票を書き、小さな面会室で小林を待った。

川井の待つ被告人は、なかなか出てこなかった。

しばらくして看守が来て、被告人は取り乱していて、面会したくない、と言っていると告げた。

その夜一一時、一人の泥酔した男の姿が、有楽町の居酒屋の隅にあった。

男はさっきから、しきりにポケットを探っていた。

ようやく取り出したのは携帯電話だった。

男の指はキイボードの上をしばらくさ迷っていたが、結局押したのは、#1だった。

「はい、川井です」

「陽子？　僕」

「トモ？　どうしたの？」

「僕、今、呑んだくれてます」

「え？　なに？」

「つまり、自棄《やけ》酒飲んでるってこと」

「そうか、小林事件の判決悪かったんだ」

「そう、ひどい判決」

「控訴棄却なの」

「破棄自判だけど、無期懲役」

「そうか！」

「裁判官って何なんだ。江戸時代のお代官様か！　ちゃんとした理屈もなしに、人を殺したり、人生を奪ったりできるのか！　僕、もう、悲しくって、腹が立って、呑んだくれてます。陽子さん！　僕、弁護士嫌になって、酒飲みになりました」

「あのさ」

「うん？」

「行ってあげよっか」

「行ってって、ここへ？」

「うん。一緒に自棄酒飲んであげる」

「いいの？」

「いいよ」

「子どもたちは？」

「もう寝たよ」

「置いてきていいのかな」

「赤ん坊じゃないよ。中学生だよ」

「いいの？」

「いいって！　もし目を覚ましたら、メモ置いていくから。場所言って」

「あのな、有楽町のガードの日比谷側の……」

場所を告げてから、川井は一言余計なことを言った。

「ここさ、あの内藤隆興センセイに鑑定頼んだ店なんだ」

「そうか、そのことでも自棄酒なんだ」

「そうだよ。大人ってひどいもんだな。おれ、大人じゃない。大人にならない。なれない男」

「よし、それも聞いてあげる。じゃ今から行くから」


翌日、川井倫明はやや しおれた顔で、定刻を過ぎて事務所に姿を現した。その顔を見るなり事務員の持田とき子が言った。

「先生、昨日は自棄酒だったんですってね」

「そんなこと、どうして知ってるの」

「きまってるでしょ、奥様からさっき電話。小林の判決、被害者のお母さんに遅くならないで電話しなさいって。『あの人、気が進まないこと、後回しにする弱さがあるから』って、それで持田さんから電話させてください、って」

「やれやれ、なんだよ、あんたたちは共謀して僕を見張ってるんだな、女は強いよな」

その女たちに、守られていることを、川井は本当は知っている。持田とき子のからかうような口調も、年下のボスを沈み込ませない配慮だと。

川井は受話器を取ってボタンを押した。

「室田さんですか。弁護士の川井です。昨日判決でした。無期懲役でした」

一気に言うと、受話器の向こうに、硬い沈黙ができた。

「お世話になってありがとうございました。あの、死刑だけは逃れられて、室田さんのお蔭です。小林がお礼を言ってほしいと」

「――」

「いろいろとすみませんでした。できたら、なるべく早くお元気になってください。では……」

電話を切ろうとすると、受話器から嗚咽が漏れた。

「ごめんなさい」

言うなり、室田美貴子はわっと泣き出した。

「室田さん、室田さん」

「ごめんなさい。私のせいですね。私、美加のときも、今度も、助けられなくて」

「あなたのせいじゃありませんよ！　あなたのお蔭で小林は命を助けていただいたんですよ！」

室田美貴子は憑かれたように言い続けた。

「あれから、ずっと考えて、毎日泣ってます。ほんとうは、あの人が憎い。なんで美加にあんなひどいことをしたのって。美加は――もし美加を返してくれても、『黙ってて』って頼めば、黙っている子です。それなのに、あんまりひどいじゃないですか。宥せないって思うと、眠れなくて」

この人は揺れている。揺れ続けている。それはこの人が被った苦しみの深さから来る動揺なのだ。いつ果てるとも知れない動揺なのだ。

川井は厳粛な気持ちになって、泣きながら訴える被害者の母の声を聞いていた。そして次第に（自分なんか、自分では何の被害も受けてない、ただ仕事が上手く行かなかっただけの弁護士じゃないか）と思い始めている自分に気づいた。

陽子と持田とき子は、被害者の母に電話させることによって、川井にそのことを気づかせたのかもしれない。

五日後。JR市ヶ谷駅前の繁華街から入る細い道の突き当たりに、表通りの高いビルにぐるりと囲まれた形の古い平屋建ての日本家屋が一軒だけある。川井倫明は、その壊れかけた玄関のガラス戸を叩いて大声を出していた。

「松木先生！　松木先生！　カワイトモアキです。松木先生！」

古い呼び鈴は、とっくに壊れている。何度か叫んでいると、奥から声がした。

「はいよ。入って来て」

戸を開けて、土間で靴を脱ぎ、昔式の高い玄関を上がって、二畳の部屋を通り、次のふすまを開けると、畳の上は横に積んだ本と書類で埋まり、人一人が通れるだけの通路がついていて、通路の先に座布団にすわって座卓に向かっている老人がいた。

松木清。八四歳。冤罪事件で名高い弁護士だ。

「すみません。お邪魔して。いいでしょうか?」

「来てしまったんだから、仕方ないでしょう」

松木清は、自分を慕って時々姿を現しては、刑事弁護について教えを請う若い弁護士をからかうように言った。

「今日は何の相談?」

「先生! 冤罪なのに、無期です。悔しくって、気分が晴れないんです」

川井は事件の発端から自分が担当した控訴審の判決までのことを、要領よく話した。

この若者の頭脳が明晰であることは、その話し方でわかる。

松木はこの年齢になっても一向に衰えない理解力で、その話をきちんと頭に入れて行った。

「何が悪かったんでしょうか。被害者の親の嘆願書や情状証人で、有罪を認めてると思わせたのが悪かったんでしょうか。出したくはなかったんですが、何しろ死刑なんで、安全を考えちゃって」

「いや、あなたの話を聞くとそれ以前の裁判所の問題だね」

「そうですよね。私はそう思ったんですけど、自己弁護かと思ったりもしまして」

「それは被告人のこと考えれば、仕方ない。裁判所がそれでいい気になったことはあるかもしれないが、命がかかっているからね」

それから老弁護士は言った。

「いろいろ、あなたが見つけた証拠、もったいなかったね」

「?——」

「話を聞くと太田幸治の合議体は見込みなかったみたいだからね」

「はい、そうです。私の事実誤認の論点、どれ一つだって、その気になれば、破棄判決できることばかり、それが一〇個近くあるのに、はじめから控訴棄却姿勢でした」

「だからさ、その被害者のお母さんの聞いた声のこととか、中学の給食のこととか、それだけで再審理由になることは、出さないで、とっておく手もあったよな」

「——」

「もちろん、原審死刑だから、あなたとしては、安全を考えれば、何としても死刑だけは外させたいから、全部出し切っちゃうのは、心情的にわかるけどね」

「——」

「知ってるでしょう。裁判所は、事実認定に本当は自信がないときは死刑にしない。あなたの控訴趣意書での指摘は、多分それだけの力を持っていると僕は思うよ」

「だから、声のこととか、中学の給食のこととか、は再審理由にとっておいたほうがよかったんですか!」

「ま、難しい判断だがね。今の最高裁は、多分太田判決を直す気はないだろう」

「上告しないほうがいいでしょうか。下級審のほうがましだってことは知ってます。上告しないで確定させて、再審したほうが……」

「いや、一応しておいて、再審用の『新証拠』ってやつを探すんだな。時間が要るでしょう？」

（だって、もう、新証拠は使いきってしまった）

川井の思いをよそに老弁護士は、別なことを話す口調になった。

「僕はね、冤罪事件に関わるたびに、いつも身にしみて思う言葉があるんだよ。『禍福はあざなえる縄の如し』っていう言葉なんだ」

「アザナエル？　ですか」

カフクもわからなかったが、もっと耳慣れないアザナエルの方から聞いた。

「そう、あざなうっていうのは、縄をなうっていう意味なんだ。人生は、禍福――禍いも幸福も混ざり合ってなわれた縄のようなものだ、という意味の言葉なんだけれど、僕が冤罪事件のたびにこの言葉を思い出すのは、冤罪というものは、決して一人や二人の悪人の悪意や誰か一人のミスだけによって起こるのではなくて、何十本もの藁《わら》が縒《よ》り合わされて太い縄になるように、何十人もの人間のしたこと、それは悪意ばかりではなくある種の善意、裏切りや過失ばかりではなく、ある種の義務に忠実な振る舞いや、模範的な行為も、みんな縒り合わされて、そういった様々な人間の営みが、交じり合い、絡み合って、それがあるときは冤罪にもなる。それを痛感するんだね」

本当にそうだ。と川井は思った。あの誠実そうな鑑識班長の沖田が、法廷で最後に川井に向かってした目礼が思い出された。

「まず、上告状を出しておくことだね」

偉大な先輩は、迷える後輩を温和に諭した。


松木の陋屋《ろうおく》を出た川井は、駅には入らず、中央線に沿って延びる細長い緑地に入り、飯田橋に向って歩いた。途中で脇に入って線路を見下ろすベンチに座った。

黄色くなった桜の葉が一枚、座っている男の肩に舞い降りて、落葉の季節の始まりを告げたが、川井は座り続けていた。

しばらくして川井の中で、何かがゆっくりと立ち上がってきた。

(藁ねぇ。藁)

(そうか、藁はまだ何十本もあるんだ。それを洗いなおす。そうだな)

(うん。これなんかどうだ。犯人が使ったプリペイドのケイタイ。昔は匿名で買えたけど、今は確か身分証明が要るんじゃなかったかな。偽の何かを使ったとしても、何か取っ掛かりがあるかもしれない。警察がその証拠を一切出してこないのは、調べる価値があるってことだ。渡辺家の通話記録から調べて番号を割り出す。あのおっさん、協力するかな？　うん、

なんとかさせよう)

川井倫明は快活で、鋭敏な弁護士の顔を少し取り戻した。

そしてポケットから一枚のはがきを取り出した。今朝来て、読むのは何度目かになる。

先生。昨日はごめんなさい。ほんとうはわかってたんだ。先生が悪いんじゃない。裁判官が悪いんだ。先生はおれの命助けてくれた。ありがとう。ほんとうに昨日はごめんなさい。

おれ、いいよ。「むき」でもいいよ。死刑にならないんだから。助かったんだから。今日から安心して生きていられるんだから。

「りょうちきん」もうないけど、最後の金で、これ速達で出します。先生にこの世で会えてよかったこと言いたくて。先生　元気出してな。

小林昭二

(「りょうちきん」もうないけど——か。しょうがない奴だ。またアンパン食ったな。仕方ない。また差し入れてやるから)

川井倫明はそのはがきを、大切にポケットにしまって立ち上がった。このはがきはきっと、くしゃくしゃになっても、いつまでも彼のポケットにあるだろう。そして彼は時々こうして、それを取り出して見るのだろう。

作者あとがき

この作品を、フィクションと呼ぶのだろうか。作者としては、ドキュメントあるいはリポートと呼びたい気持ちがある。全体の筋書きは架空のものだが作品を構成する膨大な細部のほとんどは、実際にどこかに存在したものだからだ。

発想は、誘拐事件の新聞記事から得た。

高速道路と一般道の交差する地点で身代金を投下せよという犯人の指示を、被害者の家族は警察の方針に従って投下せずに通過し、被害者の死体が発見された。新聞の事件では身代金要求の前に殺害が行なわれていたというが、もし、そうでなかったら？　被害者の遺族がそのことに強くこだわったら？　それが作品の縦糸になった。

ある家族の不遇な歴史が家族間の葛藤になり犯罪になる事例は多い。兄弟の一人だけがあくことない手法で社会的成功者となり、亡父の棺の前で相続人が取っ組み合いをする話は実話である。

警察の捜査や特に鑑識活動についてはあまりにも不正確なドラマや小説が多い。

またよくある冤罪ものでは、警察官は一方的な悪玉に書かれることが多いが、捜査というハードな仕事を可能にしているのは彼等の犯罪を憎む正義感だ。

だが、犯人らしく見える部分もある被疑者を誤って犯人にしてしまわないためには、組織の流れに抗して真実を追究する、もう一段高い正義感がなければならない。

弁護士の名刺についてはおしゃべりするが、審理を極端に制限して被告人の冤罪の訴えを退ける裁判官(これも実話だ)も含めて、職務上の慣れや組織に対する固定された忠誠心が、ある状況の中では冤罪を生み、固めていく働きをする。作品の最後で老弁護士が言う「あざなえる縄」が長年刑事事件を扱ってきた作者の実感である。

この作品は逮捕された青年が冤罪であることを読者に見せたうえで進行する。

読者にお願いしたいのだが、一度読了されたあとで、フィルムの逆回しのように、高裁の判決から出発して事件を見る実験をしてみてほしい。小林昭二が金を盗んだだけだと知らされていなかったら、前科が三つもあり、カバンに指紋があり、自白もしている被告人が「自白は強制されました。殺害場所には行っていません。私は左利きです」などと言っても、死刑を逃れたいだけだと思う人は多いのではないだろうか。日々報道されては消えて行く犯罪事件の中には、こうして処理されて行く事件もあることを考えるきっかけにしていただければと思う。

犯罪を憎みながら、しかし「疑わしきは被告人の利益に」という法諺《ほうげん》を実行することは司法に日常的に携わっている者にも（あるいはだからこそ）難しい仕事なのだ。

一審と二審の弁護士像、高検の二人の検事は、両極端の典型だが、ただ、実際にこのとおりの人たちがいることも事実だ。

事件の舞台を山梨県にしたのは、ただ、作者にたまたま土地勘があるという理由だけで、県警や弁護士会には、ご不快かもしれないことをお詫びする。

解説

栗木《くりもと》　薫《かおる》
（作　家）

息もつかせぬ迫力で、この厚さをさいごまで一気に読ませる力作——といってしまうと、なんとなく常套句《じょうとうく》とか、キャッチコピーめいてしまいますが、その言葉がまさにもっともぴったりはまる一冊が、この朔立木『死亡推定時刻』だと思います。

誰もがただちに指摘するであろう、他の多くのミステリーとこの本との、最大の違いは当然、この本に見られる、異常なまでに詳細な、殺人事件についての警察の捜査の実態、進行のしかた、法律とその実行にうつされかた、裁判や弁護士、検事、検察、警察などについてのきわめて正確な知識だろうと思います。実をいうと、私は、これが「小説であること」は最初からじゅうじゅう承知していながら、読んでいるあいだずっと、「詳細なドキュメンタリー」を読んでいる、という意識しかありませんでした。ここで描かれている女子中学生の誘拐殺人事件が、「ええと、いつごろだっけ」とか、「いつ、決着したんだっけ」とか、「いつごろに新聞で見たのだっけ」などと、ついつい思い出そうとしてしまうのです。それほどの圧倒的なリアリティが、この小説にはあります。

それも当然で、著者は現役の法曹関係者であり、長年の「現場の知識」を生かして書き上げた作品であるのですが——そこで私事になりますが、私は何年かにわたって「サントリーミステリー大賞」の選考委員をつとめ、そこに登場してくる、実にさまざまな職種の専門家が書いた小説を読ませてもらいました。現役のパイロットが書いた飛行機にまつわるミステリーもあれば、シンガポールに長年在住している著者が書いたシンガポールを舞台にしたミステリーもありました。

ひとは、誰でも一生に1本は小説が書ける、というようなことをいう人がおります。そうした、それぞれの人が一生をかけた場所や職業については当然、誰もが本当の意味での「専門家」であるに違いなく、その意味では、その「専門」については誰もかなわないのが当然です。ただ一方、「小説」ということで見た場合、私はこれまた私事ながら、23歳のときから「小説しか書いたことのない」いわば小説のほうの専門家で、何ひとつほかに、法律も機械も経済関係も科学も「専門」といえるものがありません。でありますので、それぞれの人が持っている「専門」の知識や経験の素晴らしさは認めますが、それがでは「小説」としての成熟度やみごとさとどう結びつくか、ということは、実際には、あまり相互関係はないな、ということも感じてきました。一方では、まったく世間は知らないし、知識もめちゃくちゃなのだが、しかし「小説としては文句なしに面白い」というようなものも見聞しました。それが小説というものの不思議なところです。素晴しい素材を持っている人すなわち名料理人とは限らず、名料理人必ずしもなんらかの専門家とは限らないというところが小説家の面白さです。これが本当の料理であってみれば、いかにすぐれた素材をもってしても、料理の腕がよくなければ台無しになりましょうし、料理人がとてもすぐれていても、たとえば塩も砂糖もないところでうまい料理を作るのは難しかろうと思います。無から有を生み出すことも出来れば、素晴しい素材を必ずしも素晴しい感動に結びつけることが出来るとは限らない、というのも小説の面白さです。

ですから、私は、本当をいうとこの『死亡推定時刻』のような、きわめて精緻な専門的な知識に支えられた類の小説というのは本来は得手ではありません。ましてや私はファンタジー作家ですし、ミステリー作家でもあるのですがまったく傾向が違いますから、むしろ本当はここで解説させてもらうに向いているとは思えないのです。しかし、この作品に関する限り、私は、非常になんというか、ほかのそういったいわば「珍しい素材に頼る」作品との大きな違いを感じました。何が一番違うかといえば、それは、私がどうしても「ドキュメント」として読んでしまうような、その極端なリアリティそのものだったと思います。

このリアリティはただごとではありません。いますぐにでも、義憤にかられ、冤罪《えんざい》事件の署名運動をはじめたくなります（笑）。また、一読すると「警察はそれでいいのか」などと机を叩きたくなります。が、これがドキュメントならば、それは当然なのですが、これはれっきとした「創作」なのです。この、極端なまでの「リアリティ」こそが、もしかして、我々小説家が――己の幻想と文字以外にネタをもたない小説家が己の幻想と文字によってだけ獲得しようと格闘しているもの、それ自体ではないでしょうか。

筆致はきわめて正確ながら淡々としていますし、それがいっそうドキュメンタリー感を強めます。折も折この本を、解説を書くために読み終わったその翌朝、新聞を見たらば、朝刊は「秋田の小学生殺害死体遺棄事件」の犯人として隣家の主婦が逮捕された、という記事をトップに掲げていました。見たとたんに、きのう読み終えた冤罪事件の話を思い出してしまって、「まさか」と思ったり、「これからこの女性はこの主人公みたいな事情聴取を受けるのか。大丈夫なんだろうか」と思ったりするくらい、この小説の、警察の捜査や裁判、そして法律に関するリアリティはすさまじいものでした。それは、「現役だから当然だ」というようなものではない。それは朔立木さんの、「知識の膨大さ」ではなくて、「作家としての確かさ」がもたらしたものでしかありえないと思います。

私はまた、「この世のどこにもない世界」を延々と100巻にもわたって書き続けている作家です。どこにも存在しない世界を作り、どこにもいない人間たちを生き生きと生々しく存在させ、どこにもない歴史とどこにもない植物、動物、戦争などを素材として、それが「本当にどこかにある」と感じさせることが私の商売です。私と朔さんとはおそらくもっとも正反対の、まったく異なるアプローチによって、だが、求めているものは実をいうと、まったく同じなのだと思います。なぜならこの作品は全編にわたって、これほどのリアリティに貫かれていながら、実は「どこにもじっさいにはなかった事件」を、「どこにもいなかった人々」、「本当はいない犯人、検事、弁護士、証人たち」を描いているのですから。恐しくリアルなドキュメントとさえ見えて、実をいうと、この作品は非常にすぐれた創作なのです。この作品の「リアルさ、ドキュメンタリーらしさ」こそが、実は「小説の本当の役割」を果たしているのです。

むろんそれは朔さんの知識や経験がもたらしたものに支えられており、また、それぞれにモデルと目されるものもないわけではないのかもしれません（確認したわけではありませんが）。しかし、本当は、どこから出発しようと、つまるところ「あの人はいったいあれからどうなったのだろう」と考えさせてしまうこと、「あの事件は、その後どうなっているだろう」と思わせてしまうこと、これこそが、まさに「虚実の皮膜」そのものであります。朔さんは「実」から出発して虚にいたる『かに見え』、ファンタジー作家の私は「虚から出発して実に迫る」ことを目的とします。が、本当は、このどちらのアプローチも、作家としては、「ひとつこと」だったのではないか。本当にいい小説とは、「どこにもない世界とどこにもいない人々」に、読者に激しく感情移入させ、生々しく感じさせるものであると私は思っています。これまでに多くの「社会派推理小説」というものを読んできましたが、その多くは、実のところ、「貧乏くさくて地味でいかにもいまの世界らしく」見える、というカラーを持つだけの、ミステリーという名のファンタジーであることは何も変わっていなかった、と私は思っています。パイプとバイオリンとモリアーティ教授のかわりに、どた靴のくたびれた刑事たちと貧しげな裏町とを用いただけのそれが、本当に「社会派」なのかどうか、ということに私はひそかな疑問を持ってきました。この作品のようなものこそ真の意味の「社会派ミステリー」と呼ぶべきなのでしょう。なぜかといえば、それは「ドキュメンタリー」とみまごうほどにも精緻に組み立てられた素材を使って、しかも「本当はどこにもない世界と事件と人々」を、「本当にいる」と錯覚させる、そしてそのままそれを現実に照射しかえす、という、「小説本来の役割」をみごと果たしおおせているからです。

朔さんの作家としての力量の最大の部分は、奇妙なことですが、「作家たろう」としすぎなかったことではないかと私は思っています。全編を貫く、ある突き放したタッチが、いっそう「ドキュメンタリーらしさ」を盛り上げているので、私たちはいっそう、朔さんの創作の世界と、「本当のリアル」のつぎめが見分けがつかなくなるのだと思います。凡庸な作家なら、おのれがこれほどの素材への知識や経験を持っていることに乗じて、凡庸なルサンチマンや余計な「小説としての場面造り」などを盛り込んでしまうことで、おそらくこの緊張感のある「ドキュメント」ふうのタッチを失ってしまったことでしょう。その意味では、私たちは、この「面白い小説」を、「力強いドキュメント」として受け取るようそそのかす、作者の手練手管《てれんてくだ》にまんまとのせられているのです。それこそが、作家の力量であり、凡手でないことのあかしだと思います。読み終わった翌日の新聞記事をみて、思わず「冤罪なら川井弁護士に頼めばいいのに」と思った私、また「＊＊は（未読の読者のために一応伏せましょう）その後まだそのままの状態であるのだろうか」と思って身震いした私、そのような反応を「何もないところ」から生み出せるとしたら、それが、作家の最大の満足であるでしょう。それはまた、朔さんの、御本職にふさわしい強靭《きようじん》な理性と知性のたまものでもあると思います。巷《ちまた》には「新本格」の隆盛が喧伝《けんでん》されていますが、他の追随を許さない「新社会派本格推理小説」の旗手の登場に拍手！です。

二〇〇四年七月　光文社刊

光文社文庫

長編推理小説

死《し》亡《ぼう》推《すい》定《てい》時《じ》刻《こく》

著者　朔《さく》　立《たつ》　木《き》

2006年7月20日　初版1刷発行
2008年8月20日　17刷発行

発行者　駒井　稔
印　刷　萩原印刷
製　本　明泉堂製本

発行所　株式会社　光文社
〒112-8011　東京都文京区音羽1-16-6
電話　(03)5395-8149　編集部
8114　販売部
8125　業務部

落丁本・乱丁本は業務部にご連絡くだされば、お取替えいたします。
ISBN978-4-334-74091-7　Printed in Japan

お願い　光文社文庫をお読みになって、いかがでございましたか。「読後の感想」を編集部あてに、ぜひお送りください。

このほか光文社文庫では、どんな本をお読みになりましたか。これから、どういう本をご希望ですか。どの本も、誤植がないようつとめていますが、もしお気づきの点がございましたら、お教えください。ご職業、ご年齢などもお書きそえいただければ幸いです。当社の規定により本来の目的以外に使用せず、大切に扱わせていただきます。

光文社文庫編集部